교과서 GO! 사고력 GO!

Go! 매쓰

Start

교과서 개념

수학 2-2

Go! 매쓰

구성과 특징

1 교과서 개념 잡기

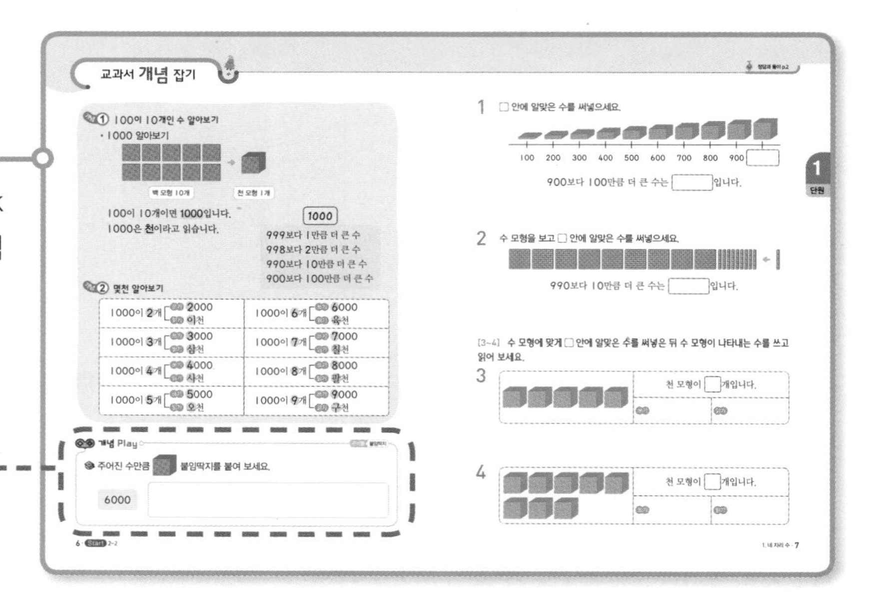

교과서 개념을 익힌 다음 개념 Check 또는 개념 Play로 개념을 확인하고 개념 확인 문제를 풀어 보세요.

개념 Check 또는 개념 Play로 개념을 재미있게 확인할 수 있습니다.

2 교과서 개념 play

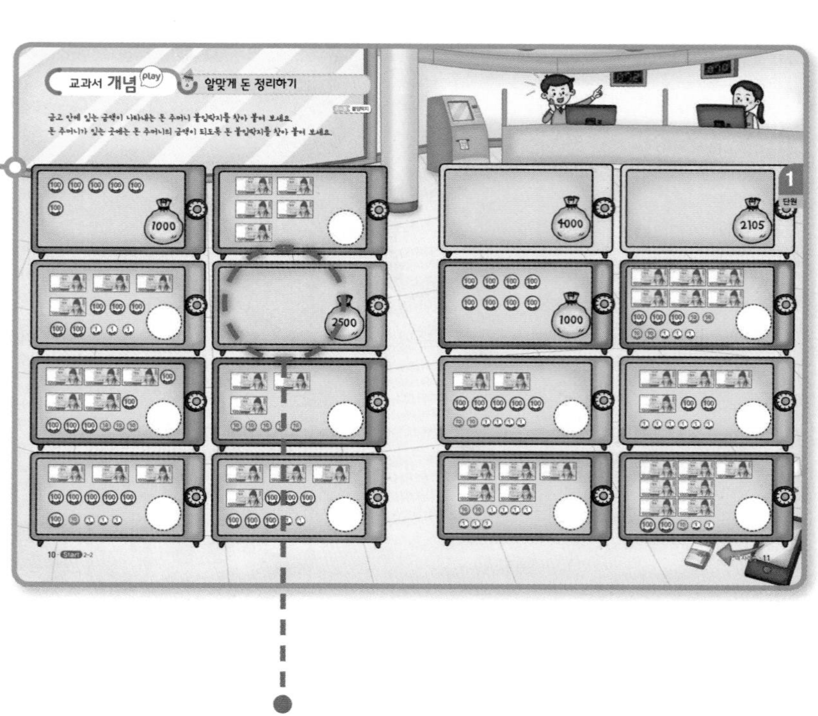

개념을 게임으로 학습하면서 집중력을 높여 개념을 익히고 기본을 탄탄하게 만들어요.

Play 붙임딱지를 활용하여 손잡이를 접어 붙였다 떼었다를 반복하면 하나의 게임도 여러 번 할 수 있습니다.

3 집중! 드릴 문제

각 단원에 꼭 필요한 기초 문제를 반복하여 풀어 보면 기초력을 향상시킬 수 있어요.

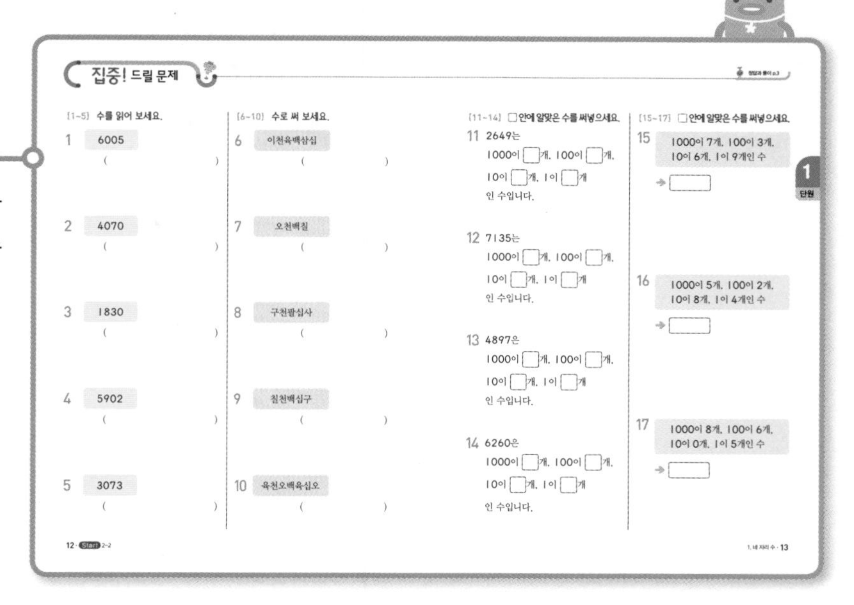

집중! 드릴 문제

정답과 풀이 p.3

[1~5] 수를 읽어 보세요.

1 6005 (　　　)

2 4070 (　　　)

3 1830 (　　　)

4 5902 (　　　)

5 3073 (　　　)

[6~10] 수로 써 보세요.

6 이천육백삼십 (　　　)

7 오천백칠 (　　　)

8 구천팔십사 (　　　)

9 칠천백십구 (　　　)

10 육천오백육십오 (　　　)

[11~14] □ 안에 알맞은 수를 써넣으세요.

11 2649는 1000이 □개, 100이 □개, 10이 □개, 1이 □개인 수입니다.

12 7135는 1000이 □개, 100이 □개, 10이 □개, 1이 □개인 수입니다.

13 4897은 1000이 □개, 100이 □개, 10이 □개, 1이 □개인 수입니다.

14 6260은 1000이 □개, 100이 □개, 10이 □개, 1이 □개인 수입니다.

[15~17] □ 안에 알맞은 수를 써넣으세요.

15 1000이 7개, 100이 3개, 10이 6개, 1이 9개인 수 → □

16 1000이 5개, 100이 2개, 10이 8개, 1이 4개인 수 → □

17 1000이 8개, 100이 6개, 10이 0개, 1이 5개인 수 → □

1 단원

12 · Start 2-2　　1. 네 자리 수 · 13

4 교과서 개념 확인 문제

교과서와 익힘책의 다양한 유형의 문제를 풀어 볼 수 있어요.

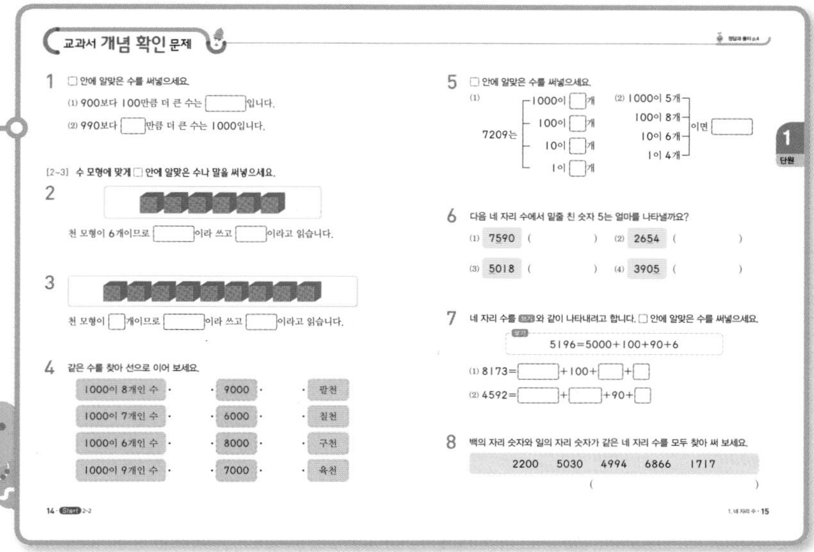

교과서 개념 확인 문제

정답과 풀이 p.4

1 □ 안에 알맞은 수를 써넣으세요.

(1) 900보다 100만큼 더 큰 수는 □입니다.

(2) 990보다 □만큼 더 큰 수는 1000입니다.

[2~3] 수 모형에 맞게 □ 안에 알맞은 수나 말을 써넣으세요.

2 천 모형이 6개이므로 □이라 쓰고 □이라고 읽습니다.

3 천 모형이 □개이므로 □이라 쓰고 □이라고 읽습니다.

4 같은 수를 찾아 선으로 이어 보세요.

1000이 8개인 수 · 1000이 7개인 수 · 1000이 6개인 수 · 1000이 9개인 수

9000 · 6000 · 8000 · 7000

팔천 · 칠천 · 구천 · 육천

5 □ 안에 알맞은 수를 써넣으세요.

(1) 7209는 1000이 □개, 100이 □개, 10이 □개, 1이 □개

(2) 1000이 5개, 100이 8개, 10이 6개, 1이 4개이면 □

6 다음 네 자리 수에서 밑줄 친 숫자 5는 얼마를 나타낼까요?

(1) 7590 (　　　)　(2) 2654 (　　　)

(3) 5018 (　　　)　(4) 3905 (　　　)

7 네 자리 수를 보기와 같이 나타내려고 합니다. □ 안에 알맞은 수를 써넣으세요.

보기 5196=5000+100+90+6

(1) 8173=□+100+□+□

(2) 4592=□+□+90+□

8 백의 자리 숫자와 일의 자리 숫자가 같은 네 자리 수를 모두 찾아 써 보세요.

2200　5030　4994　6866　1717

(　　　)

1 단원

14 · Start 2-2　　1. 네 자리 수 · 15

5 개념 확인평가

각 단원의 개념을 잘 이해하였는지 평가하여 배운 내용을 정리할 수 있어요.

개념 확인평가　1. 네 자리 수　맞은 개수

정답과 풀이 p.8

1 □ 안에 알맞은 수를 써넣으세요.

999보다 □만큼 더 큰 수, 900보다 □만큼 더 큰 수는 1000입니다.

[2~3] 수 모형이 나타내는 수를 쓰고 읽어 보세요.

2 쓰기 ________ 읽기 ________

3 쓰기 ________ 읽기 ________

4 □ 안에 알맞은 수를 써넣으세요.

(1) □은/는 1000이 6개, 100이 9개, 10이 7개, 1이 2개

(2) 1000이 8개, 100이 0개, 10이 4개, 1이 1개이면 □

5 다음을 > 또는 <를 사용하여 나타내어 보세요.

(1) 4937은 4898보다 큽니다. (　　　)

(2) 8263은 8281보다 작습니다. (　　　)

6 뛰어 세었습니다. 빈칸에 알맞은 수를 써넣고 그 수를 읽어 보세요.

4277 - 4287 - 4297 - □ - 4317 - 4327 - 4337

(　　　)

7 다음 네 자리 수에서 밑줄 친 숫자는 얼마를 나타낼까요?

(1) 1645 (　　　)　(2) 6782 (　　　)　(3) 3059 (　　　)

8 두 수의 크기를 비교하여 ○ 안에 > 또는 <를 알맞게 써넣으세요.

(1) 3004 ○ 2890　(2) 6718 ○ 6732

1 단원

30 · Start 2-2　　1. 네 자리 수 · 31

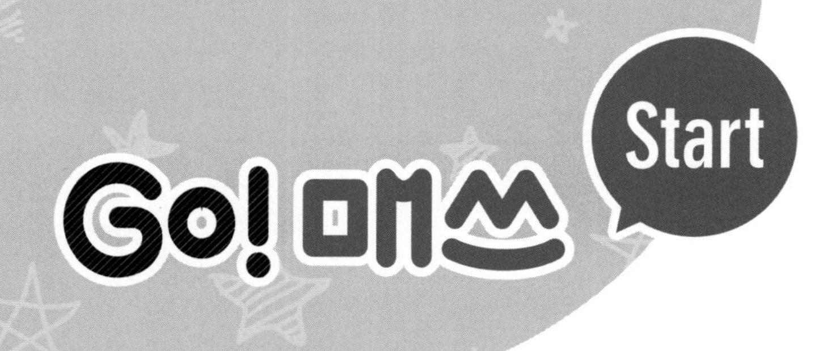

차례

1 네 자리 수 5쪽
2 곱셈구구 33쪽
3 길이 재기 61쪽
4 시각과 시간 89쪽
5 표와 그래프 117쪽
6 규칙 찾기 145쪽

1 네 자리 수

학습 계획표

내용	쪽수	날짜	확인
교과서 개념 잡기	6~9쪽	월 일	
교과서 개념 play / 집중! 드릴 문제	10~13쪽	월 일	
교과서 개념 확인 문제	14~17쪽	월 일	
교과서 개념 잡기	18~21쪽	월 일	
교과서 개념 play / 집중! 드릴 문제	22~25쪽	월 일	
교과서 개념 확인 문제	26~29쪽	월 일	
개념 확인평가	30~32쪽	월 일	

교과서 개념 잡기

개념 1 100이 10개인 수 알아보기

• 1000 알아보기

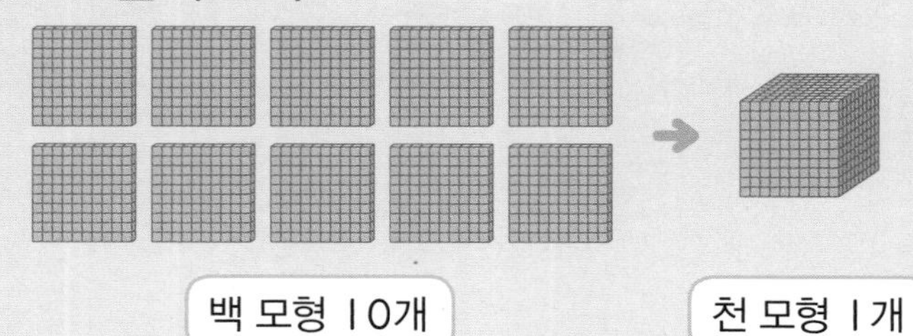

백 모형 10개 → 천 모형 1개

100이 10개이면 **1000**입니다.

1000은 **천**이라고 읽습니다.

1000

999보다 1만큼 더 큰 수
998보다 2만큼 더 큰 수
990보다 10만큼 더 큰 수
900보다 100만큼 더 큰 수

개념 2 몇천 알아보기

1000이 2개 — 쓰기 2000, 읽기 이천	1000이 6개 — 쓰기 6000, 읽기 육천
1000이 3개 — 쓰기 3000, 읽기 삼천	1000이 7개 — 쓰기 7000, 읽기 칠천
1000이 4개 — 쓰기 4000, 읽기 사천	1000이 8개 — 쓰기 8000, 읽기 팔천
1000이 5개 — 쓰기 5000, 읽기 오천	1000이 9개 — 쓰기 9000, 읽기 구천

개념 Play

준비물 붙임딱지

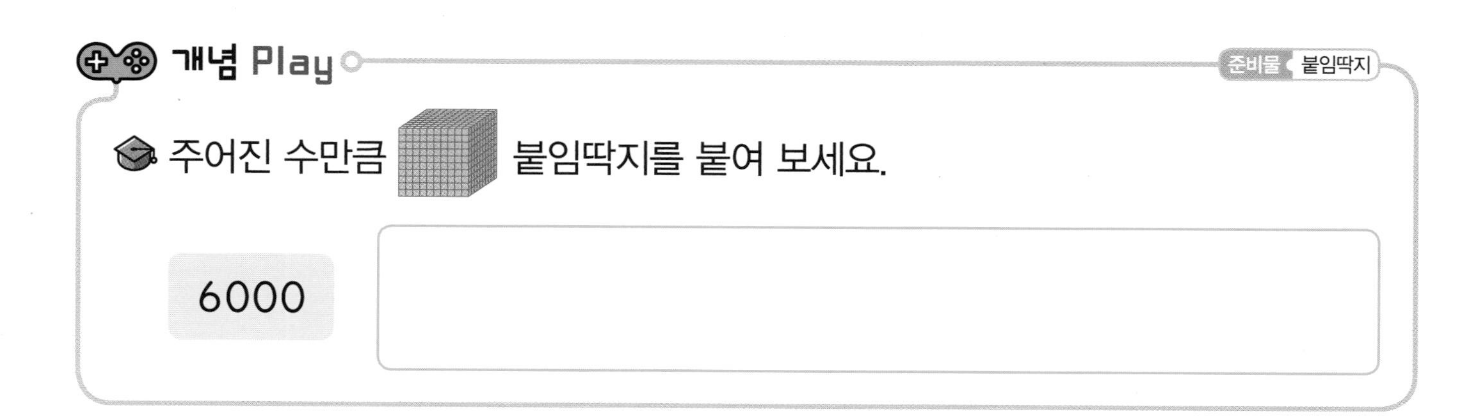

주어진 수만큼 천 모형 붙임딱지를 붙여 보세요.

6000

1 □ 안에 알맞은 수를 써넣으세요.

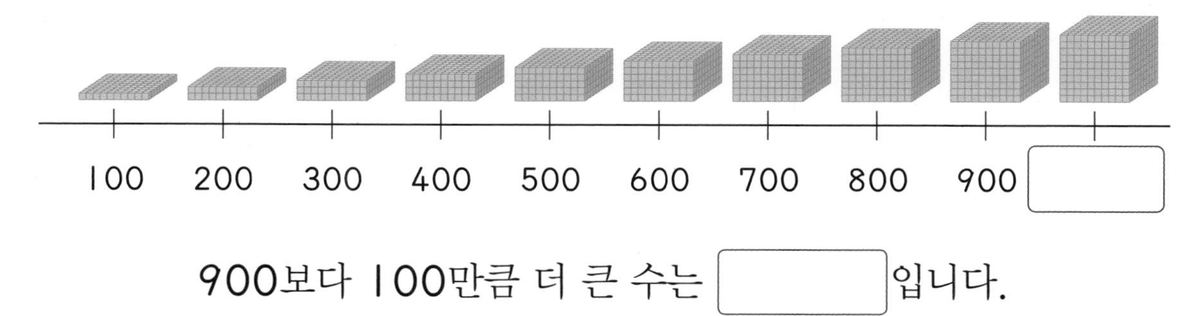

900보다 100만큼 더 큰 수는 □입니다.

2 수 모형을 보고 □ 안에 알맞은 수를 써넣으세요.

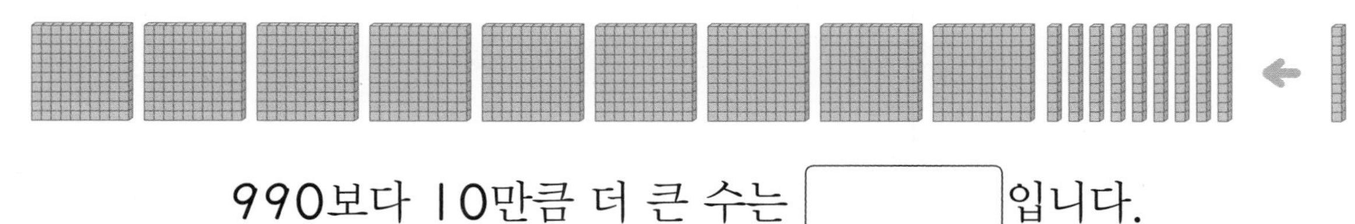

990보다 10만큼 더 큰 수는 □입니다.

[3~4] 수 모형에 맞게 □ 안에 알맞은 수를 써넣은 뒤 수 모형이 나타내는 수를 쓰고 읽어 보세요.

3

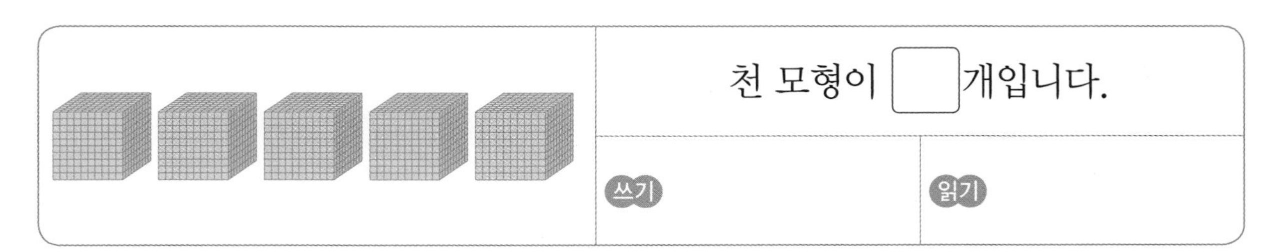

4

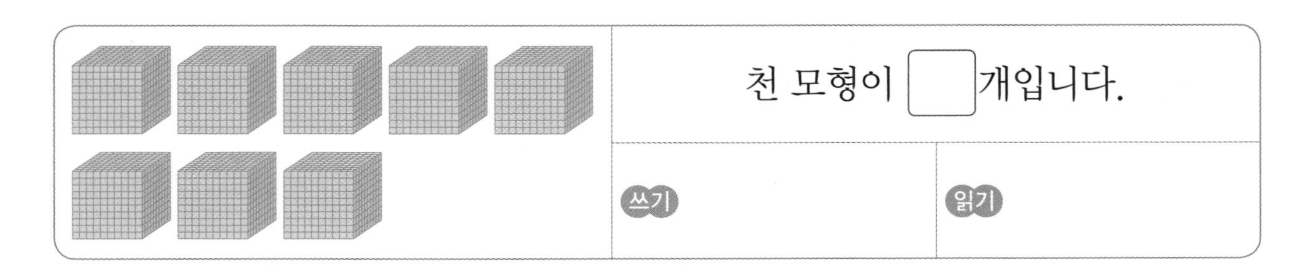

개념 3 네 자리 수 알아보기

천 모형	백 모형	십 모형	일 모형
1000이 2개	100이 3개	10이 6개	1이 4개

1000이 2개, 100이 3개, 10이 6개, 1이 4개이면 2364입니다.

2364는 이천삼백육십사라고 읽습니다.

개념 4 각 자리의 숫자는 얼마를 나타내는지 알아보기

천의 자리	백의 자리	십의 자리	일의 자리
2	3	6	4

↓

2	0	0	0
	3	0	0
		6	0
			4

2364에서

2는 천의 자리 숫자이고, 2000을 나타냅니다.

3은 백의 자리 숫자이고, 300을 나타냅니다.

6은 십의 자리 숫자이고, 60을 나타냅니다.

4는 일의 자리 숫자이고, 4를 나타냅니다.

➩ $2364=2000+300+60+4$

개념 Play

준비물 붙임딱지

3467을 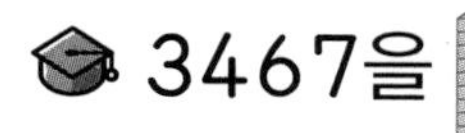 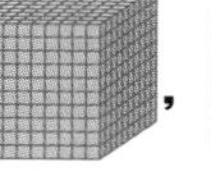, 붙임딱지를 붙여 나타내어 보세요.

천 모형	백 모형	십 모형	일 모형

1 수 모형이 나타내는 수를 쓰고 읽어 보려고 합니다. □ 안에 알맞은 수나 말을 써넣으세요.

천 모형	백 모형	십 모형	일 모형
1000이 □개	100이 □개	10이 □개	1이 □개

➜ □(이)라 쓰고 □(이)라고 읽습니다.

2 그림이 나타내는 수를 쓰고 읽어 보세요.

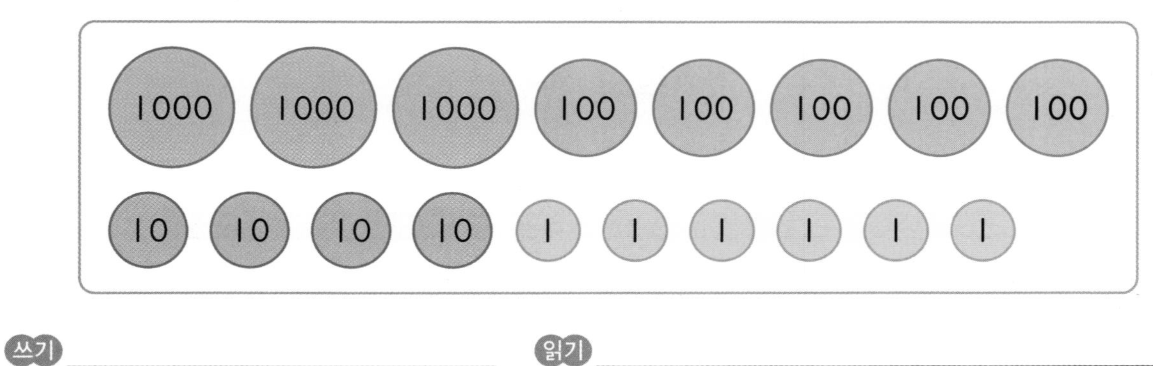

쓰기 ____________ 읽기 ____________

3 각 자리의 숫자는 얼마를 나타내는지 알아보려고 합니다. □ 안에 알맞은 수를 써넣으세요.

	천의 자리	백의 자리	십의 자리	일의 자리
각 자리의 숫자	6	7	2	8
나타내는 값	1000이 6개 =□	100이 7개 =□	10이 2개 =□	1이 8개 =□

➜ 6728=□+□+□+□

1 단원

교과서 개념  알맞게 돈 정리하기

준비물 붙임딱지

금고 안에 있는 금액이 나타내는 돈 주머니 붙임딱지를 찾아 붙여 보세요.
돈 주머니가 있는 곳에는 돈 주머니의 금액이 되도록 돈 붙임딱지를 찾아 붙여 보세요.

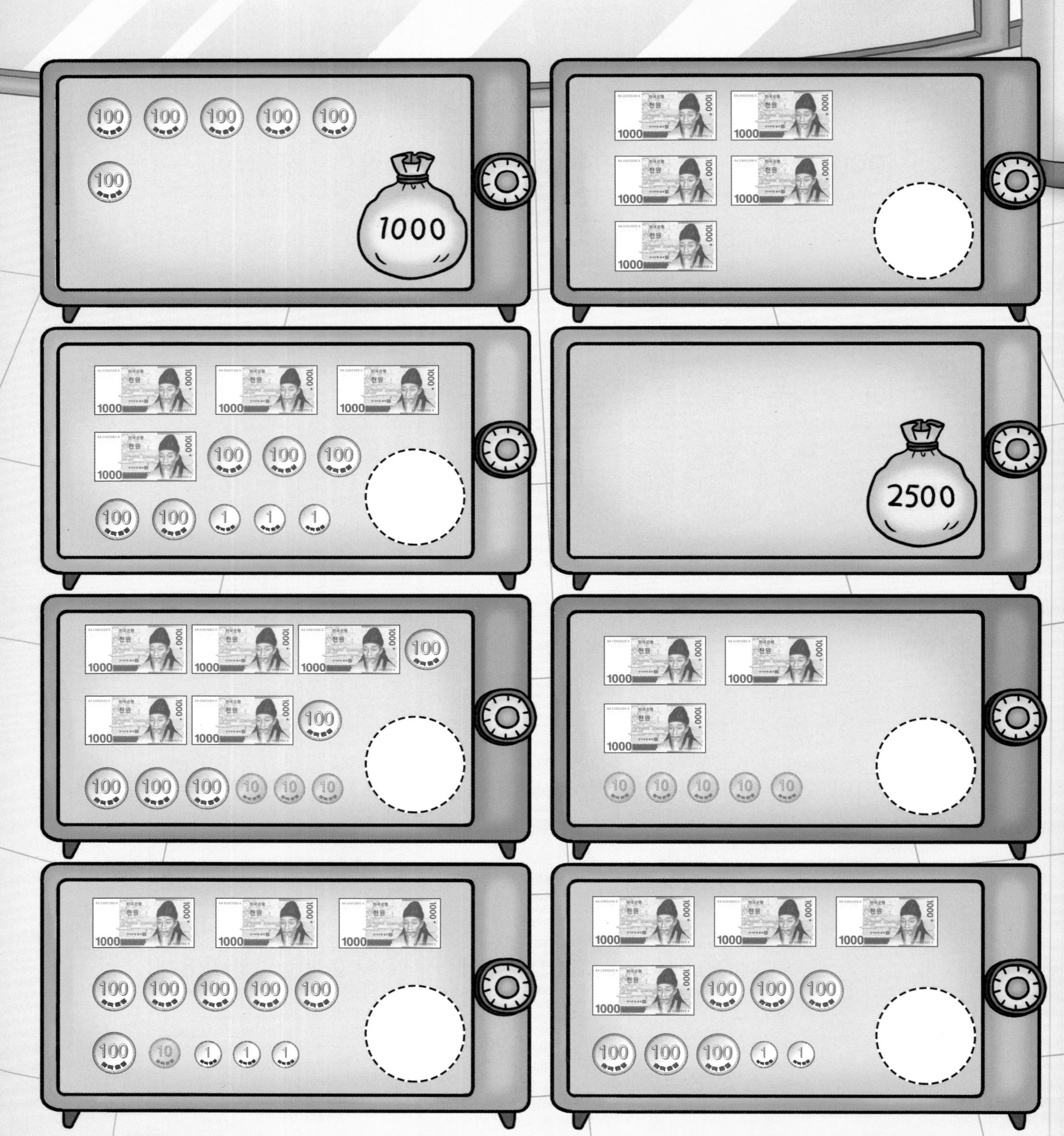

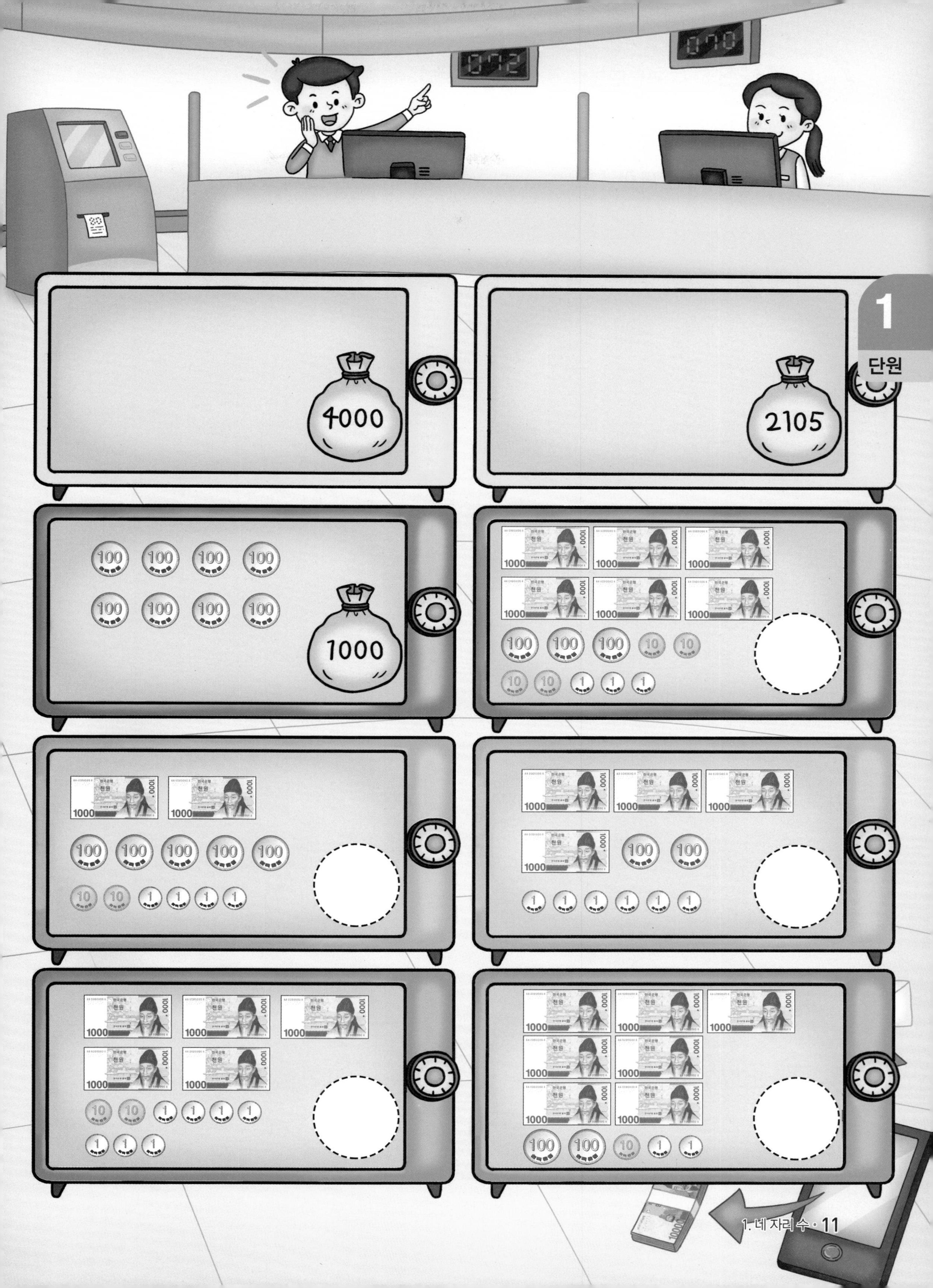
4000
2105
1000
1단원

집중! 드릴 문제

[1~5] 수를 읽어 보세요.

1 6005

(   )

2 4070

(   )

3 1830

(   )

4 5902

(   )

5 3073

(   )

[6~10] 수로 써 보세요.

6 이천육백삼십

(   )

7 오천백칠

(   )

8 구천팔십사

(   )

9 칠천백십구

(   )

10 육천오백육십오

(   )

[11~14] □ 안에 알맞은 수를 써넣으세요.

11 2649는

1000이 □개, 100이 □개,

10이 □개, 1이 □개

인 수입니다.

12 7135는

1000이 □개, 100이 □개,

10이 □개, 1이 □개

인 수입니다.

13 4897은

1000이 □개, 100이 □개,

10이 □개, 1이 □개

인 수입니다.

14 6260은

1000이 □개, 100이 □개,

10이 □개, 1이 □개

인 수입니다.

[15~17] □ 안에 알맞은 수를 써넣으세요.

15

1000이 7개, 100이 3개,
10이 6개, 1이 9개인 수

➔ □

16

1000이 5개, 100이 2개,
10이 8개, 1이 4개인 수

➔ □

17

1000이 8개, 100이 6개,
10이 0개, 1이 5개인 수

➔ □

교과서 개념 확인 문제

1 □ 안에 알맞은 수를 써넣으세요.

(1) 900보다 100만큼 더 큰 수는 □입니다.

(2) 990보다 □만큼 더 큰 수는 1000입니다.

[2~3] 수 모형에 맞게 □ 안에 알맞은 수나 말을 써넣으세요.

2

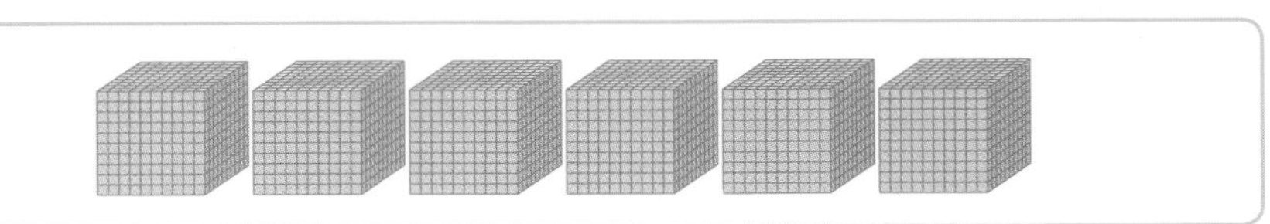

천 모형이 6개이므로 □이라 쓰고 □이라고 읽습니다.

3

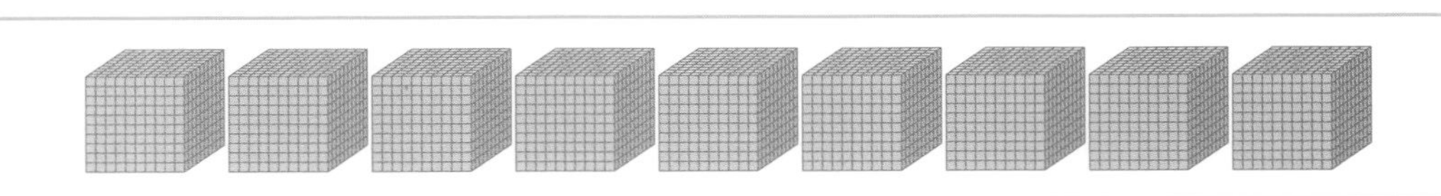

천 모형이 □개이므로 □이라 쓰고 □이라고 읽습니다.

4 같은 수를 찾아 선으로 이어 보세요.

1000이 8개인 수 ·	· 9000 ·	· 팔천
1000이 7개인 수 ·	· 6000 ·	· 칠천
1000이 6개인 수 ·	· 8000 ·	· 구천
1000이 9개인 수 ·	· 7000 ·	· 육천

5 □ 안에 알맞은 수를 써넣으세요.

(1)

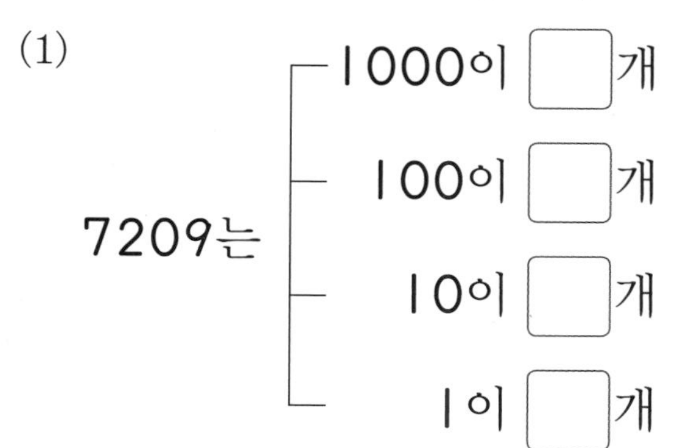

(2)

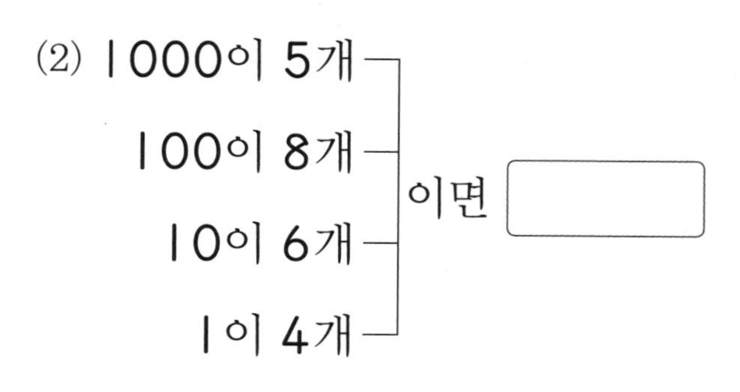

6 다음 네 자리 수에서 밑줄 친 숫자 5는 얼마를 나타낼까요?

(1) 7<u>5</u>90 (　　　　　　)　(2) 26<u>5</u>4 (　　　　　　)

(3) <u>5</u>018 (　　　　　　)　(4) 390<u>5</u> (　　　　　　)

7 네 자리 수를 보기 와 같이 나타내려고 합니다. □ 안에 알맞은 수를 써넣으세요.

보기

5196=5000+100+90+6

(1) 8173=□+100+□+□

(2) 4592=□+□+90+□

8 백의 자리 숫자와 일의 자리 숫자가 같은 네 자리 수를 모두 찾아 써 보세요.

2200　5030　4994　6866　1717

(　　　　　　　　　　　　)

[9~10] 다음이 나타내는 수를 쓰고 읽어 보세요.

9 1000이 3개, 100이 5개, 10이 0개, 1이 6개인 수

➜ 쓰기 ______________ 읽기 ______________

10 1000이 7개, 100이 4개, 10이 9개, 1이 5개인 수

➜ 쓰기 ______________ 읽기 ______________

11 1000원이 되도록 묶었을 때 남는 돈은 얼마일까요?

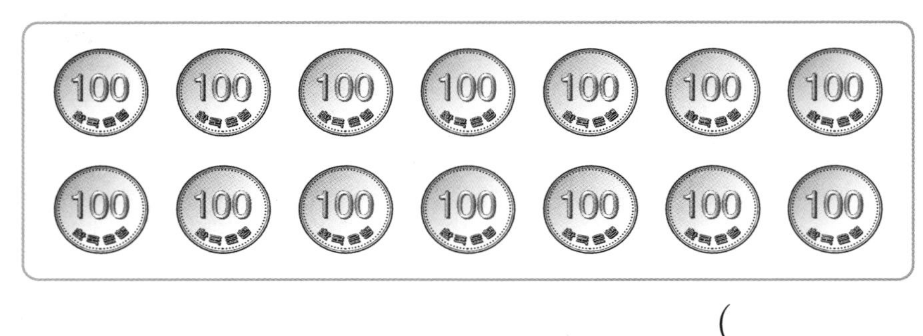

(   )

12 숫자 8이 나타내는 값이 가장 큰 수를 찾아 기호를 써 보세요.

㉠ 4185 ㉡ 9812 ㉢ 8063 ㉣ 7568

(   )

13 다른 수를 말하고 있는 동물의 이름을 써 보세요.

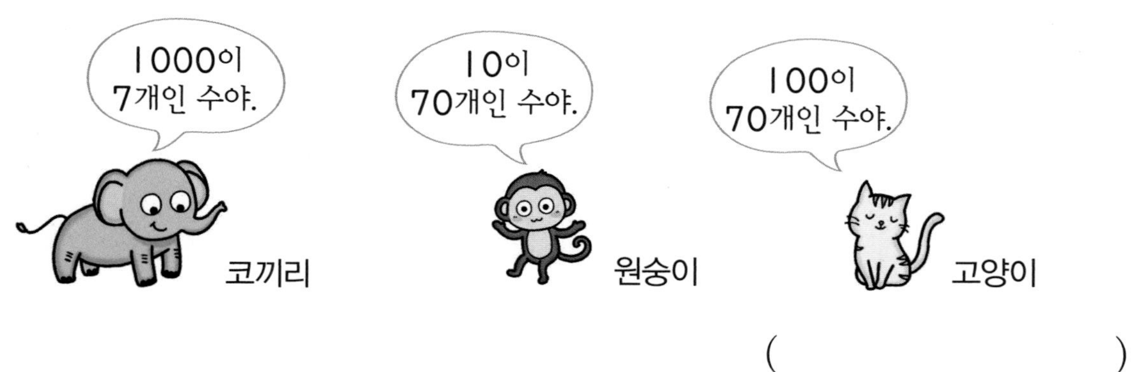

1000이
7개인 수야.
10이
70개인 수야.
100이
70개인 수야.
코끼리
원숭이
고양이

( )

14 위와 아래에 있는 그림이 나타내는 수를 모아서 1000을 만들려고 합니다. 알맞은 것끼리 선으로 이어 보세요.

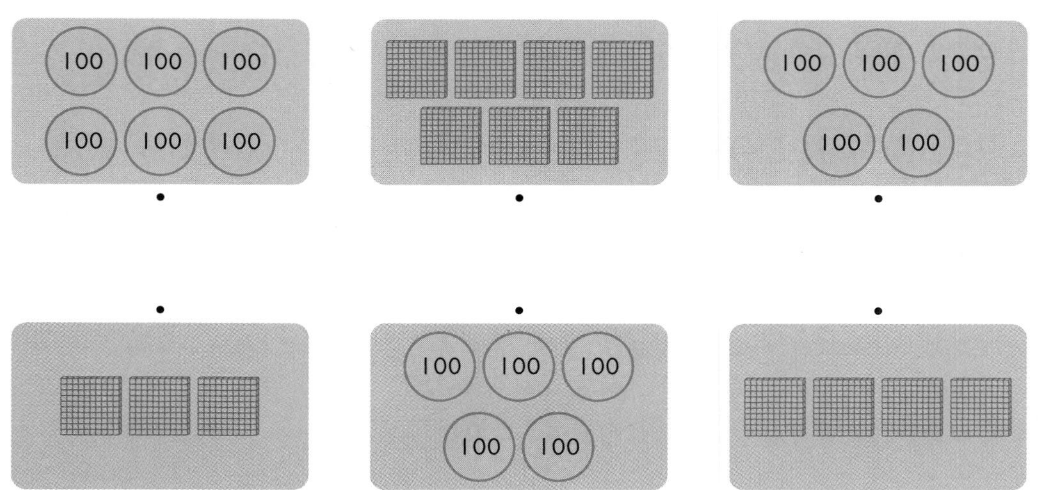

15 다음 중 다른 수를 나타내는 것을 찾아 기호를 써 보세요.

㉠ 1000이 4개인 수 ㉡ 4000
㉢ 10이 40개인 수 ㉣ 100이 40개인 수

( )

교과서 개념 잡기

개념 5 뛰어 세기

• 1000씩 뛰어 세기: 천의 자리 숫자가 1씩 커집니다.

1000 – 2000 – 3000 – 4000 – 5000 – 6000 – 7000 – 8000 – 9000

백, 십, 일의 자리 숫자는 변하지 않습니다.

• 100씩 뛰어 세기: 백의 자리 숫자가 1씩 커집니다.

9100 – 9200 – 9300 – 9400 – 9500 – 9600 – 9700 – 9800 – 9900

천, 십, 일의 자리 숫자는 변하지 않습니다.

• 10씩 뛰어 세기: 십의 자리 숫자가 1씩 커집니다.

9910 – 9920 – 9930 – 9940 – 9950 – 9960 – 9970 – 9980 – 9990

천, 백, 일의 자리 숫자는 변하지 않습니다.

• 1씩 뛰어 세기: 일의 자리 숫자가 1씩 커집니다.

9991 – 9992 – 9993 – 9994 – 9995 – 9996 – 9997 – 9998 – 9999

천, 백, 십의 자리 숫자는 변하지 않습니다.

개념 Check

뛰어 세었습니다. 닭이 있는 곳에 알맞은 수를 찾아 ○표 하세요.

5650   5750

1 1000씩 뛰어 세었습니다. □ 안에 알맞은 수나 말을 써넣고 1000씩 뛰어 세어 빈칸에 알맞은 수를 써넣으세요.

1000 – 2000 – 3000 – 4000 – □ – 6000 – 7000 – 8000

□의 자리 숫자가 □씩 커집니다.

2 100씩 뛰어 세었습니다. □ 안에 알맞은 수나 말을 써넣고 100씩 뛰어 세어 빈칸에 알맞은 수를 써넣으세요.

1050 – 1150 – 1250 – 1350 – □ – 1550 – 1650 – □

□의 자리 숫자가 □씩 커집니다.

3 10씩 뛰어 세었습니다. □ 안에 알맞은 수나 말을 써넣고 10씩 뛰어 세어 빈칸에 알맞은 수를 써넣으세요.

3720 – 3730 – □ – 3750 – 3760 – 3770 – □ – □

□의 자리 숫자가 □씩 커집니다.

4 1씩 뛰어 세었습니다. □ 안에 알맞은 수나 말을 써넣고 1씩 뛰어 세어 빈칸에 알맞은 수를 써넣으세요.

6421 – 6422 – 6423 – □ – 6425 – □ – 6427 – □

□의 자리 숫자가 □씩 커집니다.

개념 6 어느 수가 더 큰지 알아보기

• 수 모형으로 나타내어 비교하기

	천 모형	백 모형	십 모형	일 모형
2057 ⇨				
3124 ⇨				
크기 비교 ⇨	천 모형의 수를 비교하면 $2<3$이므로 $2057<3124$입니다.			

• 각 자리의 수를 이용해 비교하기

천 백 십 일의 자리를 순서대로 비교합니다.

	천의 자리	백의 자리	십의 자리	일의 자리
4562 ⇨	4	5	6	2
4538 ⇨	4	5	3	8
크기 비교 ⇨	천의 자리 숫자가 4로 같습니다.	백의 자리 숫자가 5로 같습니다.	십의 자리 숫자를 비교하면 $6>3$이므로 $4562>4538$입니다.	

개념 Check

두 수의 크기 비교가 바른 곳에 ○표 하세요.

$7239<7261$

$7239>7261$

1 ○ 안에 > 또는 <를 알맞게 써넣으세요.

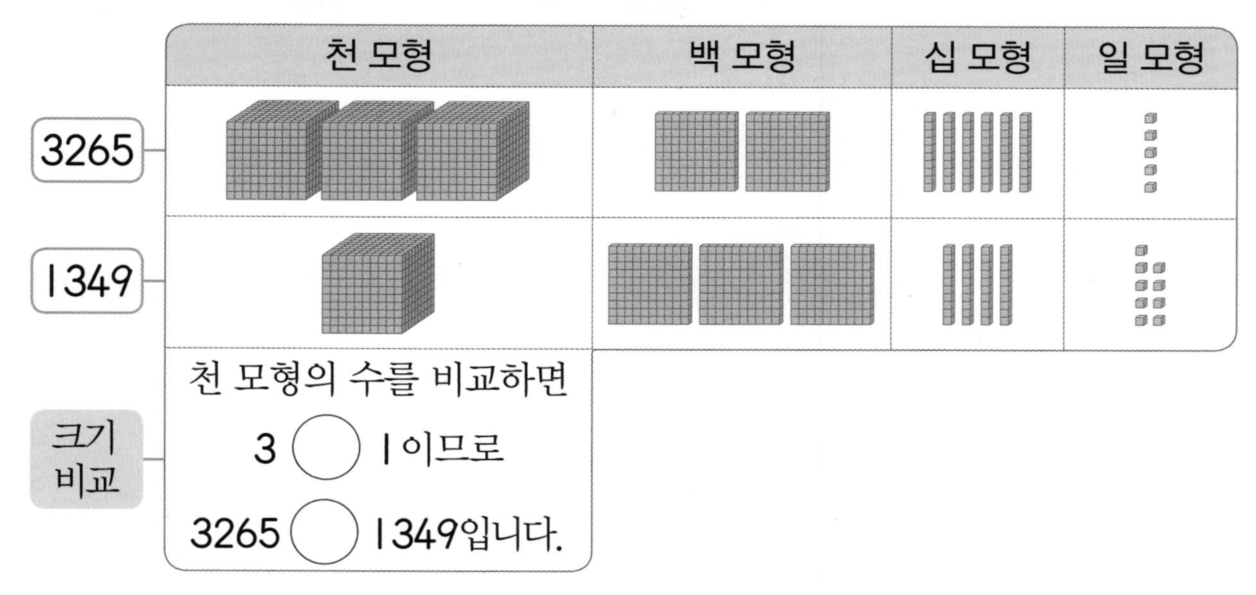

천 모형
백 모형
십 모형
일 모형
3265
1349
크기 비교
천 모형의 수를 비교하면
3 ○ 1이므로
3265 ○ 1349입니다.

2 □ 안에 알맞은 수를 써넣고 ○ 안에 > 또는 <를 알맞게 써넣으세요.

	천의 자리	백의 자리	십의 자리	일의 자리
7648	7	6	4	8
7652	□	□	□	□
크기 비교	천의 자리 숫자가 □(으)로 같고 백의 자리 숫자가 □(으)로 같습니다.		십의 자리 숫자를 비교하면 4 ○ 5이므로 7648 ○ 7652입니다.	

3 두 수의 크기를 비교하여 ○ 안에 > 또는 <를 알맞게 써넣으세요.

(1) 4903 ○ 4687

(2) 7898 ○ 8460

(3) 6529 ○ 6561

(4) 9146 ○ 9145

교과서 개념  별자리 꾸미기

준비물 붙임딱지

뛰어 세었습니다. 별자리에 알맞은 별 붙임딱지를 찾아 붙여 보고, 별에 써 있는 두 수의 크기를 비교하여 ○ 안에 > 또는 <를 알맞게 써넣으세요.

1씩 커지는 별자리

10씩 커지는 별자리

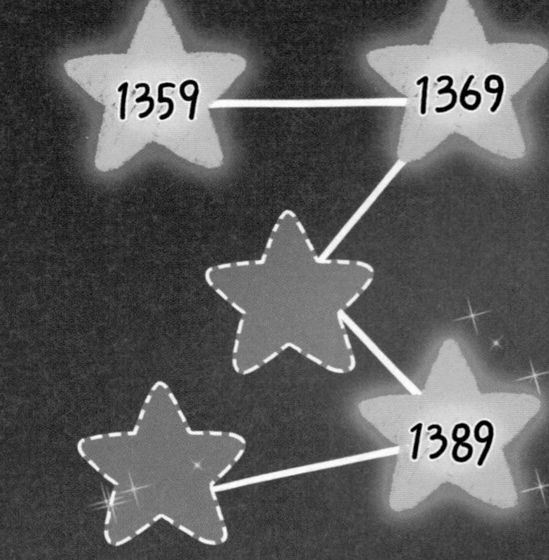

100씩 커지는 별자리

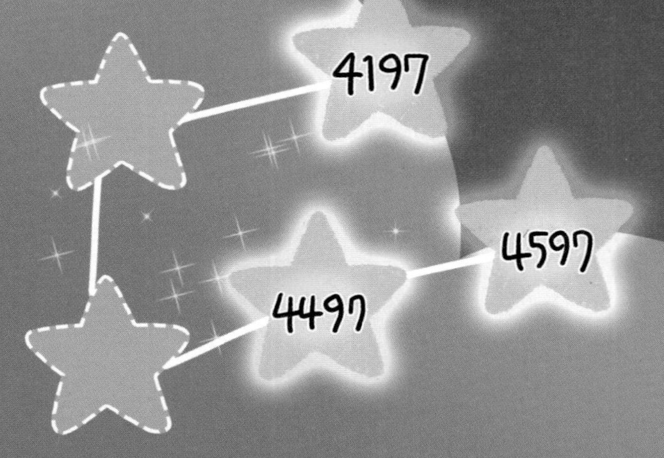

1000씩 커지는 별자리

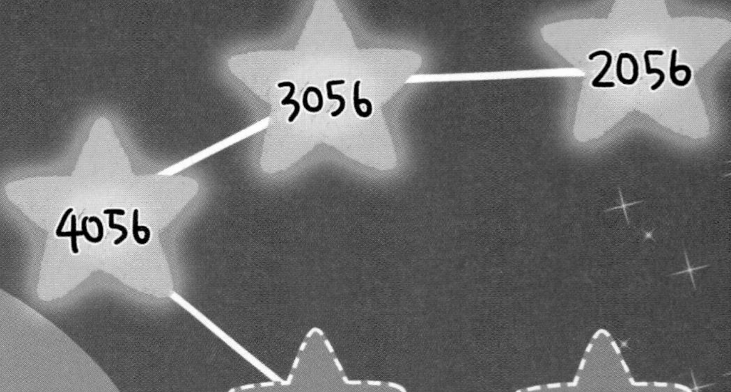

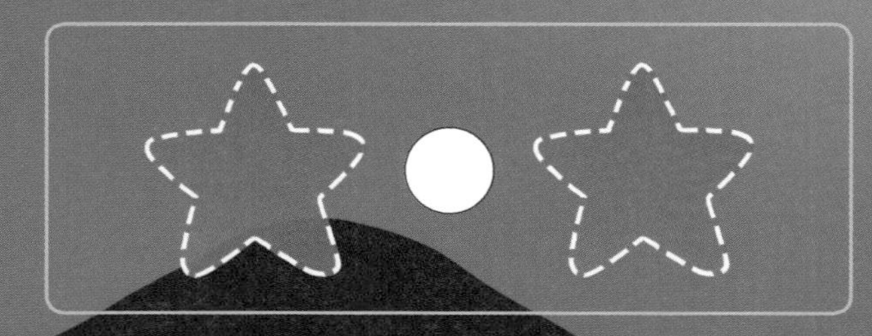

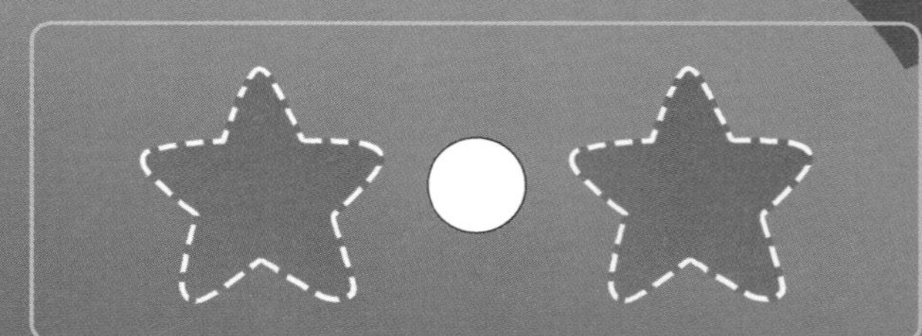

남은 별 붙임딱지를 붙여 보세요.

100씩 커지는 별자리

1씩 커지는 별자리

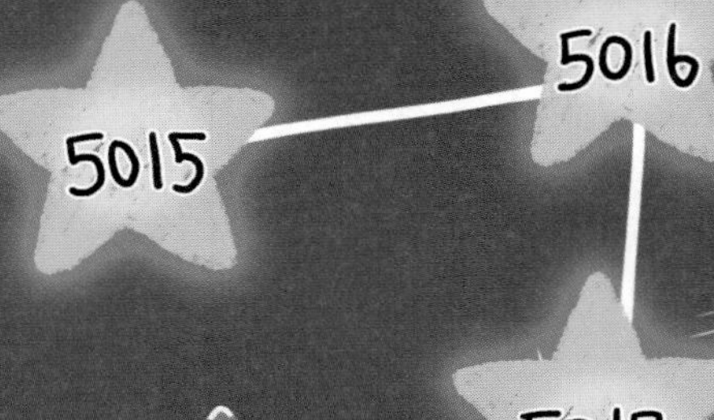

1 단원

10씩 커지는 별자리

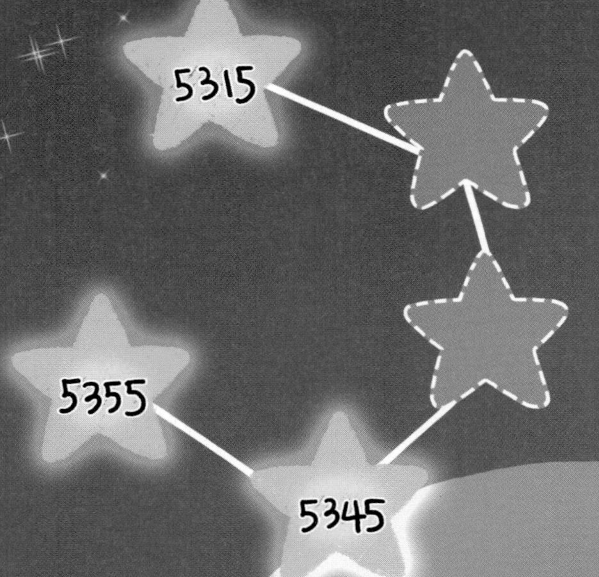

1000씩 커지는 별자리

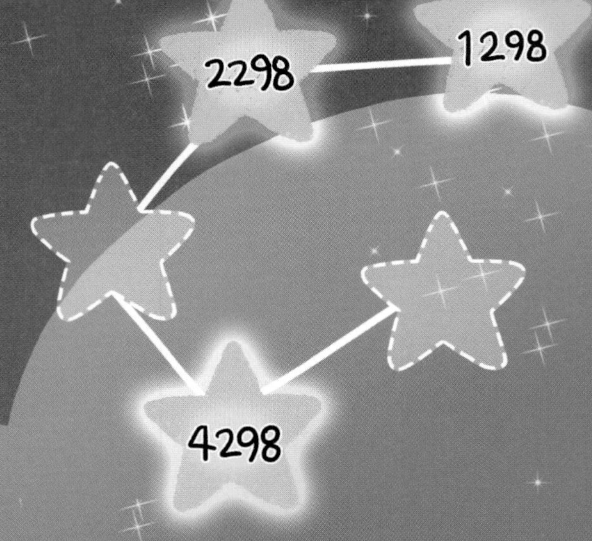

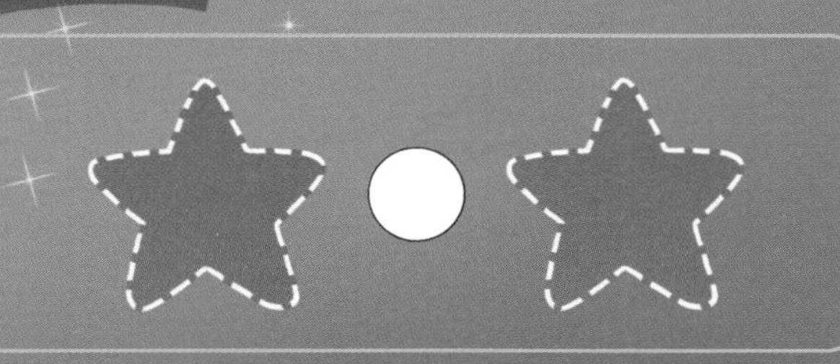

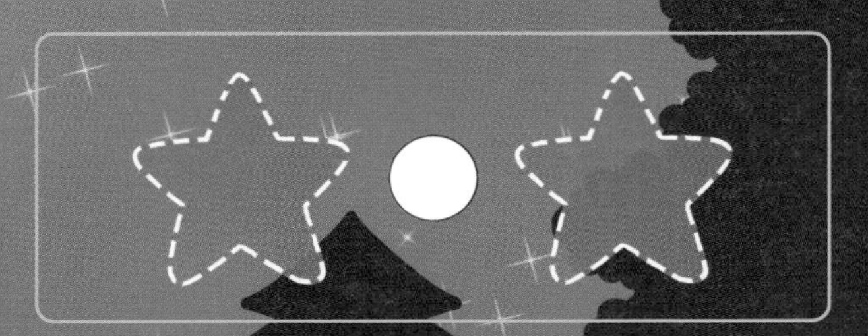

남은 별 붙임딱지를 붙여 보세요.

집중! 드릴 문제

[1~8] 뛰어 세었습니다. 빈칸에 알맞은 수를 써넣으세요.

1. 2000 — 3000 — 4000 — ☐ — 6000 — ☐

2. 3369 — 3469 — 3569 — ☐ — ☐ — 3869

3. 4837 — 4847 — ☐ — 4867 — 4877 — ☐

4. 5370 — 5371 — ☐ — ☐ — 5374 — ☐

5. 3998 — 3999 — ☐ — ☐ — 4002 — ☐

6. ☐ — 5116 — ☐ — 5136 — 5146 — ☐

7. ☐ — 4837 — 5837 — ☐ — 7837 — ☐

8. ☐ — 2094 — 2194 — 2294 — ☐ — ☐

[9~18] 두 수의 크기를 비교하여 ○ 안에 > 또는 <를 알맞게 써넣으세요.

9 5027 ○ 4986

10 6296 ○ 6841

11 7218 ○ 7243

12 8789 ○ 8787

13 5680 ○ 5643

14 3789 ○ 3801

15 6348 ○ 7120

16 9615 ○ 9487

17 7789 ○ 7793

18 5972 ○ 5976

교과서 개념 확인 문제

1 뛰어 세었습니다. 빈칸에 알맞은 수를 써넣으세요.

(1)

(2) 7062 — 7063 — 7064 — 7065 — ☐ — ☐ — ☐

[2~3] 수 모형을 보고 ☐ 안에 알맞은 수를 써넣으세요.

2

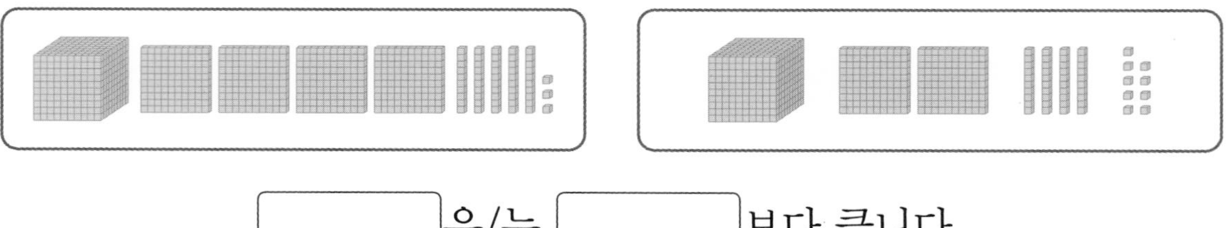

☐은/는 ☐보다 큽니다.

3

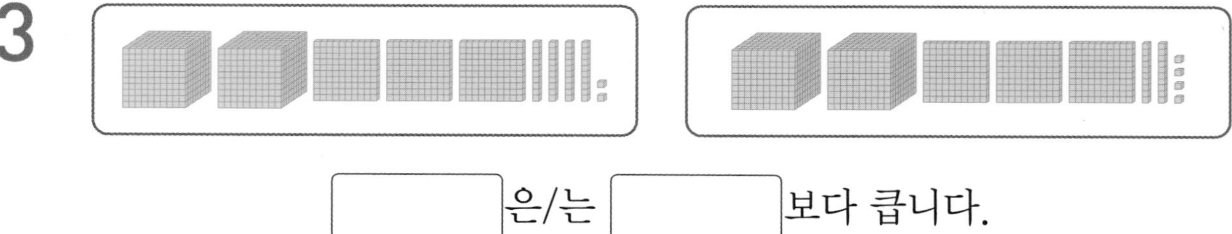

☐은/는 ☐보다 큽니다.

4 다음을 > 또는 <를 사용하여 나타내어 보세요.

(1) 3509는 4270보다 작습니다.

(   )

(2) 5133은 5065보다 큽니다.

(   )

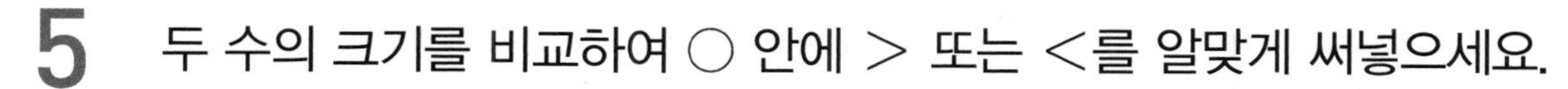

5 두 수의 크기를 비교하여 ○ 안에 > 또는 <를 알맞게 써넣으세요.

(1) 2450 ○ 2405　　(2) 5683 ○ 7219

(3) 4917 ○ 4918　　(4) 6671 ○ 6900

6 몇씩 뛰어 세었을까요?

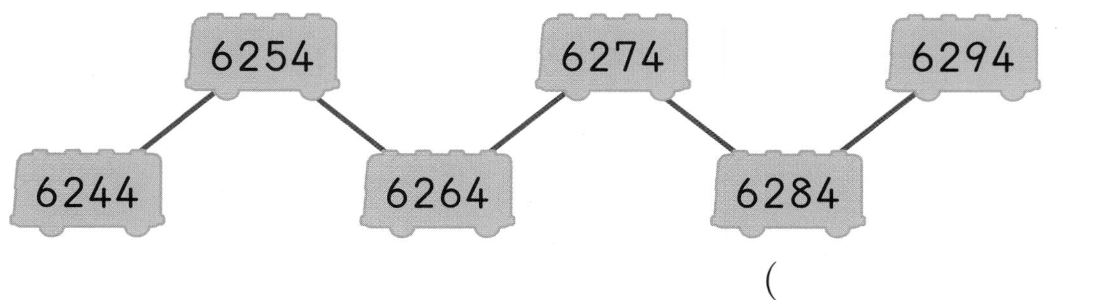

(　　　　　　)

[7~8] 뛰어 세었습니다. 물음에 답하세요.

3016 — 3116 — 3216 — 3316 — 3416 — ㉠ — 3616

3221 — 3231 — 3241 — 3251 — 3261 — 3271 — ㉡

7 ㉠과 ㉡에 알맞은 수를 각각 구해 보세요.

㉠ (　　　　　　), ㉡ (　　　　　　)

8 ㉠과 ㉡에 알맞은 수 중 더 큰 수를 찾아 기호를 써 보세요.

(　　　　　　)

9 ㉠과 ㉡ 중 더 작은 수를 찾아 기호를 써 보세요.

㉠ 1000이 5개, 100이 2개, 10이 7개, 1이 3개인 수
㉡ 오천삼백이십칠

( )

[10~12] 수 배열표를 보고 물음에 답하시오.

2300	2400	2500	2600	2700	2800
3300	3400	3500	3600	3700	3800
4300	4400	4500	4600	4700	4800
5300	5400	5500	5600	5700	(원숭이)
6300	(코뿔소)	6500	6600	6700	6800

10 □ 안에 알맞은 수를 써넣으세요.

→에 있는 수들은 □씩 뛰어 세었고
↓에 있는 수들은 □씩 뛰어 세었습니다.

11 (코뿔소)에 알맞은 수는 얼마일까요?

( )

12 (원숭이)에 알맞은 수는 얼마일까요?

( )

13 가장 큰 수를 찾아 기호를 써 보세요.

㉠ 7309	㉡ 6954	㉢ 7082

(   )

14 수 카드 4장을 한 번씩 사용하여 네 자리 수를 만들려고 합니다. 가장 큰 수와 가장 작은 수는 각각 얼마일까요?

가장 큰 수 (   ), 가장 작은 수 (   )

15 □ 안에 들어갈 수 있는 한 자리 수를 모두 찾아 ○표 하세요.

69□0 < 6950

(1 , 2 , 3 , 4 , 5 , 6 , 7 , 8 , 9)

16 이번 달에 가은이가 가지고 있는 돈은 4560원입니다. 다음 달부터 한 달에 1000원씩 매달 저금한다면 4개월 후 가은이는 얼마를 가지고 있게 될까요?

(   )

맞은 개수

1 □ 안에 알맞은 수를 써넣으세요.

999보다 □만큼 더 큰 수
900보다 □만큼 더 큰 수
는 1000입니다.

[2~3] 수 모형이 나타내는 수를 쓰고 읽어 보세요.

2

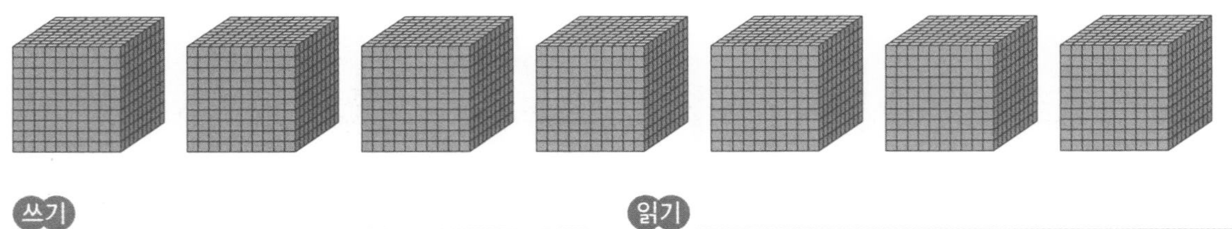

쓰기 ____________ 읽기 ____________

3

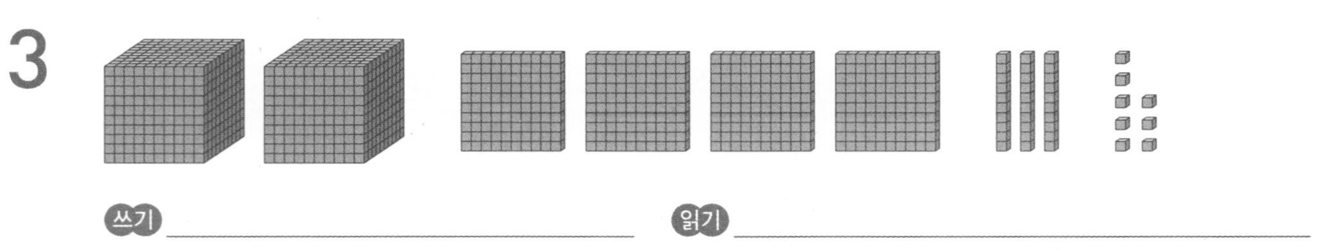

쓰기 ____________ 읽기 ____________

4 □ 안에 알맞은 수를 써넣으세요.

(1) □은/는
1000이 6개
100이 9개
10이 7개
1이 2개

(2)
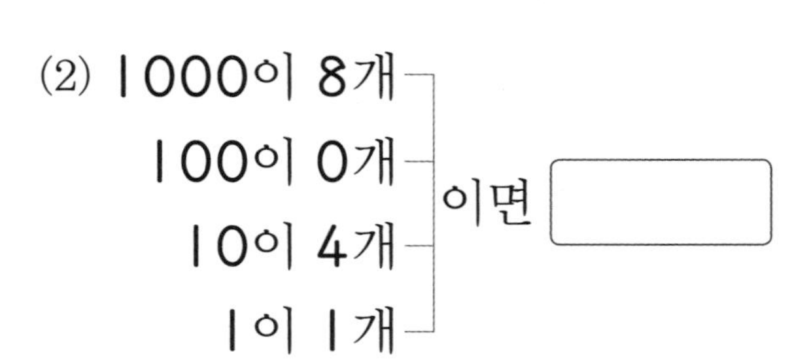
1000이 8개
100이 0개
10이 4개
1이 1개
이면 □

정답과 풀이 p.8

1 단원

5 다음을 > 또는 <를 사용하여 나타내어 보세요.

(1) 4937은 4898보다 큽니다.

(　　　　　　　　　　)

(2) 8263은 8281보다 작습니다.

(　　　　　　　　　　)

6 뛰어 세었습니다. 빈칸에 알맞은 수를 써넣고 그 수를 읽어 보세요.

4277 − 4287 − 4297 − [　　] − 4317 − 4327 − 4337

(　　　　　　　　　　)

7 다음 네 자리 수에서 밑줄 친 숫자는 얼마를 나타낼까요?

(1) $1\underline{6}45$ (　　　　　)

(2) $67\underline{8}2$ (　　　　　)

(3) $\underline{3}059$ (　　　　　)

8 두 수의 크기를 비교하여 ○ 안에 > 또는 <를 알맞게 써넣으세요.

(1) 3004  2890

(2) 6718 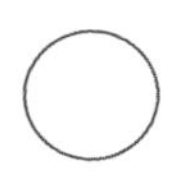 6732

[9~11] 수 배열표를 보고 물음에 답하세요.

3841	3851	3861	3871	3881	3891
4841	4851	4861	4871	4881	4891
5841	5851	5861	5871	5881	5891
6841	6851	6861	6871	6881	6891
7841	7851	7861	7871	7881	(사자)
8841	8851	(양)	8871	8881	8891

9 □ 안에 알맞은 수를 써넣으세요.

→에 있는 수들은 □씩 뛰어 세었고

↓에 있는 수들은 □씩 뛰어 세었습니다.

10 (양)에 알맞은 수는 얼마일까요?

( )

11 (사자)에 알맞은 수는 얼마일까요?

( )

12 5625부터 10씩 5번 뛰어 센 수는 얼마일까요?

( )

2 곱셈구구

학습 계획표

내용	쪽수	날짜	확인
교과서 개념 잡기	34~37쪽	월 일	
교과서 개념 play / 집중! 드릴 문제	38~41쪽	월 일	
교과서 개념 확인 문제	42~45쪽	월 일	
교과서 개념 잡기	46~49쪽	월 일	
교과서 개념 play / 집중! 드릴 문제	50~53쪽	월 일	
교과서 개념 확인 문제	54~57쪽	월 일	
개념 확인평가	58~60쪽	월 일	

교과서 개념 잡기

개념 1 2단 곱셈구구 알아보기

$2\times3=6$

빵이 2개씩 4접시이면 모두 8개입니다.

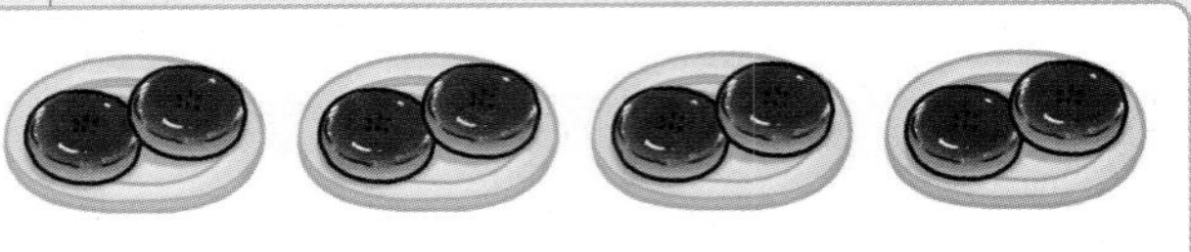

$2\times4=8$

×	1	2	3	4	5	6	7	8	9
2	2	4	6	8	10	12	14	16	18

➩ 2단 곱셈구구에서 곱하는 수가 1씩 커지면 곱은 2씩 커집니다.

개념 2 5단 곱셈구구 알아보기

$5\times3=15$

꽃잎이 5장씩 4송이이면 모두 20장입니다.

$5\times4=20$

×	1	2	3	4	5	6	7	8	9
5	5	10	15	20	25	30	35	40	45

➩ 5단 곱셈구구에서 곱하는 수가 1씩 커지면 곱은 5씩 커집니다.

개념 3 3단 곱셈구구 알아보기

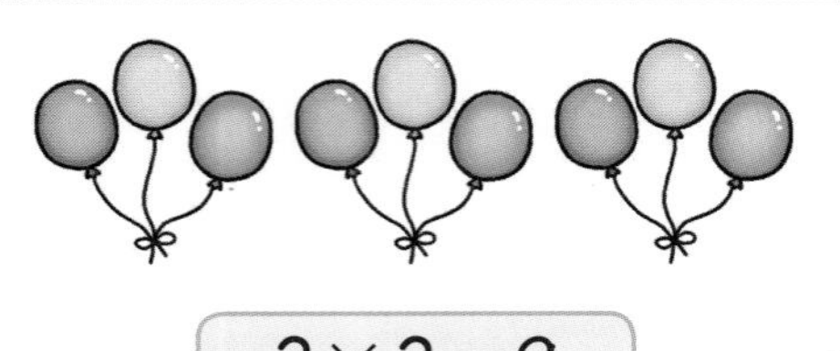

$3\times3=9$

풍선이 3개씩 4묶음이면 모두 12개입니다.

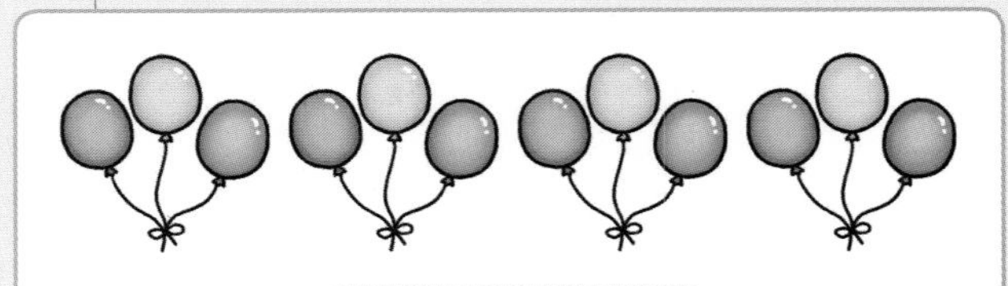

$3\times4=12$

×	1	2	3	4	5	6	7	8	9
3	3	6	9	12	15	18	21	24	27

➩ 3단 곱셈구구에서 곱하는 수가 1씩 커지면 곱은 3씩 커집니다.

1 □ 안에 알맞은 수를 써넣으세요.

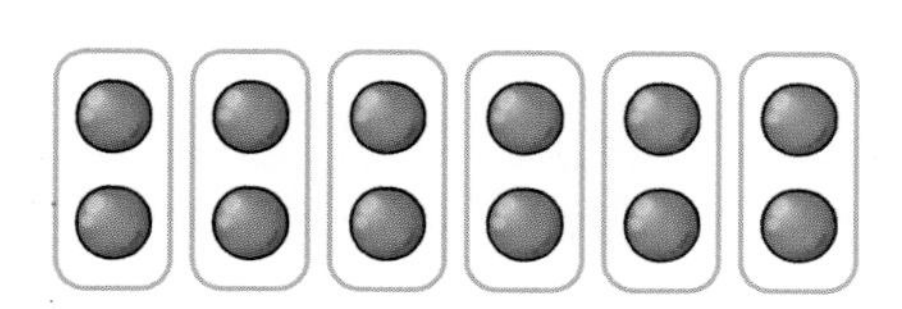

$2+2+2+2+2+2=$ □

$2\times6=$ □

2 놀이 기구 1대에 어린이가 3명씩 타고 있습니다. □ 안에 알맞은 수를 써넣어 어린이의 수를 알아보세요.

$3\times4=$ □

$3\times5=$ □

➔ 놀이 기구가 1대씩 늘어날수록 어린이는 □명씩 많아집니다.

3 5개씩 묶고 곱셈식으로 나타내어 보세요.

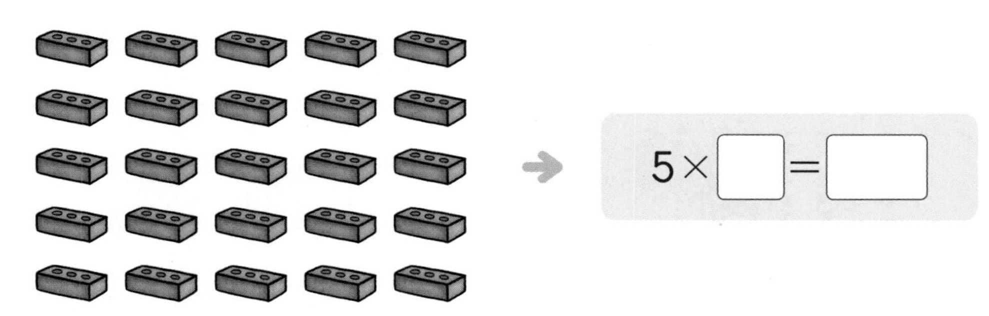

➔ $5\times$ □ $=$ □

4 □ 안에 알맞은 수를 써넣으세요.

(1) $2\times7=$ □ (2) $5\times6=$ □ (3) $3\times8=$ □

개념 4 6단 곱셈구구 알아보기

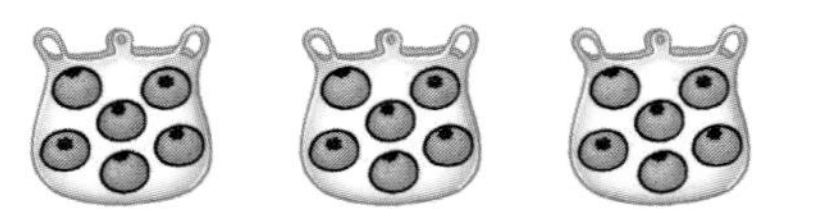

$6 \times 3 = 18$

귤이 6개씩 4봉지이면 모두 24개입니다.

 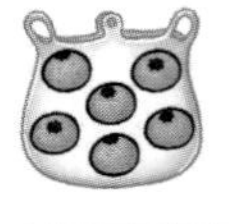 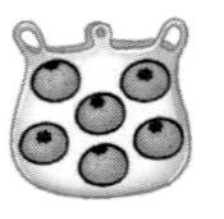 

$6 \times 4 = 24$

×	1	2	3	4	5	6	7	8	9
6	6	12	18	24	30	36	42	48	54

⇨ 6단 곱셈구구에서 곱하는 수가 1씩 커지면 곱은 6씩 커집니다.

개념 5 4단 곱셈구구 알아보기

$4 \times 3 = 12$

날개가 4장씩 4마리이면 모두 16장입니다.

$4 \times 4 = 16$

×	1	2	3	4	5	6	7	8	9
4	4	8	12	16	20	24	28	32	36

⇨ 4단 곱셈구구에서 곱하는 수가 1씩 커지면 곱은 4씩 커집니다.

개념 6 8단 곱셈구구 알아보기

$8 \times 2 = 16$

다리가 8개씩 3마리이면 모두 24개입니다.

$8 \times 3 = 24$

×	1	2	3	4	5	6	7	8	9
8	8	16	24	32	40	48	56	64	72

⇨ 8단 곱셈구구에서 곱하는 수가 1씩 커지면 곱은 8씩 커집니다.

1 그림을 보고 알맞은 곱셈식으로 나타내어 보세요.

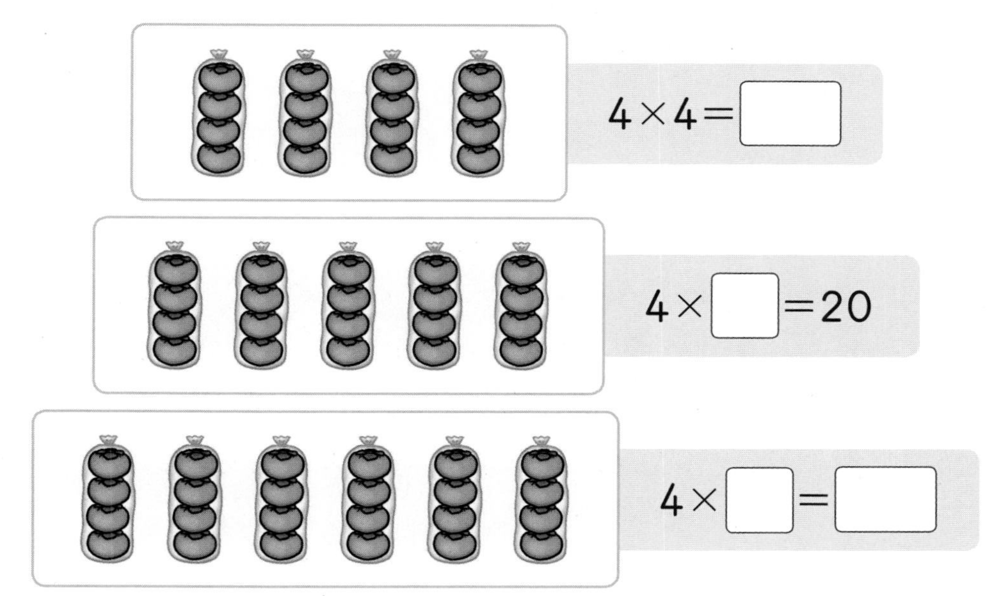

2 6×3은 6×2보다 얼마나 더 큰지 ○를 그리고 □ 안에 알맞은 수를 써넣으세요.

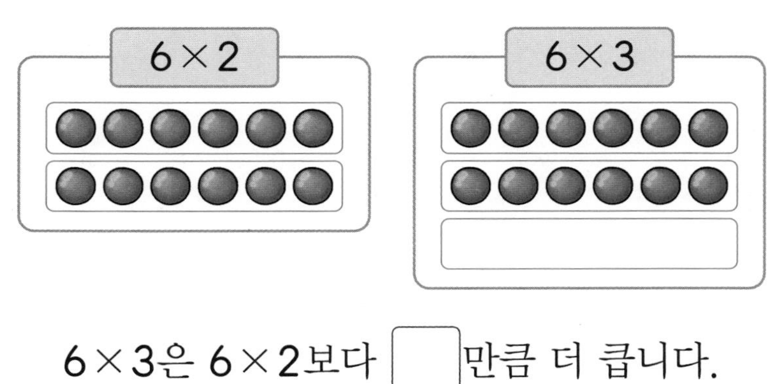

6×3은 6×2보다 □만큼 더 큽니다.

3 □ 안에 알맞은 수를 써넣으세요.

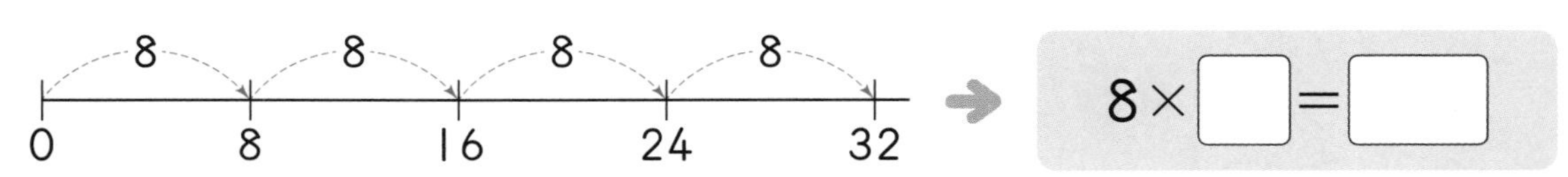

4 □ 안에 알맞은 수를 써넣으세요.

(1) 6×5=□　(2) 4×7=□　(3) 8×6=□

교과서 개념  감자와 고구마에 알맞은 곱셈식 찾기

준비물 붙임딱지

은서네 가족은 심어둔 감자와 고구마를 캐러 주말농장에 왔습니다. 감자와 고구마에 쓰여 있는 수가 되도록 곱셈 붙임딱지를 붙여 보세요.

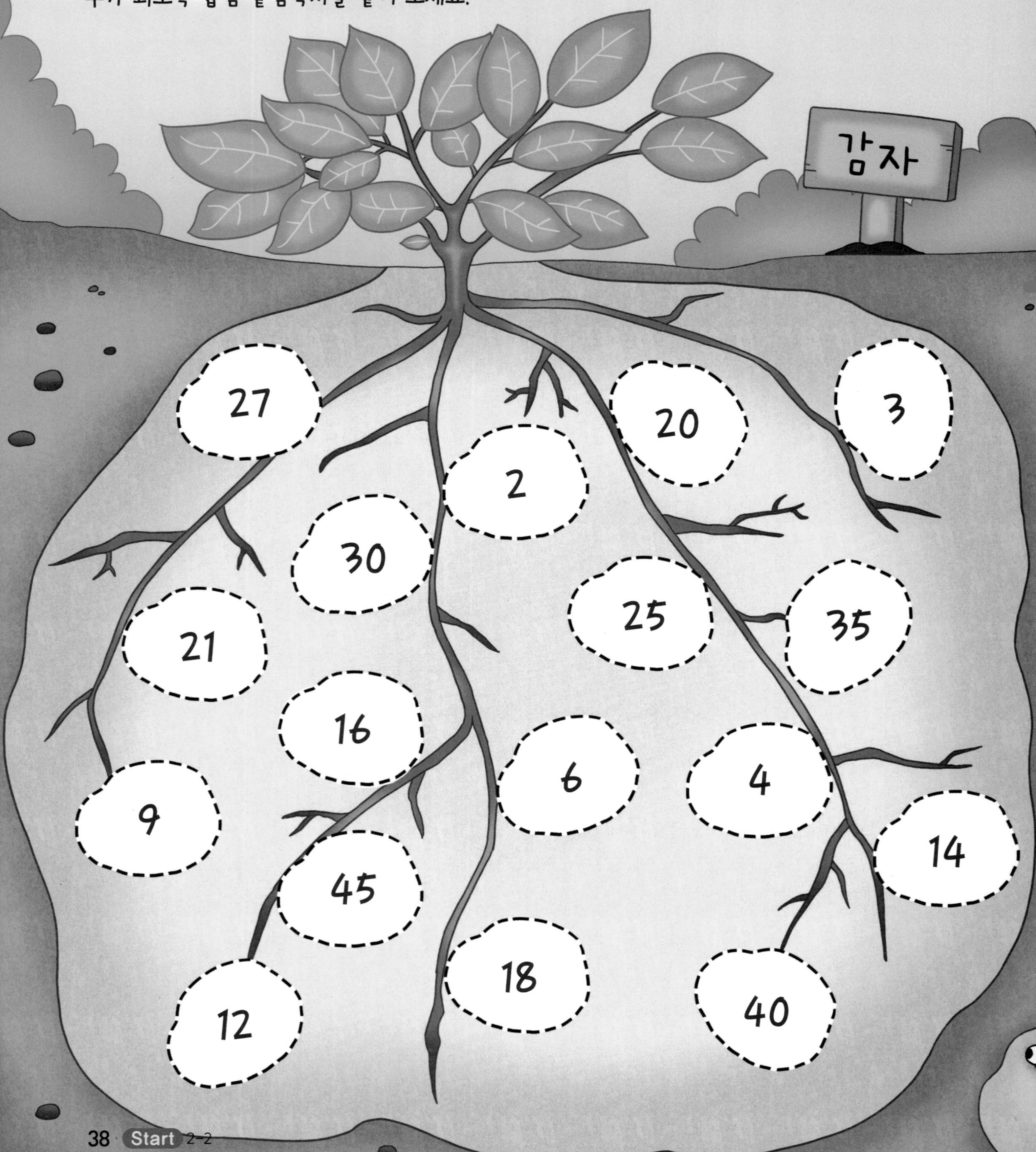

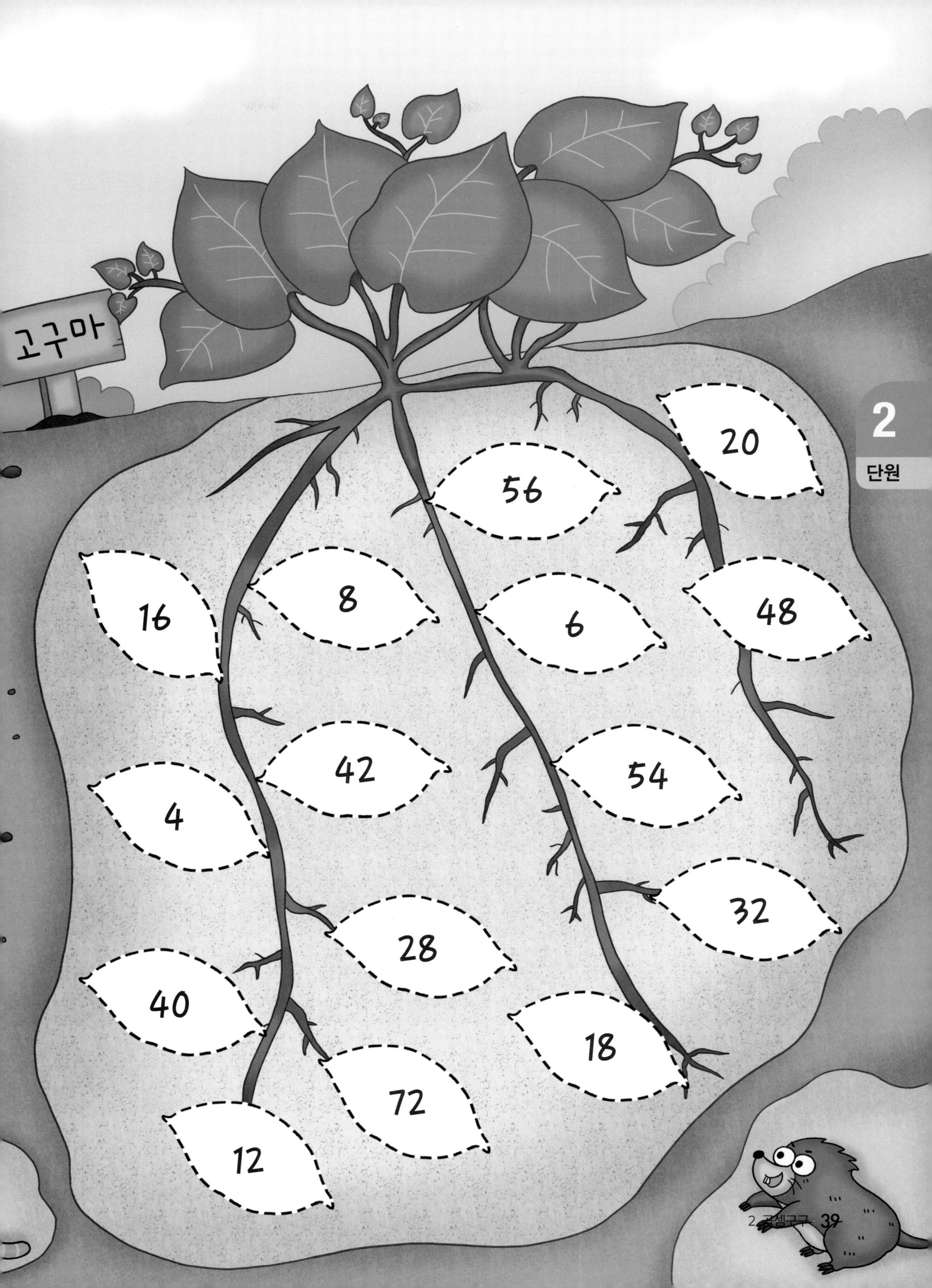
고구마
20
56
16
8
6
48
42
54
4
32
28
40
18
72
12

집중! 드릴 문제

[1~4] □ 안에 알맞은 수를 써넣으세요.

1

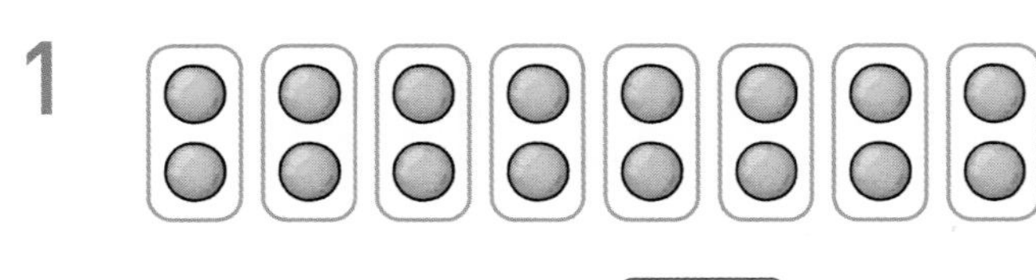

$2 \times 8 = \square$

2

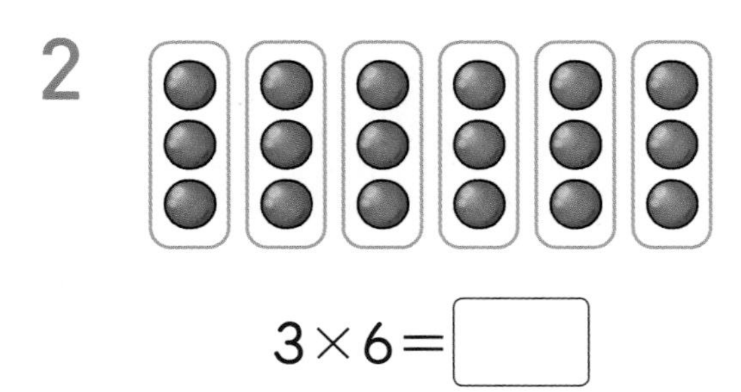

$3 \times 6 = \square$

3

$4 \times 2 = \square$

4

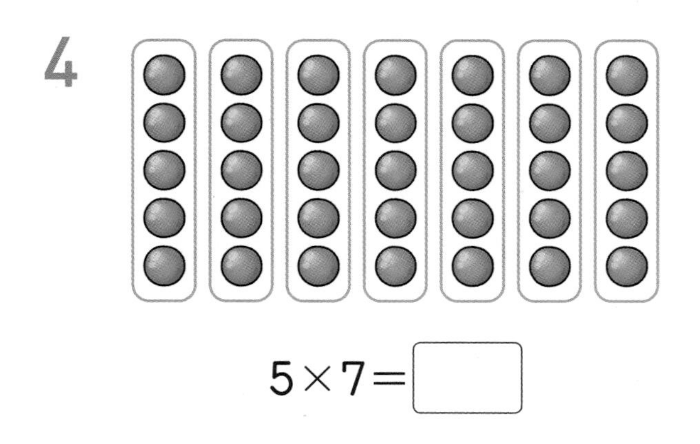

$5 \times 7 = \square$

5 도넛이 모두 몇 개인지 곱셈식으로 나타내어 보세요.

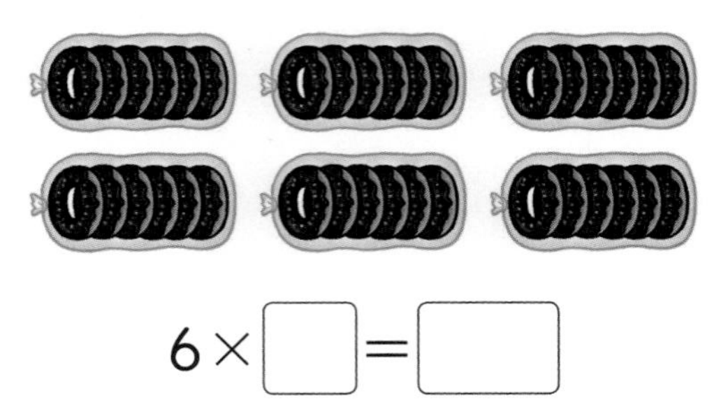

$6 \times \square = \square$

6 복숭아가 모두 몇 개인지 곱셈식으로 나타내어 보세요.

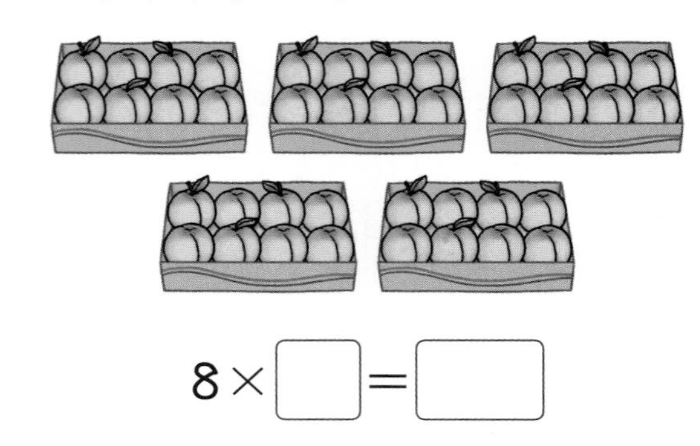

$8 \times \square = \square$

7 자전거에 타고 있는 어린이는 모두 몇 명인지 곱셈식으로 나타내어 보세요.

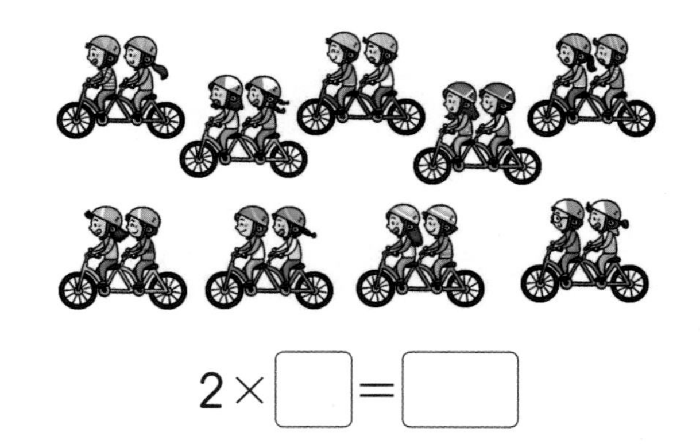

$2 \times \square = \square$

[8~19] □ 안에 알맞은 수를 써넣으세요.

8 $2 \times 2 = \square$

9 $3 \times 2 = \square$

10 $5 \times 2 = \square$

11 $4 \times 4 = \square$

12 $3 \times 7 = \square$

13 $6 \times 7 = \square$

14 $8 \times 7 = \square$

15 $3 \times 9 = \square$

16 $4 \times 9 = \square$

17 $5 \times 9 = \square$

18 $6 \times 8 = \square$

19 $8 \times 8 = \square$

교과서 개념 확인 문제

1 □ 안에 알맞은 수를 써넣으세요.

(1) $6+6+6=\square$ → $6\times\square=\square$

(2) $4+4+4+4+4=\square$ → $4\times\square=\square$

(3) $8+8+8+8=\square$ → $8\times\square=\square$

2 곱셈식을 수직선에 나타내고 □ 안에 알맞은 수를 써넣으세요.

$5\times4=\square$

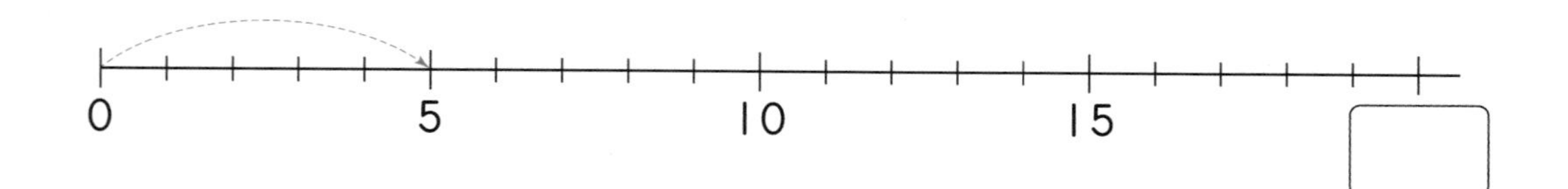

3 곱셈식에 맞게 ○를 그리고 □ 안에 알맞은 수를 써넣으세요.

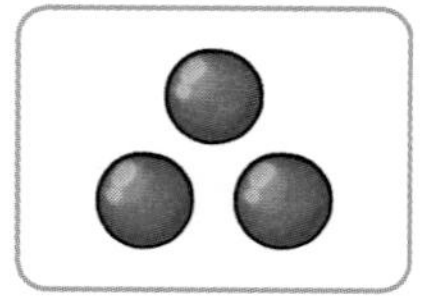 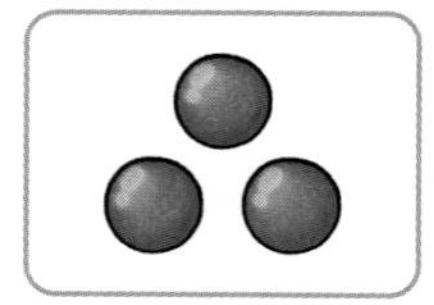  

$3\times4=\square$

4 사탕이 모두 몇 개인지 곱셈식으로 나타내어 보세요.

  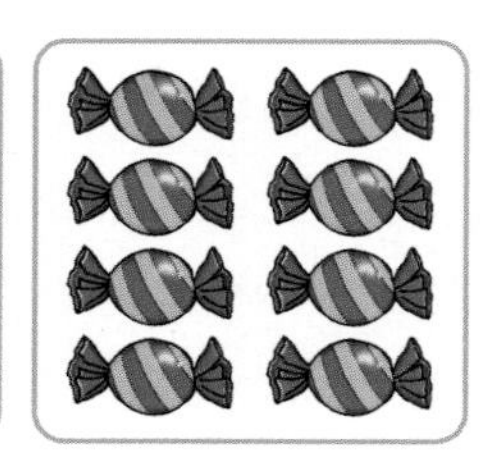  

$8 \times \square = \square$

5 2×7은 2×6보다 얼마나 더 클까요?

(　　　　　　　　)

6 □ 안에 알맞은 수를 써넣으세요.

(1) $2 \times 4 = \square$　(2) $2 \times 7 = \square$　(3) $5 \times 6 = \square$

(4) $5 \times 9 = \square$　(5) $3 \times 5 = \square$　(6) $3 \times 7 = \square$

7 빈 곳에 알맞은 수를 써넣으세요.

(1)

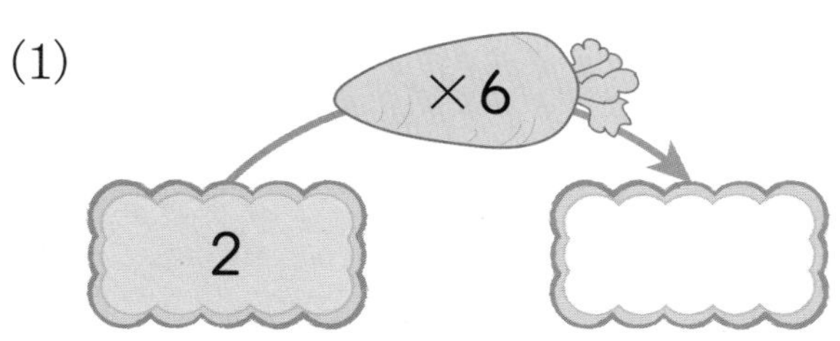

(2)

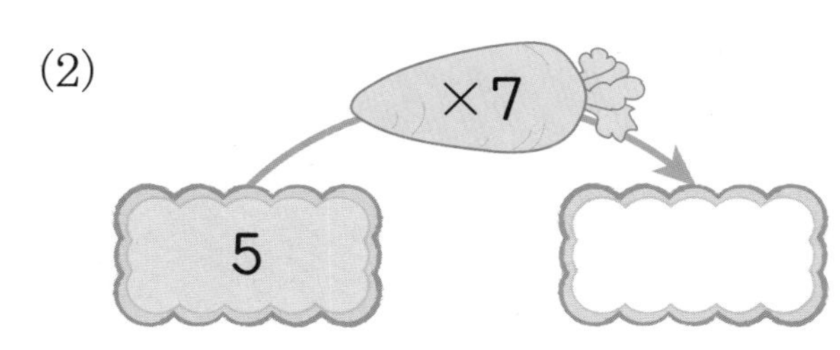

8 2단 곱셈구구의 값을 찾아 선으로 이어 보세요.

2×5 •	• 6
2×3 •	• 18
2×9 •	• 10

9 나무 도막의 전체 길이를 구해 보세요.

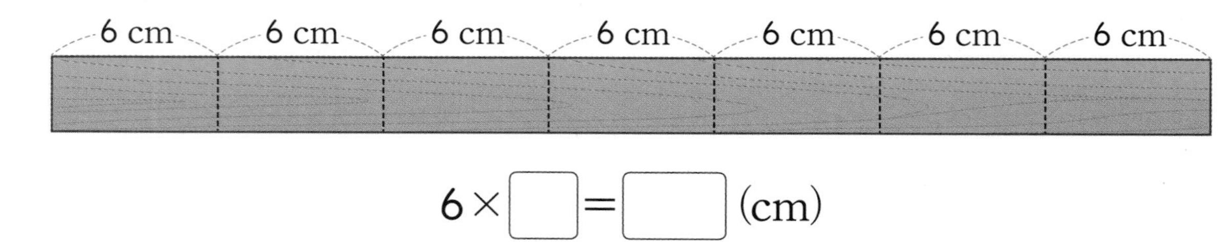

$6\times\square=\square$ (cm)

10 빈칸에 알맞은 수를 써넣으세요.

×	2	3	4	5	6
3					
4					

11 곱이 큰 것부터 순서대로 기호를 써 보세요.

㉠ 4×7　　㉡ 3×9　　㉢ 6×4

(　　　　　　　　)

12 □ 안에 알맞은 수를 써넣으세요.

(1)

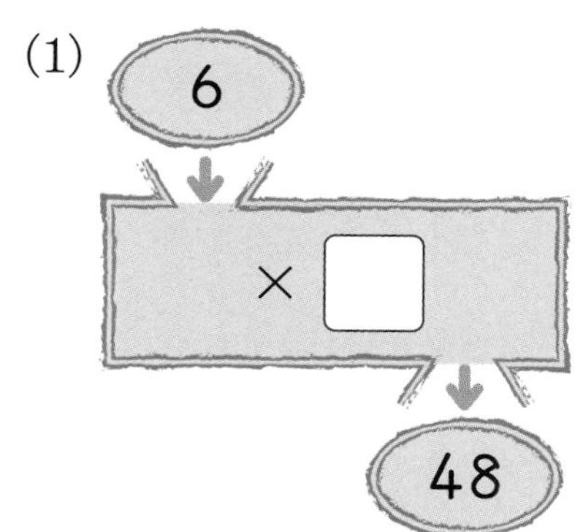

(2)

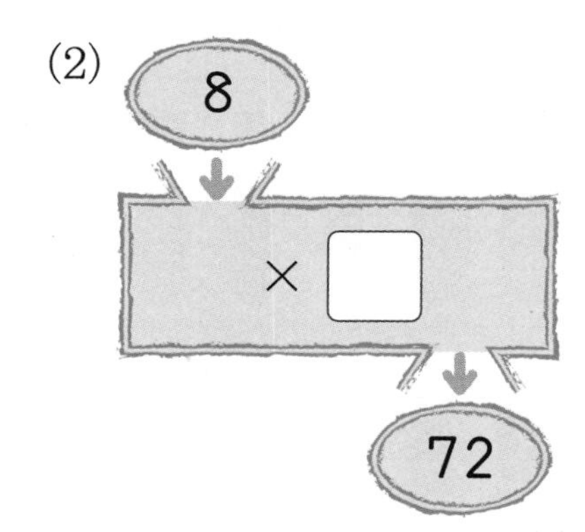

13 귤이 모두 몇 개인지 2가지 곱셈식으로 나타내어 보세요.

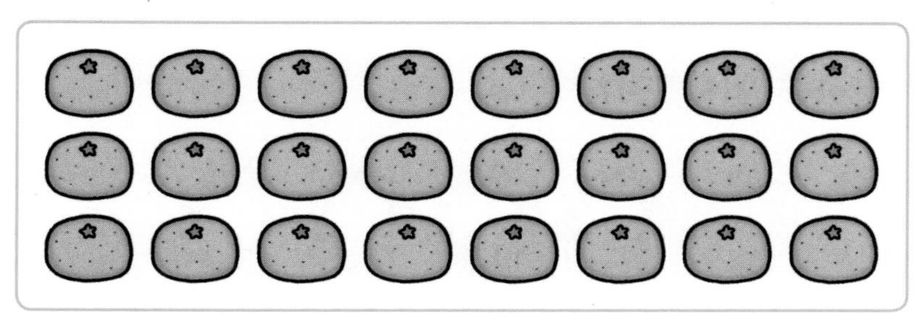

4 × □ = □　　　　8 × □ = □

14 모형의 개수를 옳게 나타낸 것을 찾아 ○표 하세요.

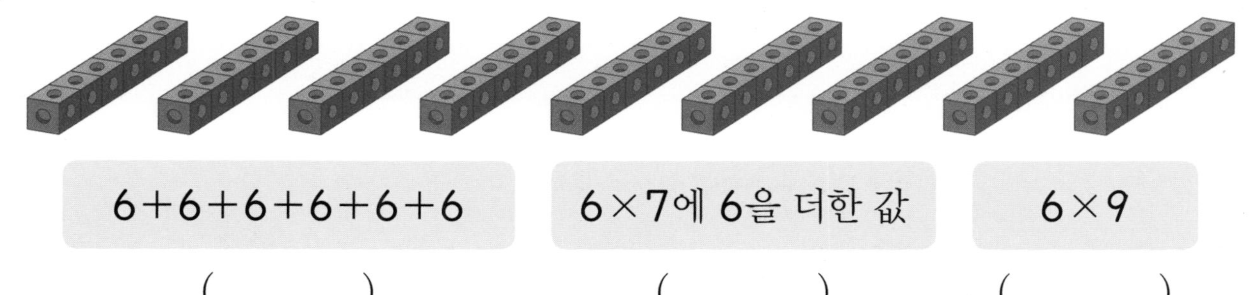

6+6+6+6+6+6	6×7에 6을 더한 값	6×9
(　　　)	(　　　)	(　　　)

교과서 개념 잡기

개념 7 7단 곱셈구구 알아보기

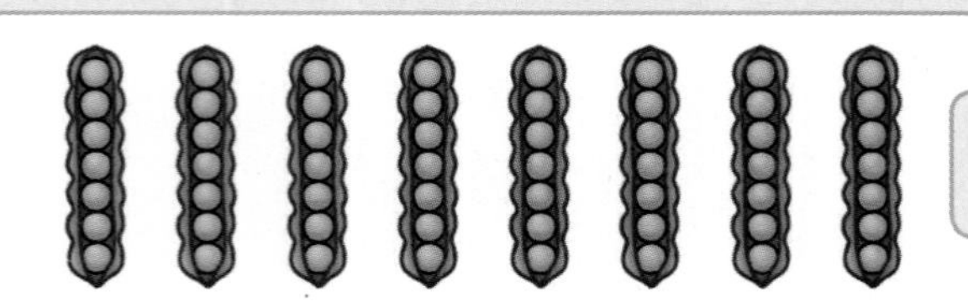

$7 \times 8 = 56$

완두콩이 7개씩 9묶음이면 모두 63개입니다.

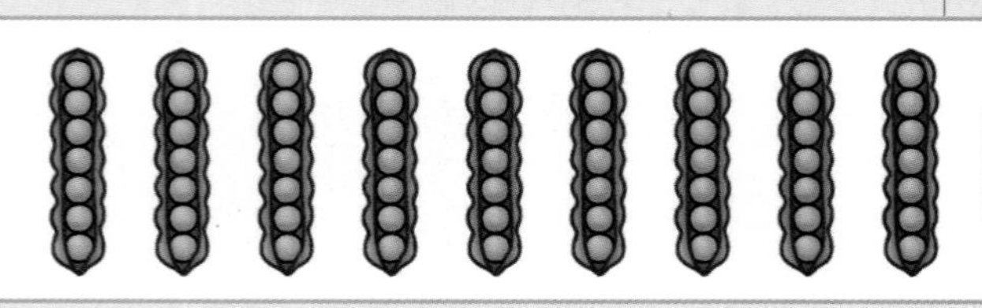

$7 \times 9 = 63$

×	1	2	3	4	5	6	7	8	9
7	7	14	21	28	35	42	49	56	63

➩ 7단 곱셈구구에서 곱하는 수가 1씩 커지면 곱은 **7씩 커집니다.**

개념 8 9단 곱셈구구 알아보기

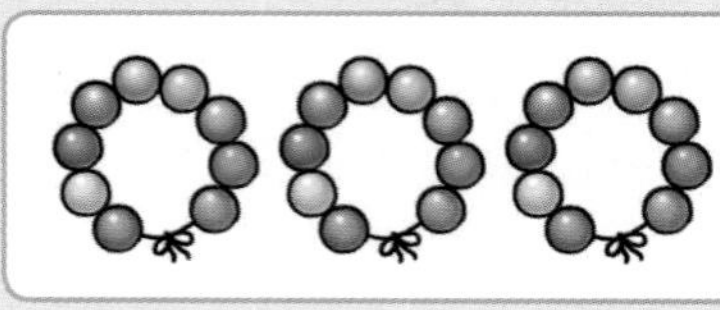

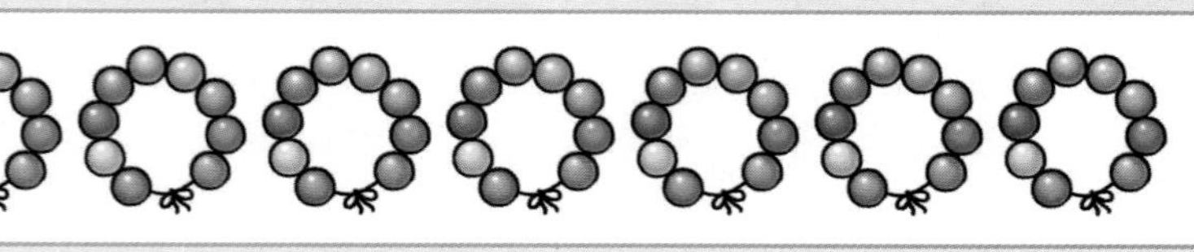

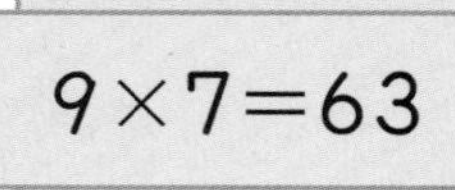

$9 \times 7 = 63$

구슬이 9개씩 8묶음이면 모두 72개입니다.

$9 \times 8 = 72$

×	1	2	3	4	5	6	7	8	9
9	9	18	27	36	45	54	63	72	81

➩ 9단 곱셈구구에서 곱하는 수가 1씩 커지면 곱은 **9씩 커집니다.**

개념 Check

그림을 보고 알맞게 나타낸 곱셈식에 ○표 하세요.

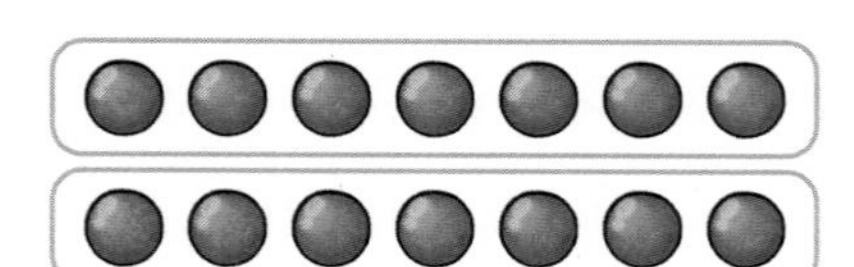

$6 \times 2 = 12$

$7 \times 2 = 14$

1 만두가 모두 몇 개인지 곱셈식으로 나타내어 보세요.

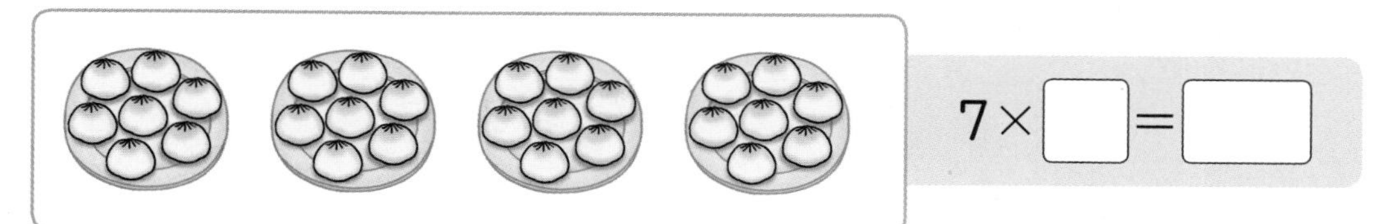

$7\times\square=\square$

2 그림을 보고 9×3은 9×2보다 얼마나 더 큰지 알아보세요.

(1) 흰색 옷과 파란색 옷을 입은 학생은 각각 몇 명인지 곱셈식으로 나타내어 보세요.

흰색 $9\times\square=\square$, 파란색 $9\times\square=\square$

(2) 파란색 옷을 입은 학생은 흰색 옷을 입은 학생보다 □줄 더 많습니다.

(3) 파란색 옷을 입은 학생은 흰색 옷을 입은 학생보다 □명 더 많습니다.

➜ 9×3은 9×2보다 □만큼 더 큽니다.

3 □ 안에 알맞은 수를 써넣으세요.

(1) $7\times2=\square$

(2) $7\times5=\square$

(3) $9\times4=\square$

(4) $9\times9=\square$

개념 9 1단 곱셈구구 알아보기

×	1	2	3	4	5	6	7	8	9
1	1	2	3	4	5	6	7	8	9

1과 어떤 수의 곱은 항상 어떤 수가 돼요.

1×(어떤 수)=(어떤 수)

(어떤 수)×1=(어떤 수)

개념 10 0의 곱 알아보기

0×(어떤 수)=0

(어떤 수)×0=0

개념 11 곱셈표 만들기

×	1	2	3	4	5	6	7	8	9
1	1	2	3	4	5	6	7	8	9
2	2	4	6	8	10	12	14	16	18
3	3	6	9	12	15	18	21	24	27
4	4	8	12	16	20	24	28	32	36
5	5	10	15	20	25	30	35	40	45
6	6	12	18	24	30	36	42	48	54
7	7	14	21	28	35	42	49	56	63
8	8	16	24	32	40	48	56	64	72
9	9	18	27	36	45	54	63	72	81

→ 2단 곱셈구구에서는 곱이 2씩 커집니다.

- ■단 곱셈구구에서는 곱이 ■씩 커집니다.
- 곱하는 두 수의 순서를 서로 바꾸어도 곱이 같습니다.

8×9=9×8은 모두 72!

개념 Check

곱셈식이 바른 것에 ○표 하세요.

1×2=2

0×2=2

1 봉투 1개에 책이 1권씩 들어 있습니다. 책의 수를 구해 보세요.

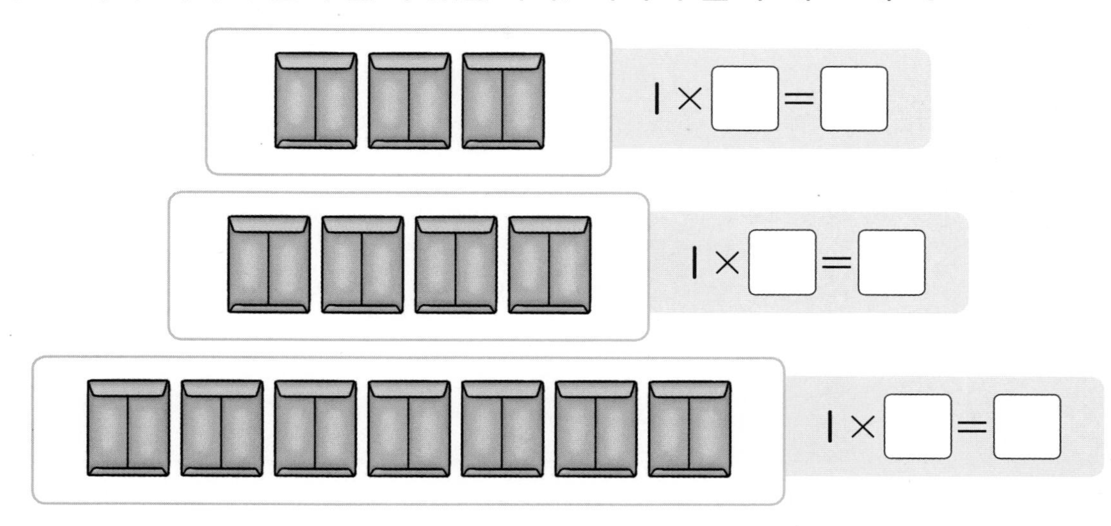

2 □ 안에 알맞은 수를 써넣으세요.

(1) $1 \times 5 = \square$ (2) $0 \times 4 = \square$ (3) $9 \times 0 = \square$

3 곱셈표를 완성하고, 다음을 구해 보세요.

×	1	2	3	4	5
1	1	2			
2	2				10
3					15
4	4				
5	5				

(1) 3단 곱셈구구에서는 곱이 □씩 커집니다.

(2) 5씩 커지는 곱셈구구는 □단입니다.

(3) 위 곱셈표에서 4×2와 2×4를 찾아 색칠해 보세요.

(4) 4×2와 2×4는 곱이 (같습니다 , 다릅니다).

교과서 개념 play | 양탄자의 마법 풀기

준비물 붙임딱지

양탄자를 타고 모험을 떠나기 위해서는 우선 양탄자에 걸린 마법을 풀어줘야 해요.
양탄자의 곱셈표를 완성하고, 곱셈식의 곱을 구해 붙임딱지를 붙여 보세요.

4X0 | 1X2 | 1X6 | 1X5 | 0X9

×	1	2	3	4	5	6
1	1	2	3	4	5	6
2	2		6	8	10	
3	3	6				18
4	4		12	16		
5	5	10		20	25	30
6	6		18		30	
7	7	14	21		35	

0X2 | 5X0 | 1X4 | 0X3 | 7X0

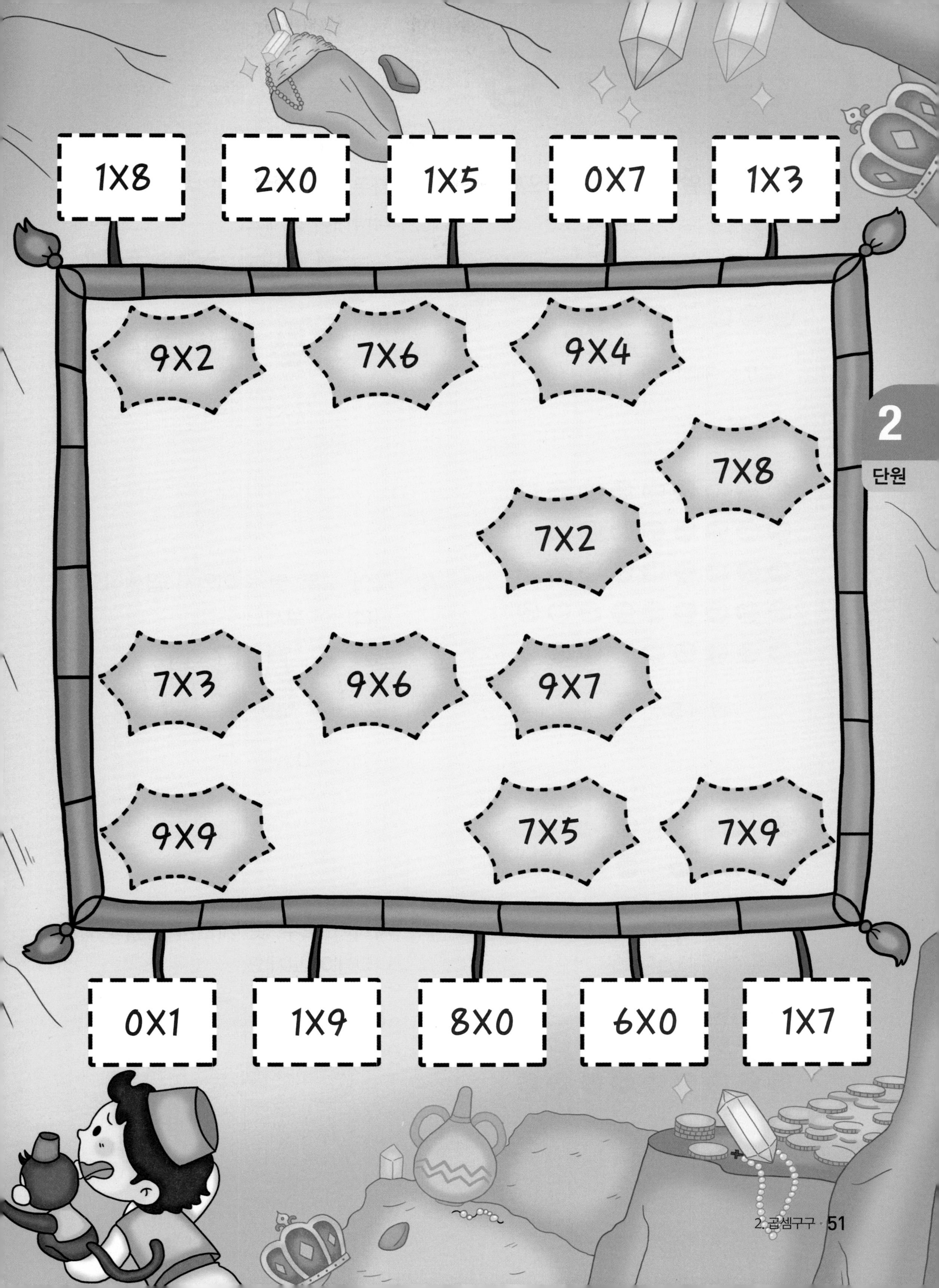
1X8
2X0
1X5
0X7
1X3
9X2
7X6
9X4
7X8
7X2
7X3
9X6
9X7
9X9
7X5
7X9
0X1
1X9
8X0
6X0
1X7
2
단원

집중! 드릴 문제

[1~4] □ 안에 알맞은 수를 써넣으세요.

1

$7 \times 3 = \square$

2

$9 \times 5 = \square$

3

$1 \times 8 = \square$

4

$9 \times 2 = \square$

5 자두가 모두 몇 개인지 곱셈식으로 나타내어 보세요.

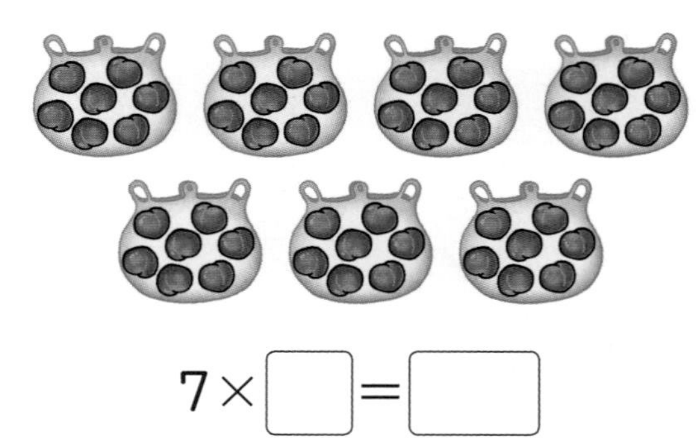

$7 \times \square = \square$

6 꽃이 모두 몇 송이인지 곱셈식으로 나타내어 보세요.

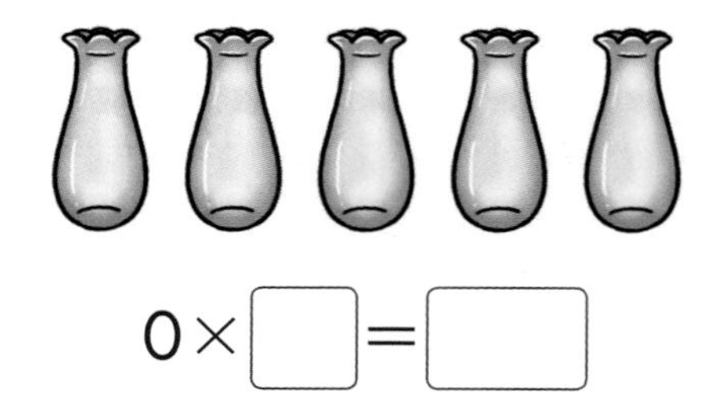

$0 \times \square = \square$

7 사과가 모두 몇 개인지 곱셈식으로 나타내어 보세요.

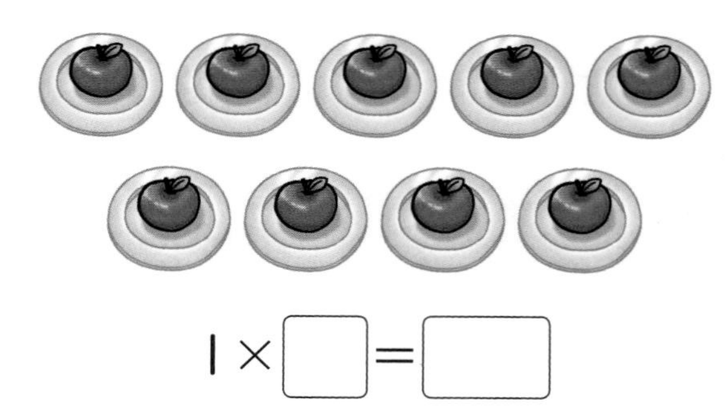

$1 \times \square = \square$

[8~14] □ 안에 알맞은 수를 써넣으세요.

8 $7 \times 8 = \square$

9 $9 \times 8 = \square$

10 $1 \times 7 = \square$

11 $0 \times 7 = \square$

12 $2 \times 0 = \square$

13 $7 \times 9 = \square$

14 $9 \times 9 = \square$

[15~18] 빈칸에 알맞은 수를 써넣어 곱셈표를 완성해 보세요.

15

×	1	2
3		
4		

16

×	4	5
2		
4		

17

×	1	4	5
1			
3			
6			

18

×	7	9
8		
9		

교과서 개념 확인 문제

1 붕어빵이 모두 몇 개인지 곱셈식으로 나타내어 보세요.

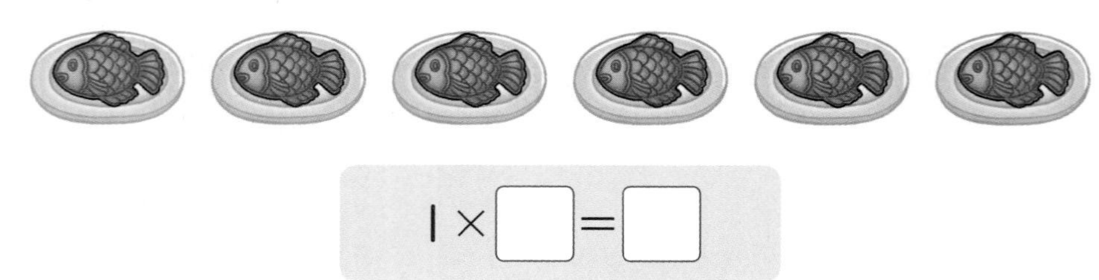

$1 \times \square = \square$

2 어항에 있는 금붕어가 모두 몇 마리인지 곱셈식으로 나타내어 보세요.

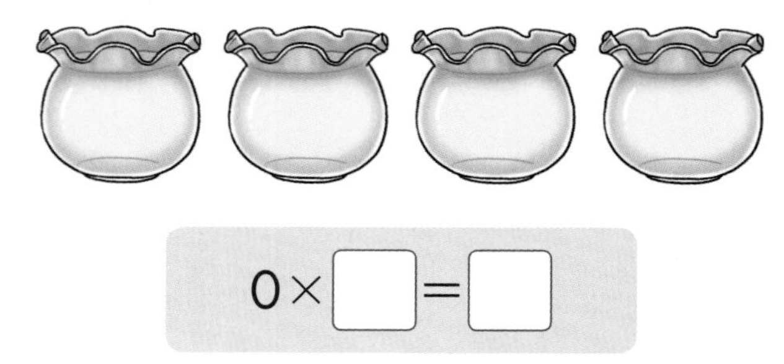

$0 \times \square = \square$

3 7단 곱셈구구로 뛴 전체 거리를 구해 보세요.

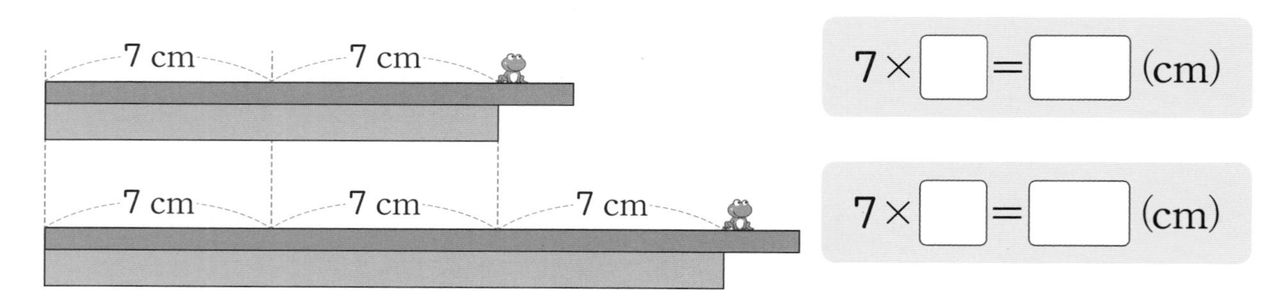

$7 \times \square = \square$ (cm)

$7 \times \square = \square$ (cm)

4 빈칸에 알맞은 수를 써넣어 곱셈표를 완성해 보세요.

(1)

×	0	1	2
1			
2			
3			

(2)

×	3	4	5
3			
4			
5			

5 □ 안에 알맞은 수를 써넣으세요.

(1) $7\times0=\square$

(2) $0\times5=\square$

(3) $3\times0=\square$

(4) $0\times9=\square$

(5) $1\times2=\square$

(6) $1\times9=\square$

6 빈칸에 알맞은 수를 써넣으세요.

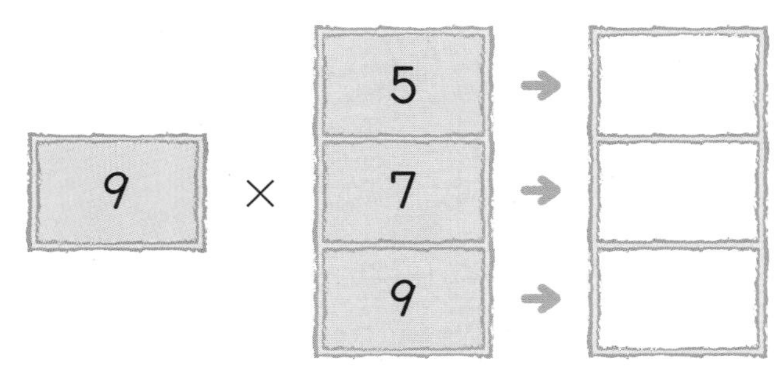

7 7단 곱셈구구의 값을 찾아 선으로 이어 보세요.

7×5 •	• 35
7×9 •	• 21
7×3 •	• 63

8 빈 곳에 알맞은 수를 써넣으세요.

[9~10] **곱셈표를 보고 물음에 답하세요.**

×	5	6	7	8	9
5	25	30		40	45
6	30		42	48	
7	35	42		56	63
8	40		56		
9	45	54		72	81

9 빈칸에 알맞은 수를 써넣어 곱셈표를 완성하세요.

10 곱셈표에서 7×8과 곱이 같은 곱셈구구를 써 보세요.

(　　　　　　　　)

11 곱의 크기를 비교하여 ◯ 안에 >, =, <를 알맞게 써넣으세요.

(1) 6×0 ◯ 0×8　　(2) 7×7 ◯ 9×5

12 곱셈을 이용하여 빈칸에 알맞은 수를 써넣으세요.

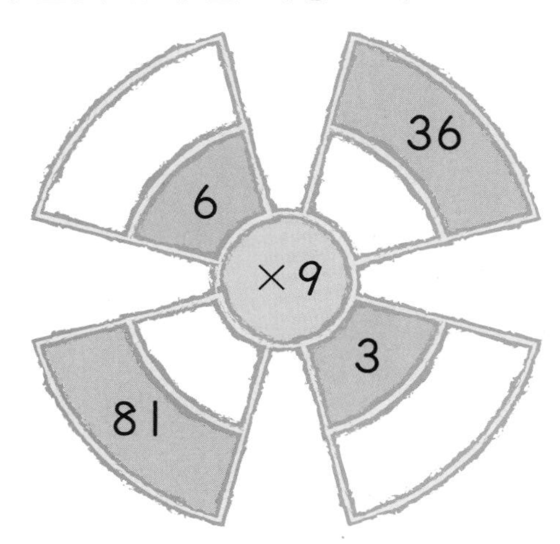

13 9단 곱셈구구의 값에 모두 색칠해 보세요.

14 영주네 학교 2학년 학생들이 한 줄에 9명씩 8줄로 운동장에 서 있습니다. 영주네 학교 2학년 학생은 모두 몇 명일까요?

( )

개념 확인평가

2. 곱셈구구

맞은 개수

1 □ 안에 알맞은 수를 써넣으세요.

3+3+3+3=□

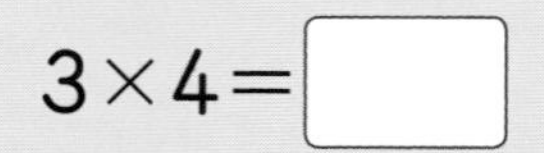

2 5개씩 묶고 곱셈식으로 나타내어 보세요.

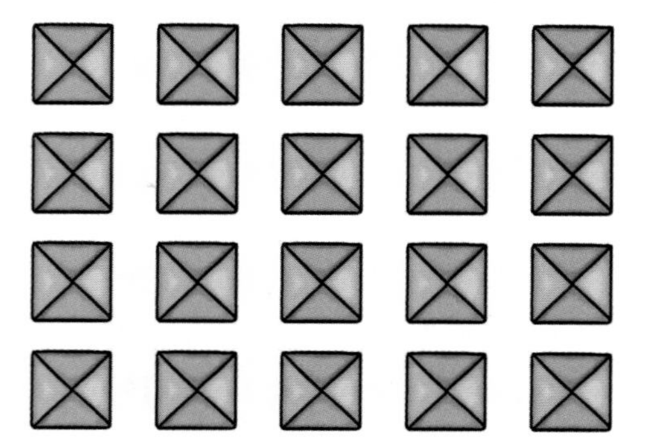

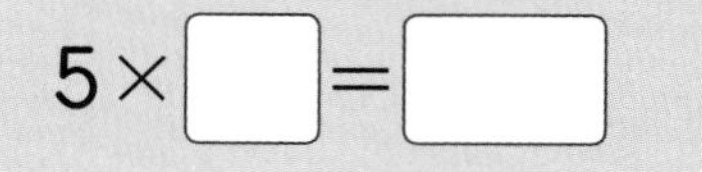

3 곱셈식을 수직선에 나타내고 □ 안에 알맞은 수를 써넣으세요.

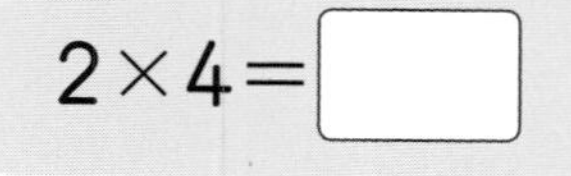

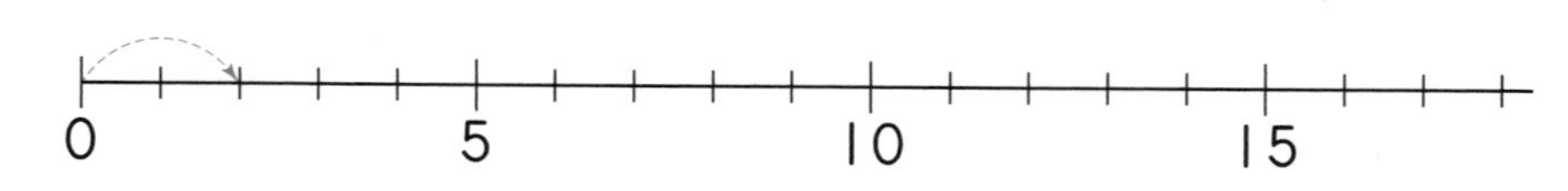

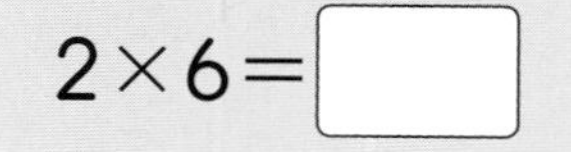

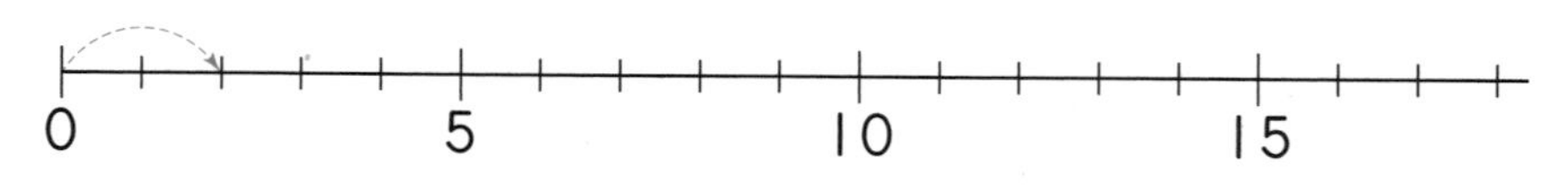

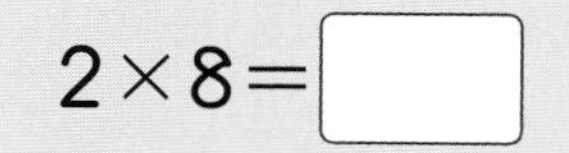

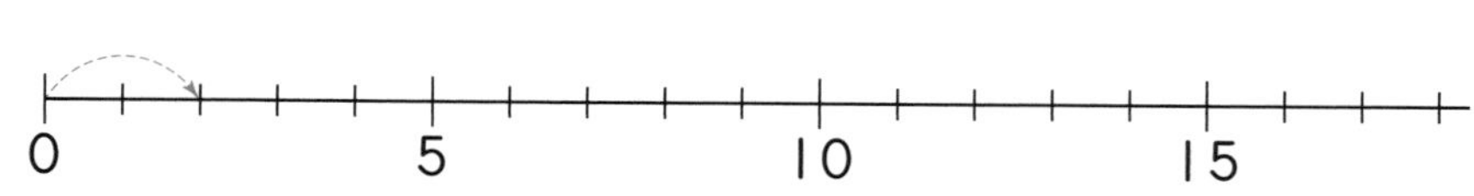

4 빈 곳에 알맞은 수를 써넣으세요.

5 빈칸에 알맞은 수를 써넣으세요.

×	1	2	5	7
7				
8				

6 □ 안에 알맞은 수를 써넣으세요.

(1) 7×□=56

(2) 9×□=36

7 곱셈표를 완성하고 곱이 15보다 큰 칸에 모두 색칠해 보세요.

×	1	2	3	4	5	6	7	8	9
2									
3									
4									

2 단원

8 곱이 같은 것끼리 선으로 이어 보세요.

4×9 •		• 7×8
8×7 •		• 9×4
5×3 •		• 3×5

9 쿠키가 한 접시에 8개씩 있습니다. 접시 4개에 있는 쿠키는 모두 몇 개일까요?

( )

10 원판을 돌려서 화살을 던졌을 때 화살이 꽂힌 수만큼 점수를 얻는 놀이를 하였습니다. □ 안에 알맞은 수를 써넣고, 얻은 점수가 몇 점인지 구해 보세요.

원판의 수	0	1	2	3
꽂힌 횟수(번)	2	3	1	0
점수(점)	□×2=□	1×□=□	2×1=2	□×□=□

( )

3 길이 재기

학습 계획표

내용	쪽수	날짜		확인
교과서 개념 잡기	62~65쪽	월	일	
교과서 개념 play / 집중! 드릴 문제	66~69쪽	월	일	
교과서 개념 확인 문제	70~73쪽	월	일	
교과서 개념 잡기	74~77쪽	월	일	
교과서 개념 play / 집중! 드릴 문제	78~81쪽	월	일	
교과서 개념 확인 문제	82~85쪽	월	일	
개념 확인평가	86~88쪽	월	일	

교과서 개념 잡기

개념 1 cm보다 더 큰 단위 알아보기

- 1 m 알아보기

100 cm는 1 m와 같습니다.

1 m는 **1 미터**라고 읽습니다.

100 cm=1 m

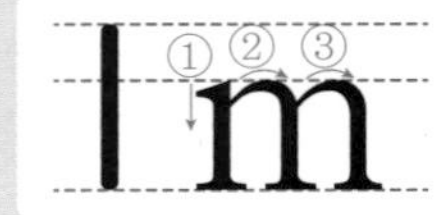

- '몇 cm'와 '몇 m 몇 cm' 알아보기

130 cm는 1 m보다 30 cm 더 깁니다.

130 cm를 1 m 30 cm라고도 씁니다.

1 m 30 cm를 **1 미터 30 센티미터**라고 읽습니다.

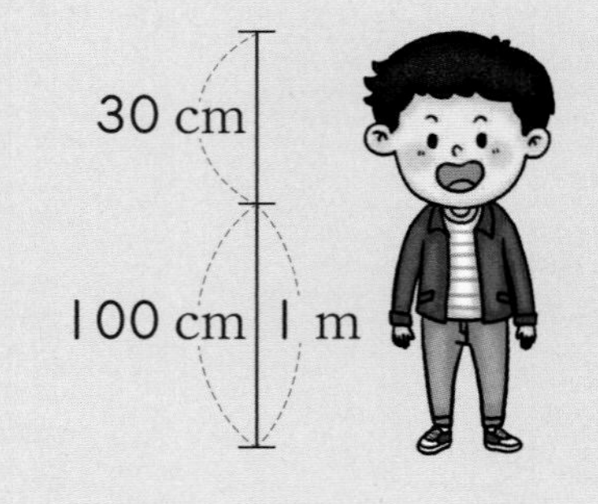

130 cm=1 m 30 cm

개념 2 자로 길이 재기

- 줄자를 사용하여 길이를 재는 방법

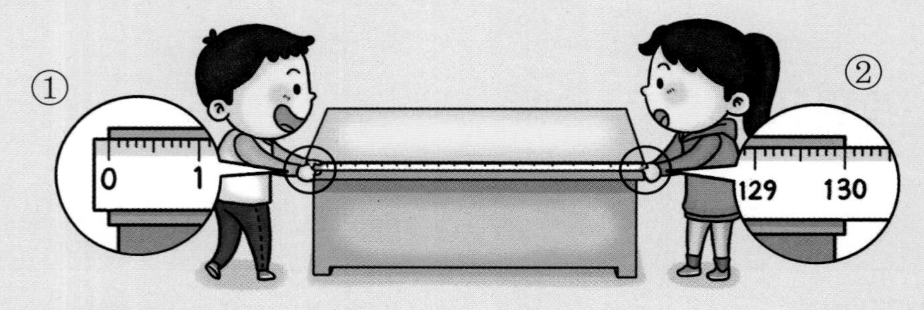

① 책상의 한끝을 줄자의 눈금 0에 맞춥니다.

② 책상의 다른 쪽 끝에 있는 줄자의 눈금을 읽습니다.
눈금이 130이므로 책상의 길이는 1 m 30 cm입니다.

개념 Check

다음 중 옳은 것에 ○표 하세요.

140 cm=14 m

140 cm=1 m 40 cm

1 l m를 바르게 쓴 것에 ○표 하세요.

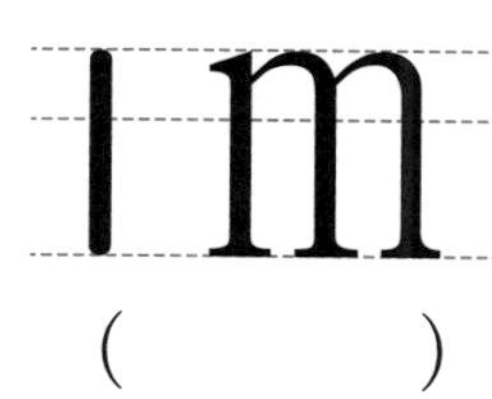
( )

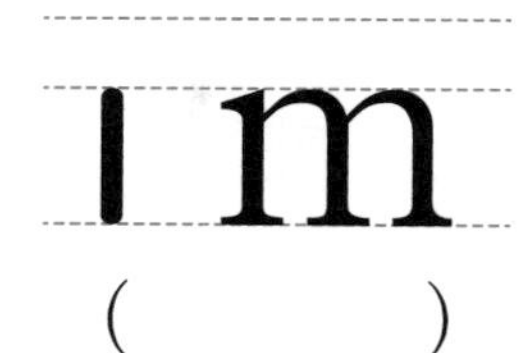
( )

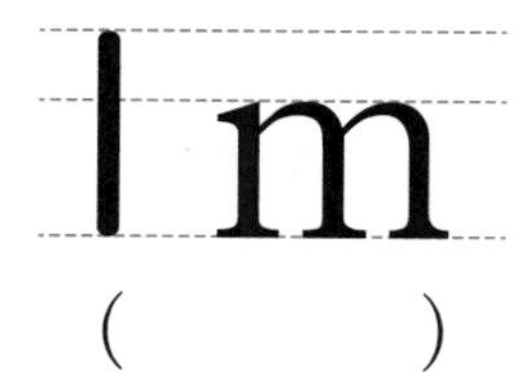
( )

2 길이를 바르게 읽어 보세요.

(1) 5 m

( )

(2) 4 m 30 cm

( )

3 단원

3 □ 안에 알맞은 수를 써넣으세요.

(1) 3 m=□cm

(2) 700 cm=□m

4 자에서 화살표가 가리키는 눈금을 읽어 보세요.

□cm　　□m □cm

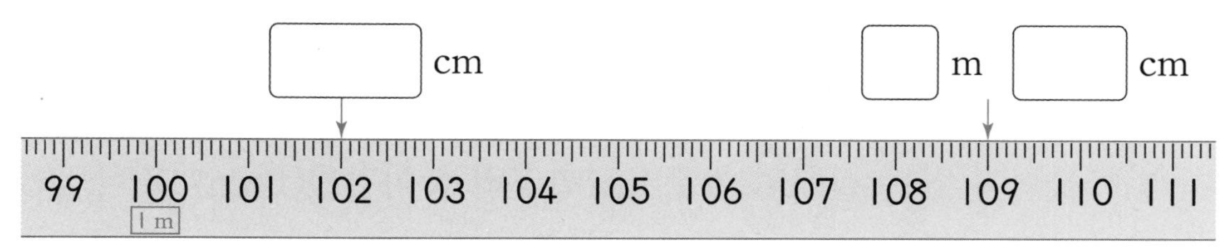

5 □ 안에 알맞은 수를 써넣으세요.

(1) 3 m 70 cm=□m+70 cm=□cm+70 cm

=□cm

(2) 420 cm=□cm+20 cm=□m+20 cm

=□m □cm

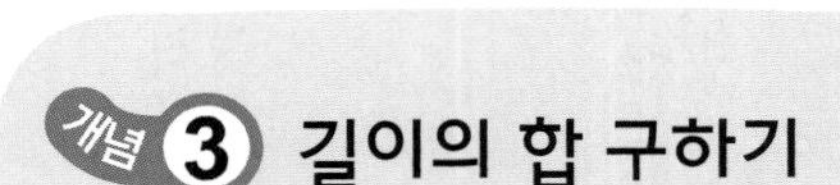

개념 3 길이의 합 구하기

• 1 m 20 cm+1 m 30 cm를 계산하는 방법

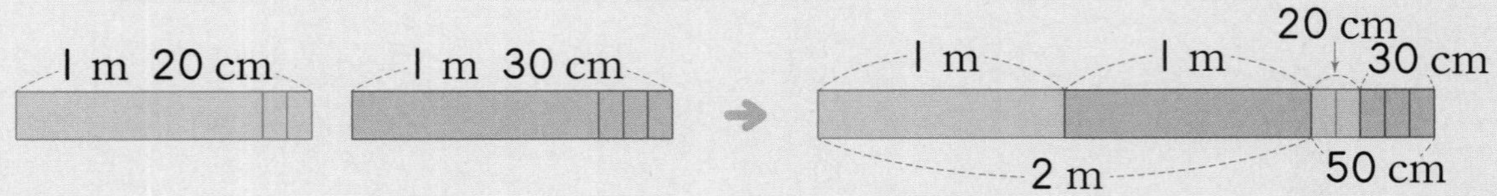

방법 1 m와 cm 단위로 각각 나누어 더하기

1+1=2

1 m 20 cm+1 m 30 cm=2 m 50 cm

20+30=50

방법 2 세로로 계산하기

	1 m	20 cm
+	1 m	30 cm

→

	1 m	20 cm
+	1 m	30 cm
		50 cm

→

	1 m	20 cm
+	1 m	30 cm
	2 m	50 cm

받아올림이 없는 길이의 합은 **cm는 cm끼리, m는 m끼리 계산합니다.**
받아올림이 있는 길이의 합은 cm끼리의 합이 100 cm이거나 100 cm보다 크면 100 cm=1 m를 이용하여 계산합니다.

개념 Check

1 m 10 cm+2 m 30 cm를 바르게 계산한 곳에 ○표 하세요.

1 m 10 cm+2 m 30 cm
=3 m 40 cm

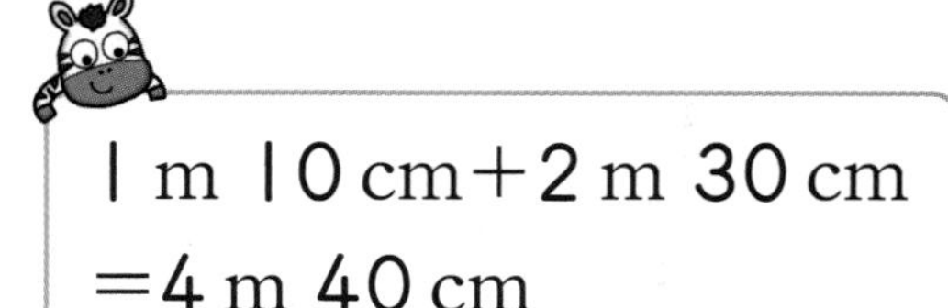

1 그림을 보고 □ 안에 알맞은 수를 써넣으세요.

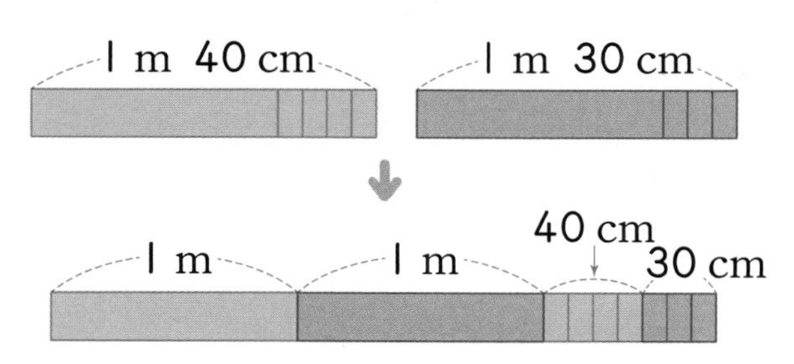

1 m 40 cm+1 m 30 cm
=□ m □ cm

2 □ 안에 알맞은 수를 써넣으세요.

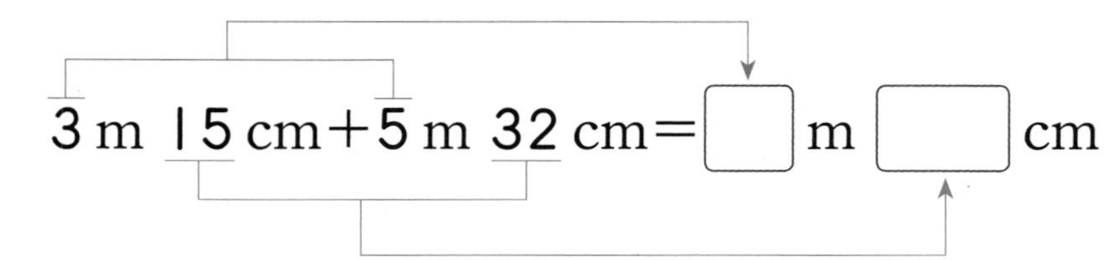

3 길이의 합을 구해 보세요.

(1)

	2 m	20 cm
+	3 m	50 cm
	□ m	□ cm

(2)

	4 m	30 cm
+	1 m	43 cm
	□ m	□ cm

4 길이의 합을 구하려고 합니다. □ 안에 알맞은 수를 써넣으세요.

5 m 37 cm+1 m 40 cm
=(5 m+□ m)+(□ cm+40 cm)
=□ m □ cm

3 단원

리본함 정리하기

준비물 붙임딱지

두 색 테이프의 길이의 합과 같은 줄자 붙임딱지를 찾아 붙여 보세요.

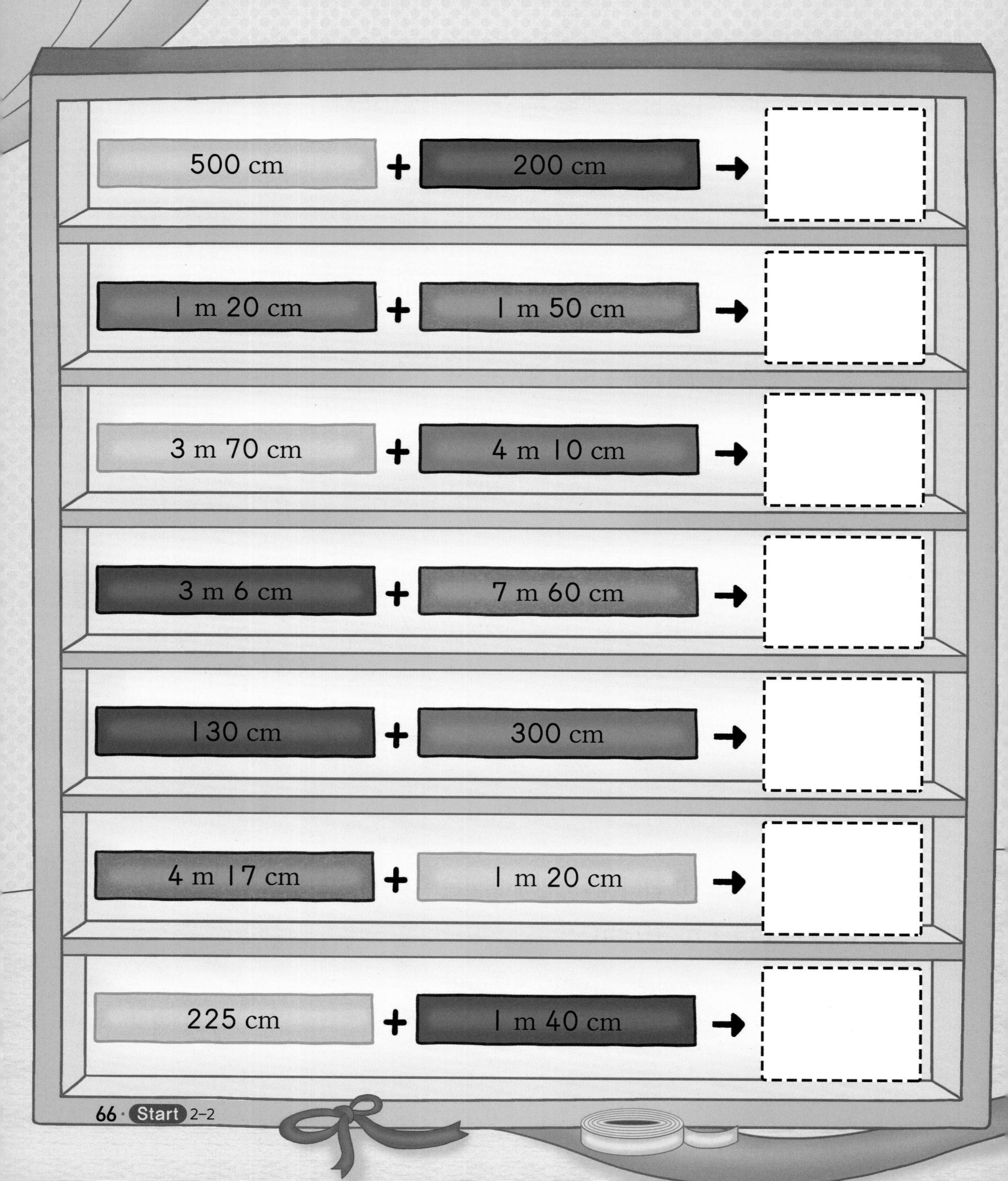

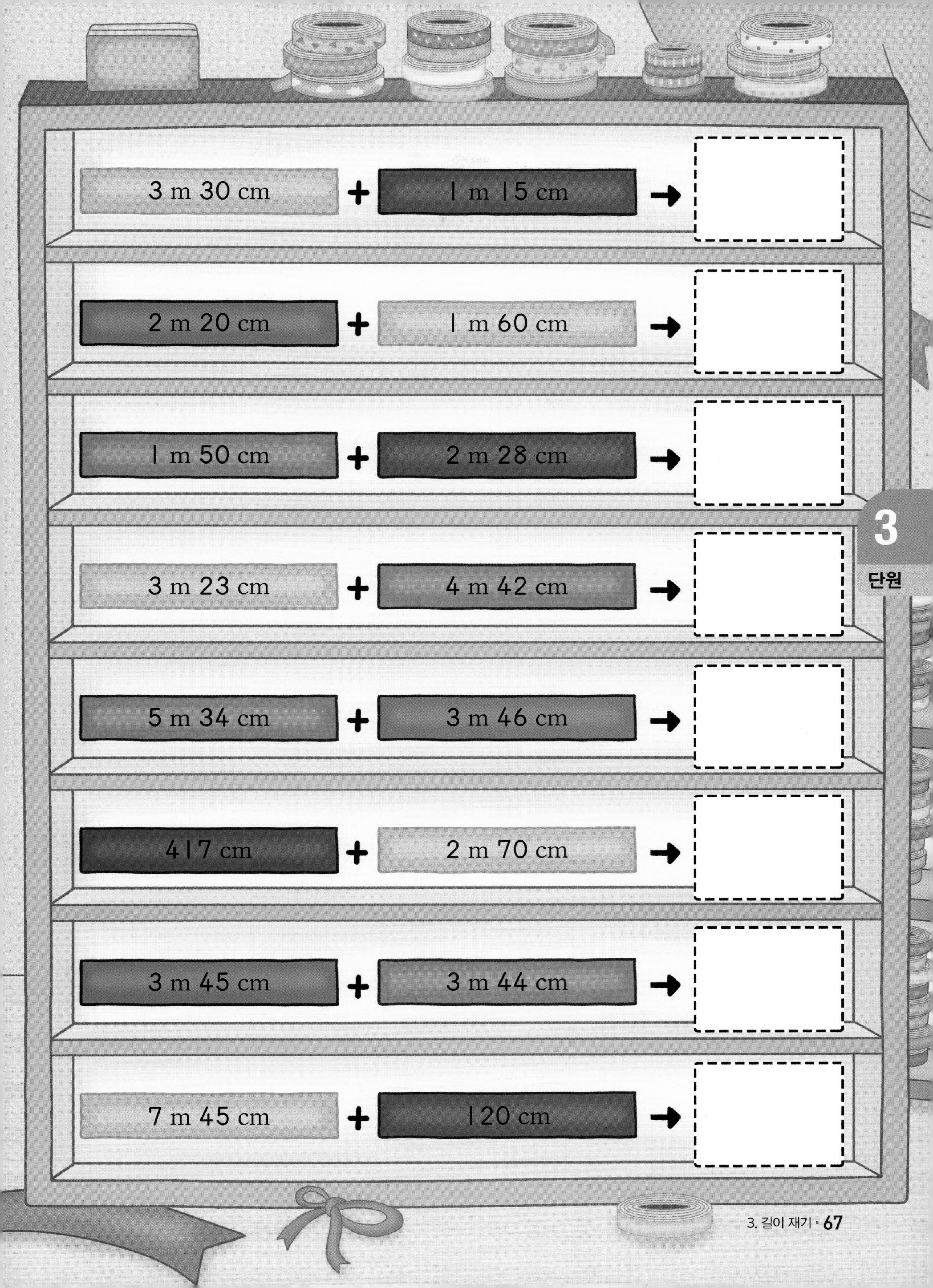
3 m 30 cm + 1 m 15 cm →
2 m 20 cm + 1 m 60 cm →
1 m 50 cm + 2 m 28 cm →
3 m 23 cm + 4 m 42 cm →
5 m 34 cm + 3 m 46 cm →
417 cm + 2 m 70 cm →
3 m 45 cm + 3 m 44 cm →
7 m 45 cm + 120 cm →
3
단원

집중! 드릴 문제

[1~12] □안에 알맞은 수를 써넣으세요.

1 $4\text{ m}=\square\text{ cm}$

2 $7\text{ m}=\square\text{ cm}$

3 $2\text{ m }80\text{ cm}=\square\text{ cm}$

4 $3\text{ m }50\text{ cm}=\square\text{ cm}$

5 $4\text{ m }5\text{ cm}=\square\text{ cm}$

6 $7\text{ m }3\text{ cm}=\square\text{ cm}$

7 $300\text{ cm}=\square\text{ m}$

8 $900\text{ cm}=\square\text{ m}$

9 $240\text{ cm}=\square\text{ m }\square\text{ cm}$

10 $315\text{ cm}=\square\text{ m }\square\text{ cm}$

11 $490\text{ cm}=\square\text{ m }\square\text{ cm}$

12 $809\text{ cm}=\square\text{ m }\square\text{ cm}$

[13~22] 길이의 합을 구해 보세요.

13

	1 m	30 cm
+	2 m	30 cm
	□ m	□ cm

14

	2 m	20 cm
+	3 m	30 cm
	□ m	□ cm

15

	3 m	30 cm
+	2 m	40 cm
	□ m	□ cm

16

	3 m	40 cm
+	3 m	25 cm
	□ m	□ cm

17

	4 m	15 cm
+	2 m	60 cm
	□ m	□ cm

18 2 m 40 cm+2 m 40 cm

=□ m □ cm

19 3 m 20 cm+2 m 50 cm

=□ m □ cm

20 4 m 30 cm+1 m 60 cm

=□ m □ cm

21 3 m 70 cm+3 m 25 cm

=□ m □ cm

22 5 m 55 cm+1 m 32 cm

=□ m □ cm

교과서 개념 확인 문제

1 길이를 바르게 읽어 보세요.

(1) 7 m (　　　　　　　　　　　　)

(2) 5 m 81 cm (　　　　　　　　　　　　)

2 길이가 같은 것을 찾아 선으로 이어 보세요.

300 cm •	• 5 m
800 cm •	• 8 m
500 cm •	• 3 m

3 길이를 m 단위로 나타내기에 알맞은 것에 ○표 하세요.

색연필의 길이	냉장고의 높이	빨대의 길이
(　　　)	(　　　)	(　　　)

4 민재의 키를 두 가지 방법으로 나타내어 보세요.

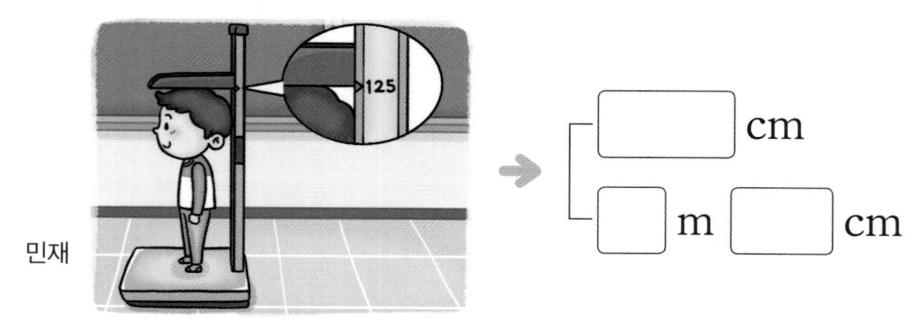

→ □ cm
　 □ m □ cm

5 □ 안에 알맞은 수를 써넣으세요.

(1) 360 cm=□ cm+60 cm=□ m+60 cm

=□ m □ cm

(2) 5 m 72 cm=□ m+72 cm=□ cm+72 cm

=□ cm

6 길이의 합을 구해 보세요.

(1)

		m		cm
	5	m	42	cm
+	2	m	37	cm
	□	m	□	cm

(2)

		m		cm
	3	m	50	cm
+	1	m	19	cm
	□	m	□	cm

7 길이가 같은 것을 찾아 선으로 이어 보세요.

8 m 2 cm　　2 m 80 cm

802 cm　　820 cm　　280 cm

8 길이의 합은 몇 m 몇 cm일까요?

(1) 4 m 9 cm+3 m 65 cm

(2) 1 m 20 cm+2 m 40 cm

3 단원

9 두 길이를 비교하여 ○ 안에 $>$, $=$, $<$를 알맞게 써넣으세요.

(1) 605 cm ○ 6 m 20 cm

(2) 999 cm ○ 9 m 90 cm

[10~11] 빈칸에 알맞은 길이는 몇 m 몇 cm인지 써넣으세요.

10

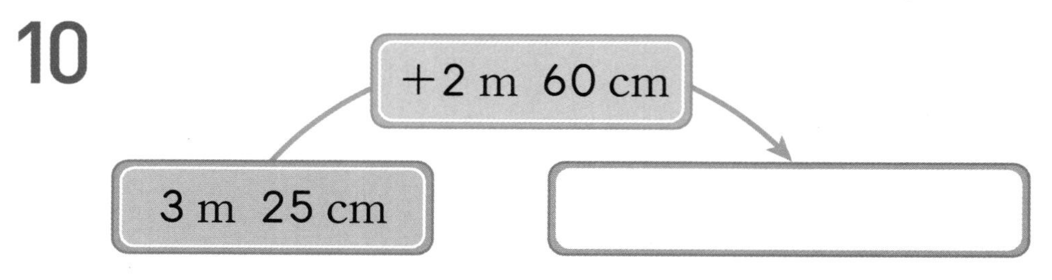

11

+4 m 43 cm

5 m 34 cm → ☐

12 다음의 길이를 나타낼 때 알맞은 단위는 cm와 m 중 어느 것인지 써 보세요.

(1) 가위의 길이 ☐

(2) 학교 건물의 높이 ☐

(3) 기린의 키 ☐

(4) 신발의 길이 ☐

정답과 풀이 p.18

[13~14] 두 길이의 합은 몇 m 몇 cm일까요?

13 415 cm　　3 m 50 cm

(　　　　　　　　　　)

14 3 m 24 cm　　324 cm

(　　　　　　　　　　)

15 전봇대의 높이는 4 m보다 19 cm 더 길다고 합니다. 전봇대의 높이는 몇 cm 일까요?

(　　　　　　　　　　)

16 두 색 테이프의 길이의 합은 몇 m 몇 cm일까요?

517 cm

3 m 42 cm

(　　　　　　　　　　)

교과서 개념 잡기

개념 4 길이의 차 구하기

• 2 m 50 cm − 1 m 30 cm를 계산하는 방법

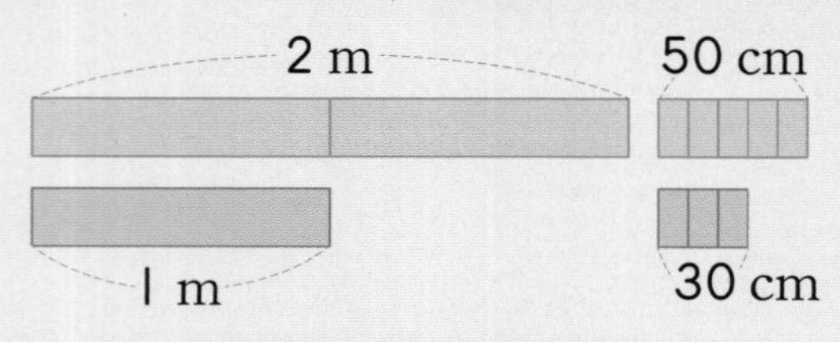

방법 1 m와 cm 단위로 각각 나누어 빼기

2 − 1 = 1

2 m 50 cm − 1 m 30 cm = 1 m 20 cm

50 − 30 = 20

방법 2 세로로 계산하기

	2 m	50 cm
−	1 m	30 cm

➔

	2 m	50 cm
−	1 m	30 cm
		20 cm

➔

	2 m	50 cm
−	1 m	30 cm
	1 m	20 cm

받아내림이 없는 길이의 차는 **cm는 cm끼리, m는 m끼리 계산합니다.**
받아내림이 있는 길이의 차는 cm끼리 뺄 수 없을 때 1 m = 100 cm를 이용하여 계산합니다.

개념 Check

2 m 40 cm − 1 m 10 cm를 바르게 계산한 곳에 ○표 하세요.

2 m 40 cm − 1 m 10 cm
= 1 m 40 cm

2 m 40 cm − 1 m 10 cm
= 1 m 30 cm

정답과 풀이 p.19

1 그림을 보고 □ 안에 알맞은 수를 써넣으세요.

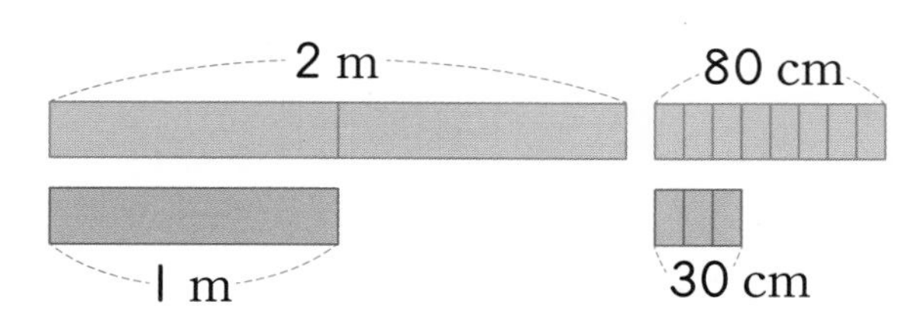

2 m 80 cm − 1 m 30 cm
= □ m □ cm

2 □ 안에 알맞은 수를 써넣으세요.

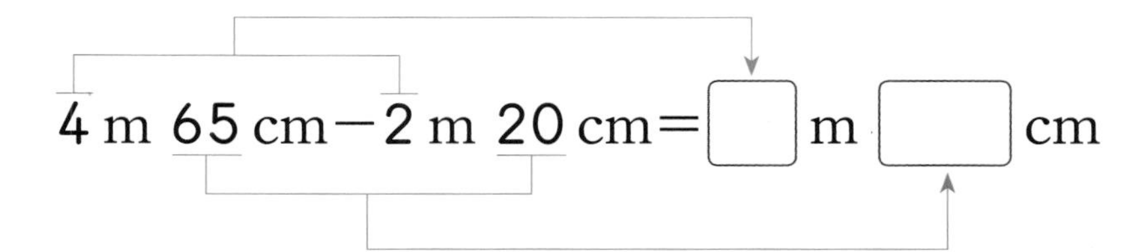

3 길이의 차를 구해 보세요.

(1)

	5 m	75 cm
−	3 m	60 cm
	□ m	□ cm

(2)

	7 m	87 cm
−	4 m	53 cm
	□ m	□ cm

4 길이의 차를 구하려고 합니다. □ 안에 알맞은 수를 써넣으세요.

6 m 58 cm − 3 m 30 cm
= (6 m − □ m) + (□ cm − 30 cm)
= □ m □ cm

개념 5 길이 어림하기

• 몸의 일부를 이용하여 1 m 재기

① 

걸음으로 1 m 재기

걸음은 뼘에 비해 긴 길이를 잴 때 좋습니다.

② 

뼘으로 1 m 재기

뼘은 걸음에 비해 짧은 길이를 잴 때 좋습니다.

• 몸에서 1 m가 되는 부분 찾기

① 

키에서 약 1 m 찾기

키에서 1 m는 물건의 높이를 잴 때 좋습니다.

② **양팔을 벌린 길이에서 약 1 m 찾기**

양팔을 벌린 길이에서 1 m는 긴 길이를 여러 번 잴 때 좋습니다.

• 축구 골대 긴 쪽의 길이를 어림하기

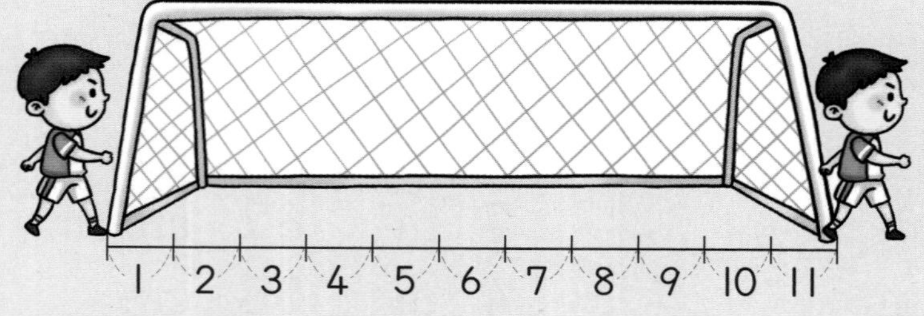

긴 길이를 어림하는 방법
• 걸음, 양팔을 벌린 길이로 어림
• 한 발씩, 두 발씩 뛰어서 어림

➩ 한 걸음이 60 cm일 때 11걸음이 나왔으므로 축구 골대 긴 쪽의 길이는 6 m 60 cm로 어림하였습니다.

개념 Play

준비물 붙임딱지

클립과 자동차 중 실제 길이가 1 m보다 긴 것을 찾아 붙임딱지를 붙여 보세요.

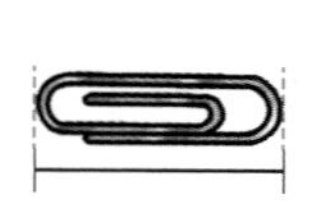

➜

1 상혁이 동생의 키가 1 m일 때 기린의 키는 약 몇 m일까요?

2 키를 이용하여 여러 가지 길이의 물건을 찾으려고 합니다. 알맞은 물건에 ○표 하세요.

> 내 키보다 짧은 물건은 (연필 , 침대),
> 내 키만 한 물건은 (빨래 건조대 , 의자),
> 내 키보다 긴 물건은 (우산 , 줄넘기)입니다.

3 주어진 1 m로 끈의 길이를 어림하였습니다. 어림한 끈의 길이는 약 몇 m일까요?

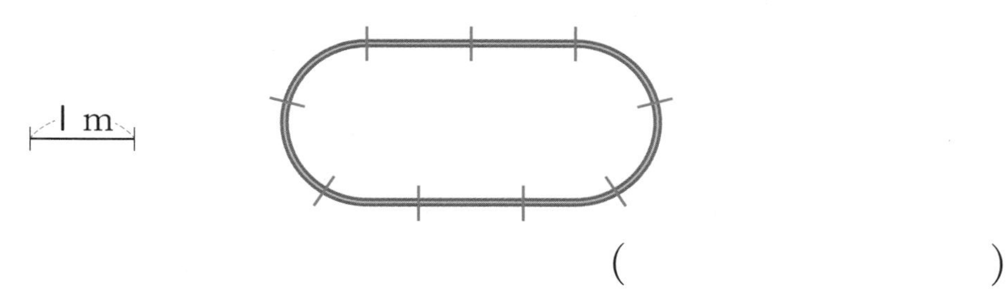

(　　　　　　　　)

4 보기에서 알맞은 길이를 골라 문장을 완성해 보세요.

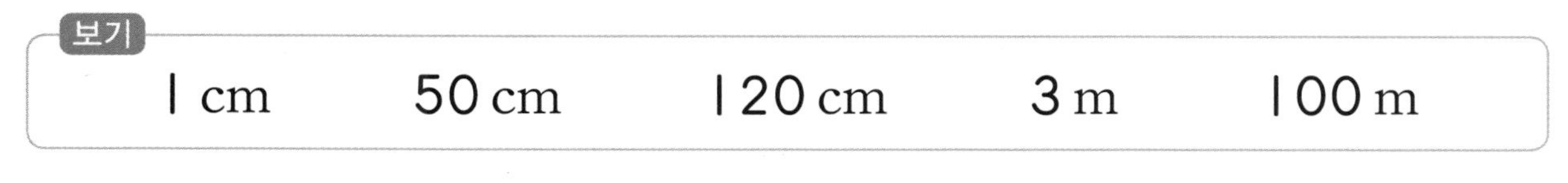

(1) 초등학교 2학년인 가은이의 키는 약 □입니다.

(2) 기차의 길이는 약 □입니다.

교과서 개념 play 선물 상자 포장하기

준비물 붙임딱지

선물을 포장하기 위해 사용한 색 테이프의 길이와 같은 선물 상자 붙임딱지를 찾아 붙여 보세요.

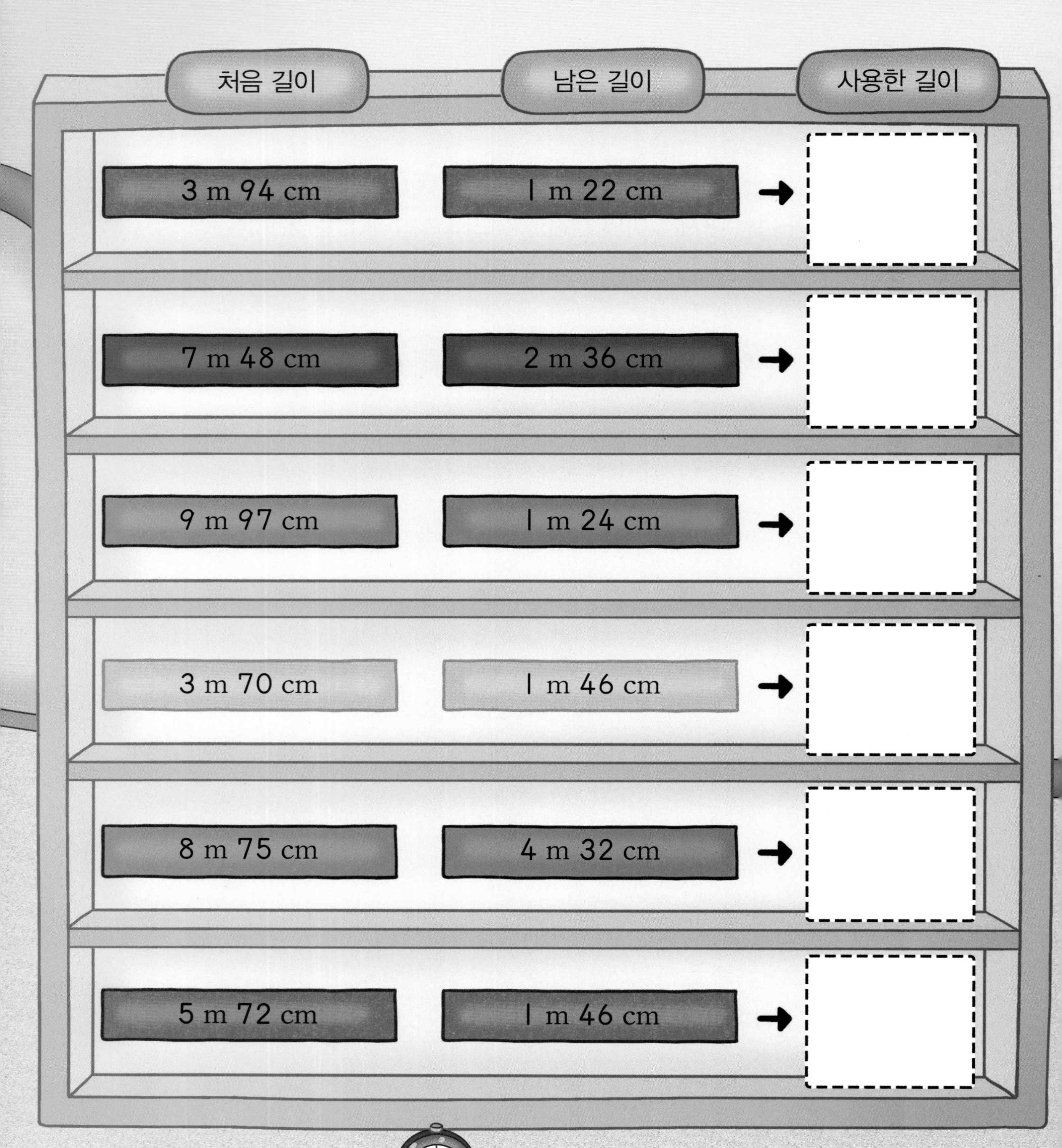

처음 길이
남은 길이
사용한 길이
3 m 94 cm
1 m 22 cm
7 m 48 cm
2 m 36 cm
9 m 97 cm
1 m 24 cm
3 m 70 cm
1 m 46 cm
8 m 75 cm
4 m 32 cm
5 m 72 cm
1 m 46 cm

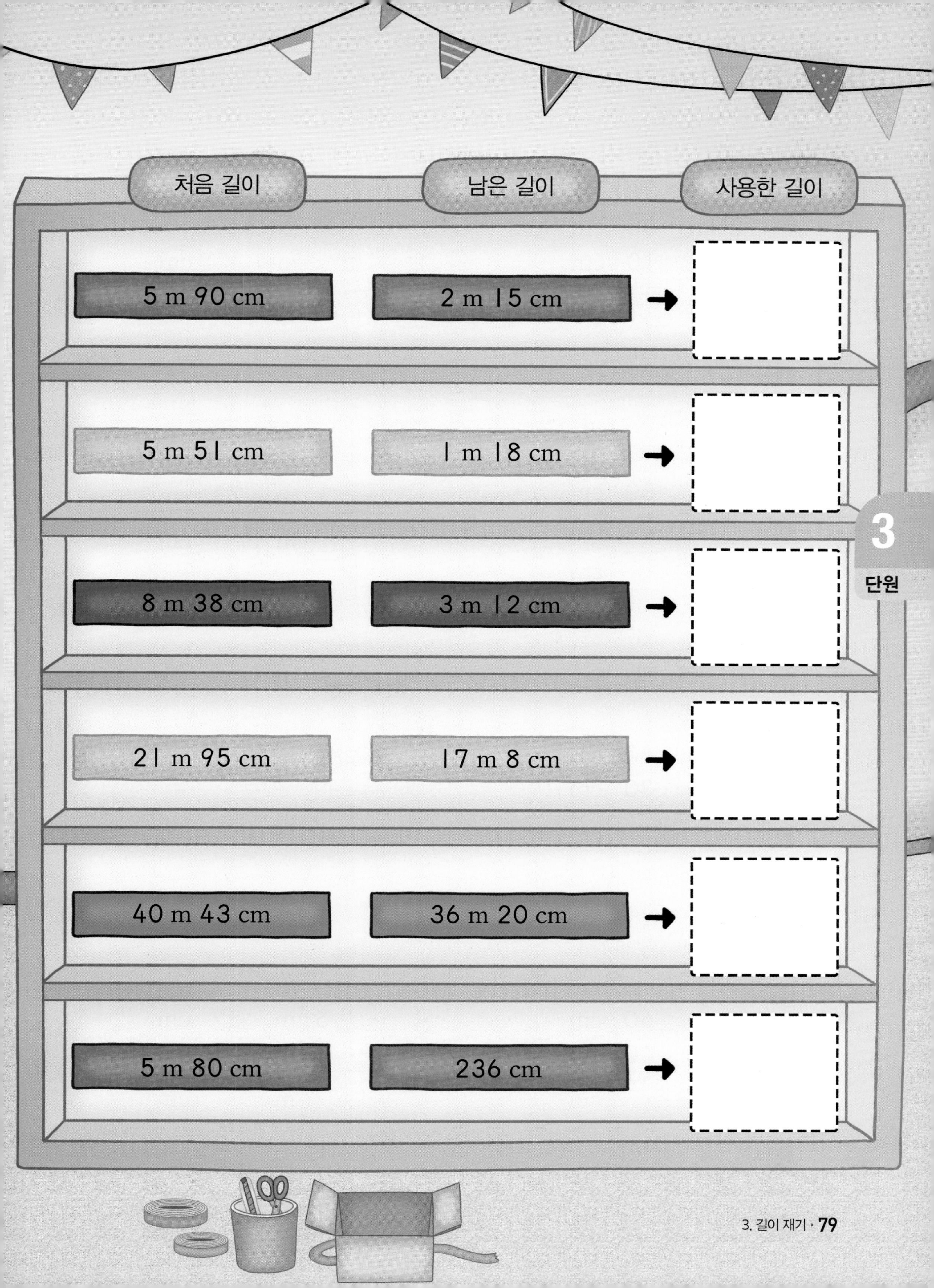
처음 길이
남은 길이
사용한 길이
5 m 90 cm
2 m 15 cm
5 m 51 cm
1 m 18 cm
8 m 38 cm
3 m 12 cm
21 m 95 cm
17 m 8 cm
40 m 43 cm
36 m 20 cm
5 m 80 cm
236 cm
3
단원

집중! 드릴 문제

[1~8] 길이의 차를 구해 보세요.

1

	2 m	30 cm
−	1 m	10 cm
	□ m	□ cm

2

	3 m	50 cm
−	1 m	20 cm
	□ m	□ cm

3

	3 m	40 cm
−	2 m	30 cm
	□ m	□ cm

4

	4 m	60 cm
−	1 m	40 cm
	□ m	□ cm

5

	4 m	86 cm
−	3 m	51 cm
	□ m	□ cm

6

	5 m	79 cm
−	1 m	73 cm
	□ m	□ cm

7

	5 m	65 cm
−	2 m	34 cm
	□ m	□ cm

8

	5 m	87 cm
−	3 m	25 cm
	□ m	□ cm

[9~18] 길이의 차를 구해 보세요.

9 4 m 50 cm − 2 m 30 cm
= ☐ m ☐ cm

10 3 m 40 cm − 2 m 20 cm
= ☐ m ☐ cm

11 5 m 60 cm − 2 m 30 cm
= ☐ m ☐ cm

12 6 m 70 cm − 4 m 40 cm
= ☐ m ☐ cm

13 7 m 80 cm − 5 m 10 cm
= ☐ m ☐ cm

14 5 m 70 cm − 4 m 20 cm
= ☐ m ☐ cm

15 7 m 80 cm − 3 m 50 cm
= ☐ m ☐ cm

16 9 m 95 cm − 1 m 35 cm
= ☐ m ☐ cm

17 8 m 65 cm − 7 m 15 cm
= ☐ m ☐ cm

18 7 m 70 cm − 4 m 35 cm
= ☐ m ☐ cm

교과서 개념 확인 문제

1 지후 동생의 키가 1 m일 때 코끼리의 키는 약 몇 m일까요?

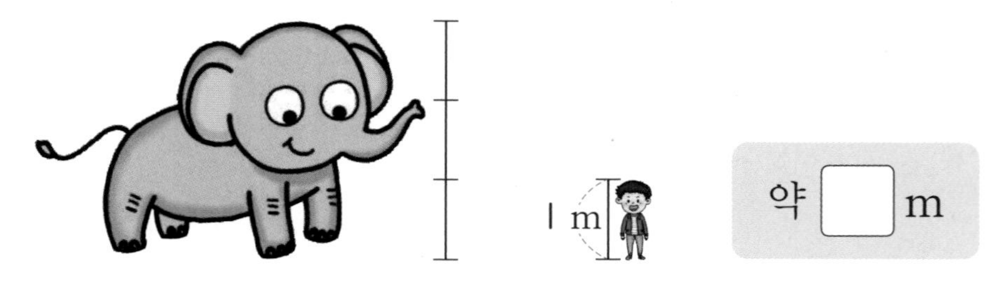

2 길이의 차를 구해 보세요.

(1)

	6 m	89 cm
−	4 m	45 cm
	□ m	□ cm

(2)

	7 m	70 cm
−	3 m	36 cm
	□ m	□ cm

3 실제 길이에 가까운 것을 찾아 선으로 이어 보세요.

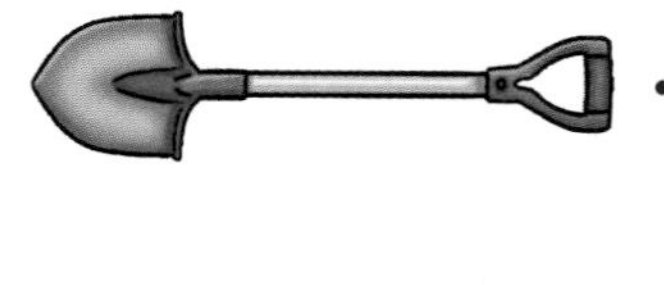

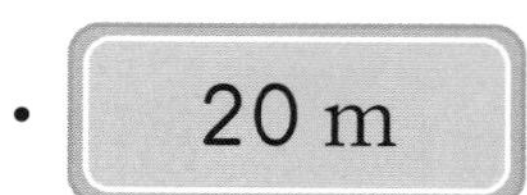

5 m

4 길이의 차는 몇 m 몇 cm일까요?

(1) 6 m 30 cm－2 m 20 cm

(2) 7 m 55 cm－4 m 40 cm

5 □ 안에 알맞은 길이를 찾아 ○표 하세요.

(1) 버스의 길이는 약 □입니다. ➔ (10 cm , 10 m)

(2) 초등학생인 영아의 키는 약 □입니다. ➔ (125 cm , 125 m)

[6~7] 빈칸에 알맞은 길이는 몇 m 몇 cm인지 써넣으세요.

6

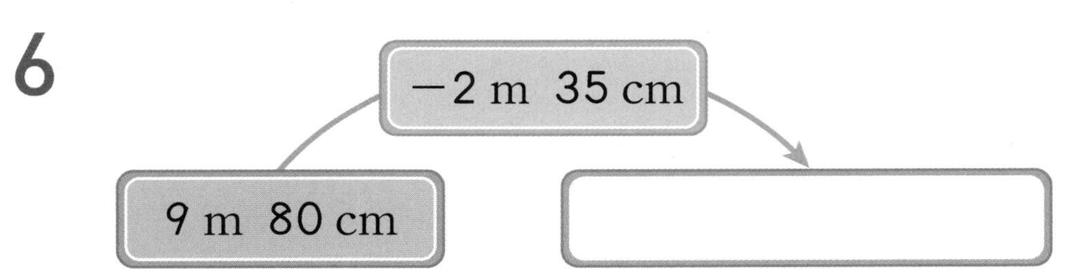

7

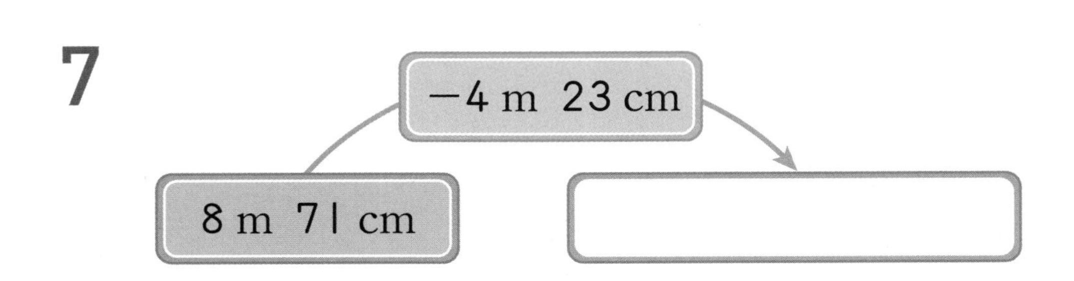

8 주어진 1 m로 끈의 길이를 어림하려고 합니다. 어림한 끈의 길이는 약 몇 m일까요?

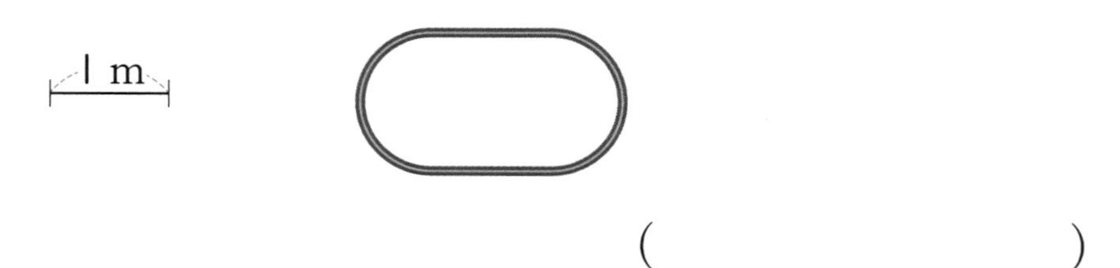

( )

9 □ 안에 알맞은 수를 써넣으세요.

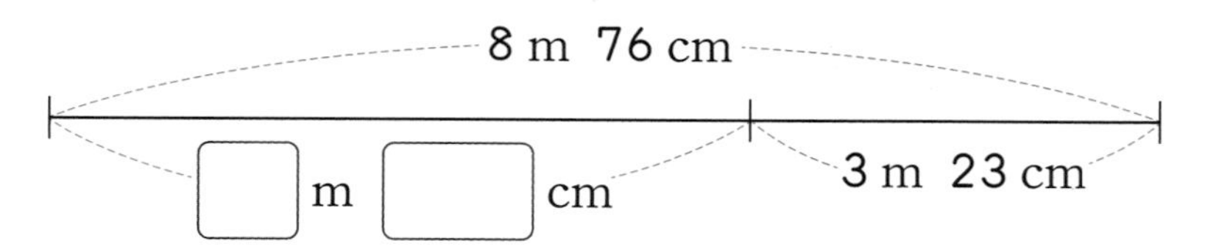

[10~11] 두 길이의 차는 몇 m 몇 cm일까요?

10

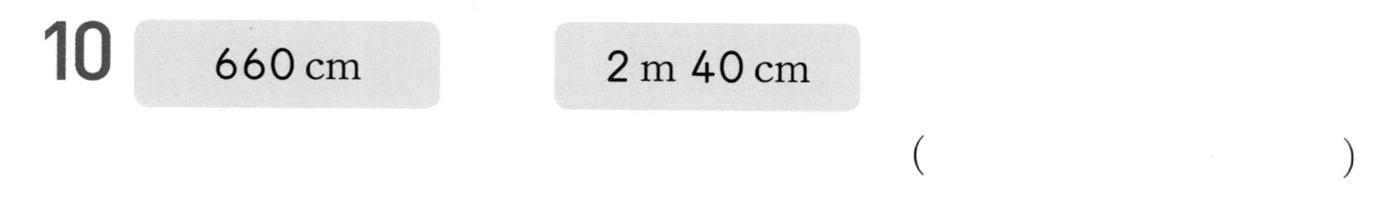

( )

11

9 m 81 cm　　　436 cm

( )

[12~13] ○ 안에 $>$, $=$, $<$를 알맞게 써넣으세요.

12 8 m 76 cm−3 m 23 cm ○ 5 m

13 9 m 82 cm−3 m 37 cm 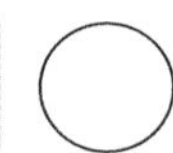 4 m 17 cm+2 m 26 cm

14 교실 칠판의 긴 쪽의 길이를 몸의 일부를 이용하여 재려고 합니다. 재는 횟수가 많은 것부터 차례로 기호를 써 보세요.

㉠ 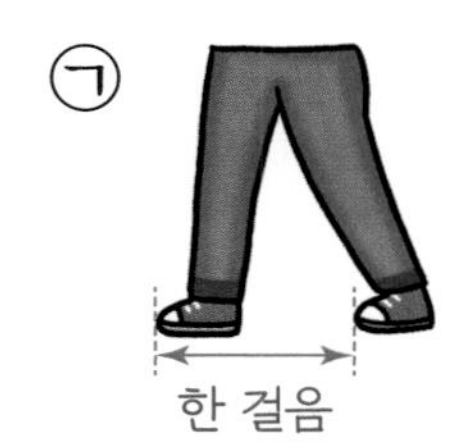

㉡ 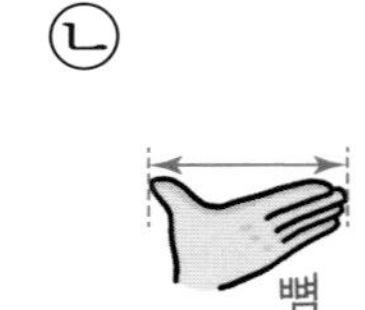

㉢ 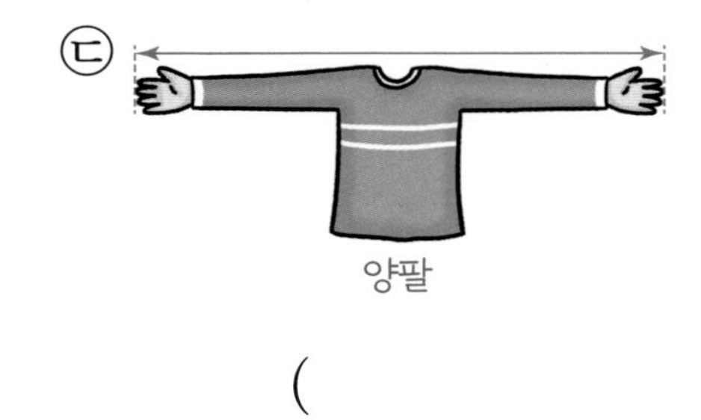

(　　　　　　　　　)

15 삼각형의 가장 긴 변의 길이와 가장 짧은 변의 길이의 차는 몇 m 몇 cm일까요?

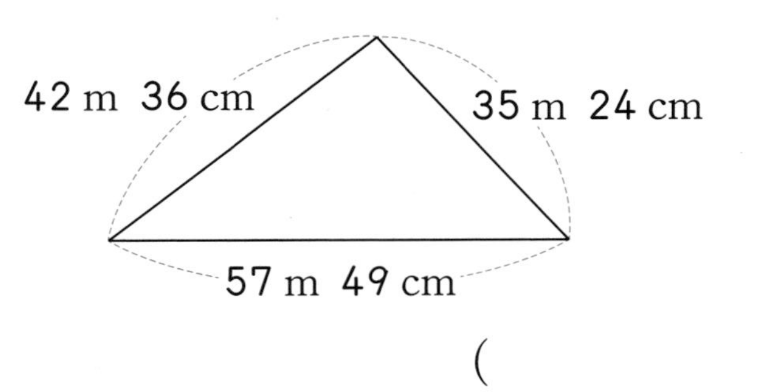

(　　　　　　　　　)

개념 확인평가

맞은 개수

1 길이를 바르게 읽어 보세요.

(1) 7 m

(　　　　　　　)

(2) 6 m 40 cm

(　　　　　　　)

2 □ 안에 알맞은 수를 써넣으세요.

(1) 9 m=□ cm

(2) 400 cm=□ m

(3) 5 m 80 cm=□ cm

(4) 805 cm=□ m □ cm

3 길이의 합을 구해 보세요.

(1)
$$\begin{array}{rrrr} & 5\text{ m} & 35\text{ cm} \\ + & 3\text{ m} & 40\text{ cm} \\ \hline & \square\text{ m} & \square\text{ cm} \end{array}$$

(2)
$$\begin{array}{rrrr} & 4\text{ m} & 26\text{ cm} \\ + & 4\text{ m} & 53\text{ cm} \\ \hline & \square\text{ m} & \square\text{ cm} \end{array}$$

4 길이의 차를 구해 보세요.

(1)
$$\begin{array}{rrrr} & 6\text{ m} & 85\text{ cm} \\ - & 2\text{ m} & 50\text{ cm} \\ \hline & \square\text{ m} & \square\text{ cm} \end{array}$$

(2)
$$\begin{array}{rrrr} & 9\text{ m} & 78\text{ cm} \\ - & 4\text{ m} & 36\text{ cm} \\ \hline & \square\text{ m} & \square\text{ cm} \end{array}$$

5 냉장고의 바닥을 줄자의 눈금 0에 맞추었습니다. 냉장고의 높이를 두 가지 방법으로 나타내어 보세요.

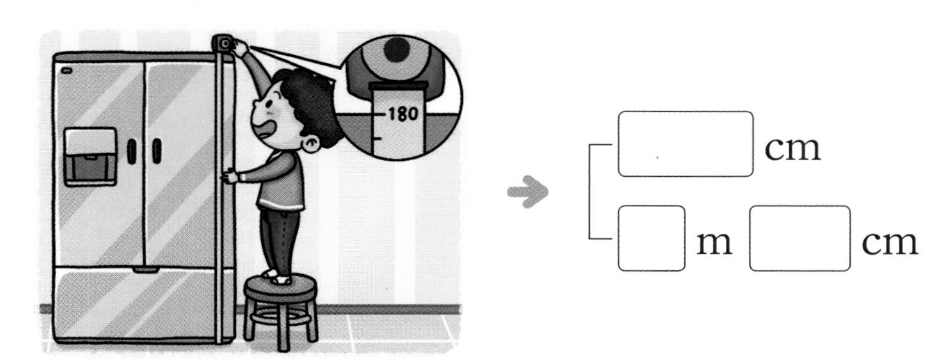

6 실제 길이가 1 m보다 긴 것은 모두 몇 개일까요?

(　　　　　　)

7 길이의 합과 차를 각각 구해 보세요.

(1) 5 m 37 cm + 1 m 40 cm = □ m □ cm

(2) 8 m 59 cm − 5 m 37 cm = □ m □ cm

8 다음의 길이를 나타낼 때 알맞은 단위는 cm와 m 중 어느 것인지 써 보세요.

(1) 지우개의 길이 ☐

(2) 축구 경기장의 길이 ☐

(3) 비행기의 길이 ☐

(4) 손가락의 길이 ☐

[9~10] 교실의 앞부터 뒤까지의 길이를 몸의 일부를 이용하여 재려고 합니다. 물음에 답하세요.

㉠ 

㉡ 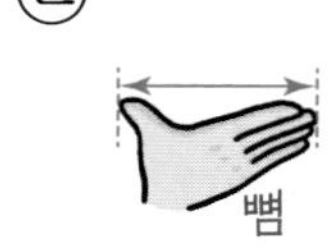

㉢ 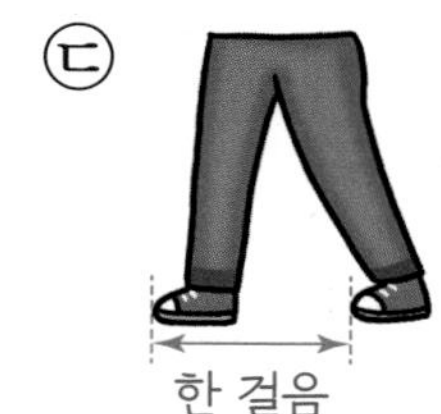

㉣ 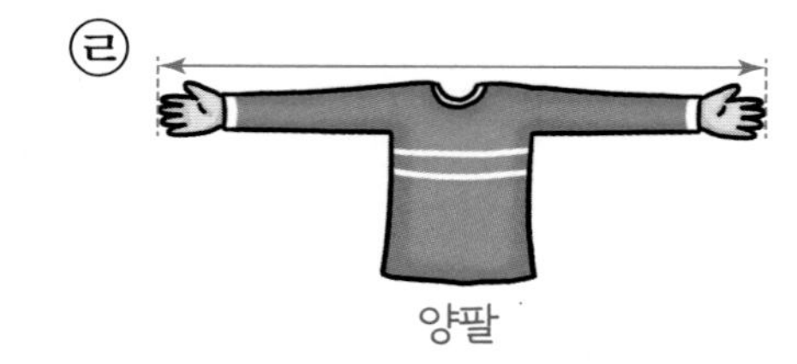

9 재는 횟수가 가장 적은 것을 찾아 기호를 써 보세요.

( )

10 재는 횟수가 가장 많은 것을 찾아 기호를 써 보세요.

( )

11 계산 결과가 더 긴 것을 찾아 기호를 써 보세요.

㉠ 3 m 42 cm+2 m 24 cm ㉡ 9 m 98 cm−4 m 31 cm

( )

시각과 시간

학습 계획표

내용	쪽수	날짜	확인
교과서 개념 잡기	90~93쪽	월 일	
교과서 개념 play / 집중! 드릴 문제	94~97쪽	월 일	
교과서 개념 확인 문제	98~101쪽	월 일	
교과서 개념 잡기	102~105쪽	월 일	
교과서 개념 play / 집중! 드릴 문제	106~109쪽	월 일	
교과서 개념 확인 문제	110~113쪽	월 일	
개념 확인평가	114~116쪽	월 일	

교과서 개념 잡기

개념 1 몇 시 몇 분 알아보기 (1)

시계의 긴바늘이 가리키는 숫자가 1이면 5분,
2이면 10분, 3이면 15분……을 나타냅니다.
오른쪽 그림의 시계가 나타내는 시각은
6시 5분입니다.

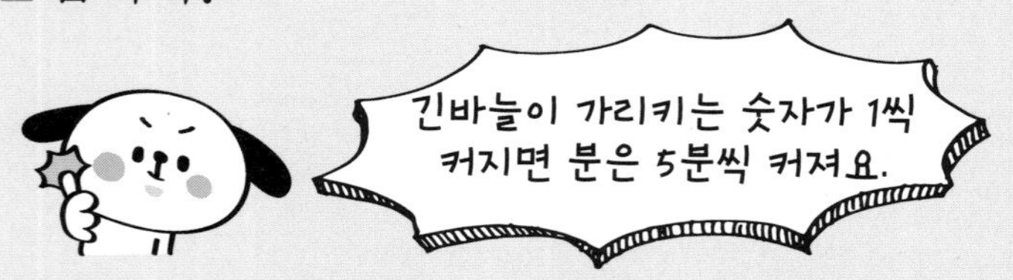

긴바늘이 가리키는 숫자가 1씩
커지면 분은 5분씩 커져요.

짧은바늘은 6과 7 사이를 가리키고, 긴바늘은 1을 가리키므로 6시 5분입니다.

개념 2 몇 시 몇 분 알아보기 (2)

시계에서 긴바늘이 가리키는 작은 눈금
한 칸은 1분을 나타냅니다.
오른쪽 그림의 시계가 나타내는 시각은
9시 7분입니다.

짧은바늘은 9와 10 사이를 가리키고, 긴바늘이 1에서 작은 눈금으로 2칸 더 간 곳을 가리키므로 9시 7분입니다.

개념 Check

왼쪽 시계가 나타내는 시각으로 바른 것에 ○표 하세요.

정답과 풀이 p.23

1 오른쪽 시계에서 각각의 숫자가 몇 분을 나타내는지 써넣으세요.

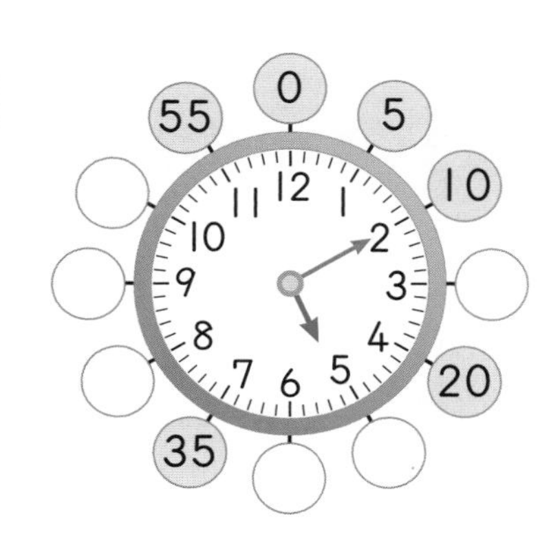

2 시계에 대한 설명입니다. 알맞은 말에 ○표 하세요.

> 시계에서 긴바늘이 가리키는 작은 눈금 한 칸은 1(시간 , 분)을 나타냅니다.

3 오른쪽 시계를 보고 □ 안에 알맞은 수를 써넣으세요.

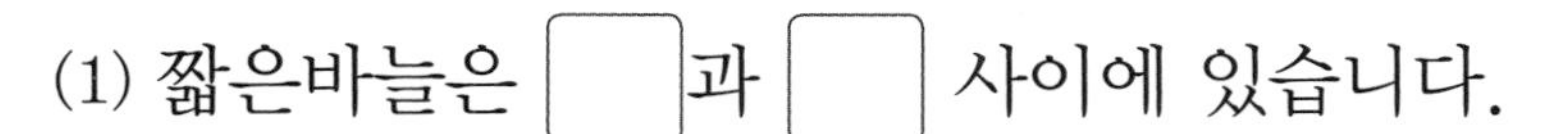
(1) 짧은바늘은 □과 □ 사이에 있습니다.

(2) 긴바늘은 □를 가리키고 있습니다.

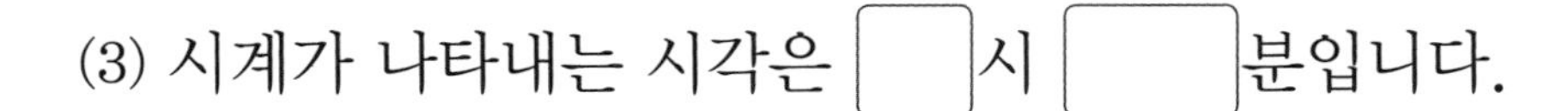
(3) 시계가 나타내는 시각은 □시 □분입니다.

4 시각을 써 보세요.

(1)

□시 □분

(2)

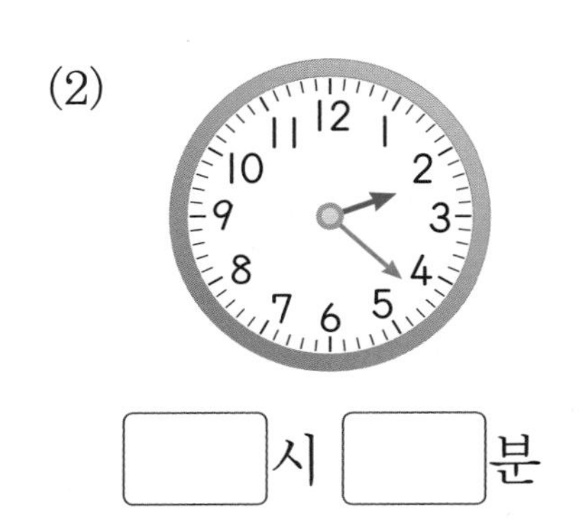

□시 □분

개념 3 여러 가지 방법으로 시각 읽기

- 왼쪽 시계의 시각은 3시 55분입니다.
- 3시 55분은 4시가 되기 5분 전의 시각과 같습니다.
- 3시 55분을 4시 5분 전이라고도 합니다.

6시 50분

7시 10분 전

→ 7시가 되기 10분 전의 시각

12시 45분

1시 15분 전

→ 1시가 되기 15분 전의 시각

주의

몇 시 몇 분 전이라는 표현은 5분 전, 10분 전, 15분 전 등과 같이 실생활에서 자주 사용되는 경우만 다루며 그 외의 억지스럽거나 복잡한 경우는 다루지 않도록 주의합니다.

예

6시 40분 전

6시보다 5시에 가까우니까 5시 20분이라고 하는 게 더 좋겠어요.

7시 14분 전

7시가 되기 몇 분 전인지 알아보는 것보다 6시 46분이라고 하는 게 더 간편하겠어요.

개념 Check

시각을 바르게 읽은 것에 ○표 하세요.

2시 5분 전

1시 5분 전

1 여러 가지 방법으로 오른쪽 시계의 시각을 읽어 보세요.

(1) 시계가 나타내는 시각은 ☐시 ☐분입니다.

(2) 10시가 되려면 ☐분이 더 지나야 합니다.

(3) 이 시각은 ☐시 ☐분 전입니다.

2 시각을 읽어 보세요.

(1)

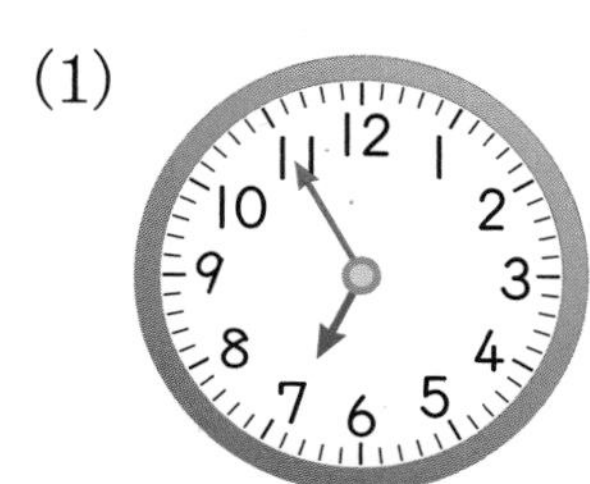

(2)

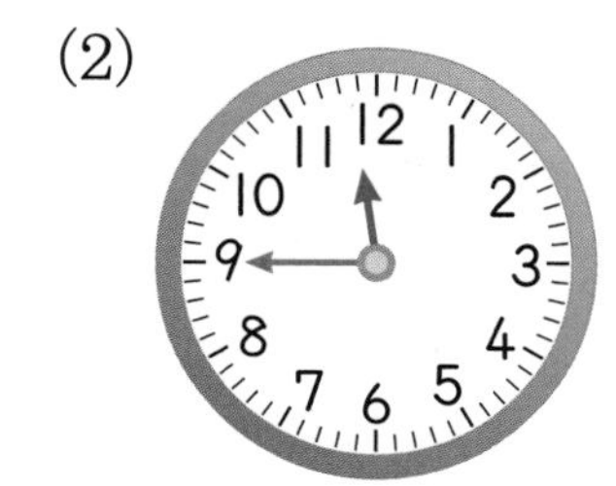

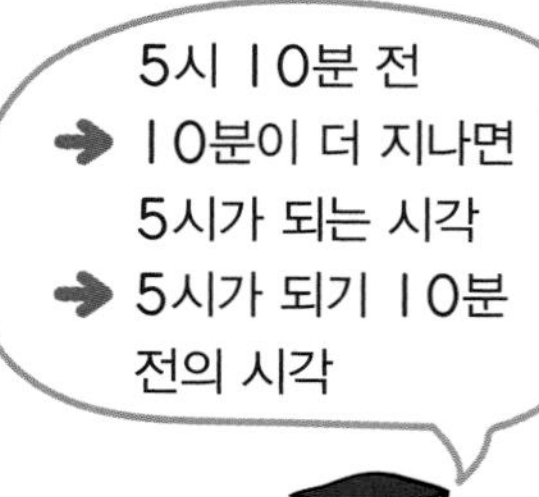

5시 10분 전
➔ 10분이 더 지나면 5시가 되는 시각
➔ 5시가 되기 10분 전의 시각

4 단원

3 ☐ 안에 알맞은 수를 써넣으세요.

(1) 10시 50분은 11시 ☐분 전입니다.

(2) 12시 55분은 ☐시 5분 전입니다.

교과서 개념  토끼의 시계 고치기

준비물 붙임딱지

이상한 나라의 앨리스가 원래의 세계로 돌아가기 위해서는 토끼의 시계를 고쳐 주어야 해요. 시각에 맞는 모형 시계 붙임딱지를 붙여서 시계를 고쳐 주세요.

5시 15분 전
11:42
4시 37분
11시 10분 전
4시 10분
12시 5분 전
2:05
2시 10분 전
2시 28분
7:25
6:39
6시 5분 전
4
단원

집중! 드릴 문제

[1~13] **시각을 써 보세요.**

1

시 분

2

시 분

3

시 분

4

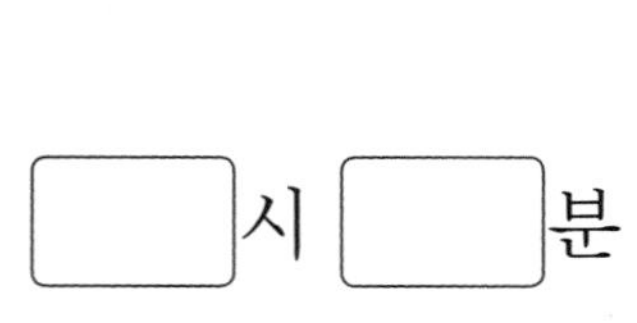

시 분

5

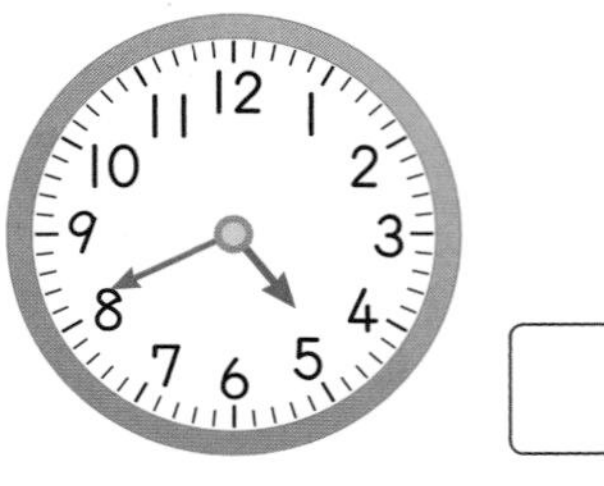

시 분

6

시 분

7

시 분

8

시 분

9 

☐시 ☐분

10 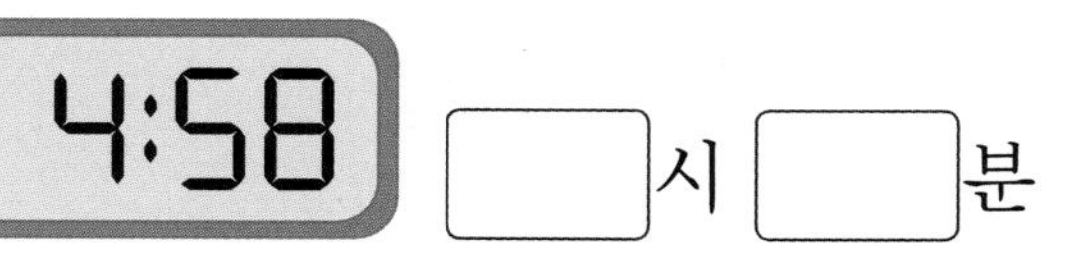

☐시 ☐분

11 

☐시 ☐분

12 

☐시 ☐분

13 

☐시 ☐분

[14~16] 두 가지 방법으로 시각을 읽어 보세요.

14 

☐시 ☐분

☐시 ☐분 전

15 

☐시 ☐분

☐시 ☐분 전

16 

☐시 ☐분

☐시 ☐분 전

교과서 개념 확인 문제

1 시계의 긴바늘이 가리키는 숫자가 각각 몇 분을 나타내는지 빈칸에 알맞게 써넣으세요.

숫자	1	2	3	4	5	6	7	8	9	10	11	12
분	5				25			40			55	0

2 □ 안에 알맞은 수를 써넣으세요.

시계에서 긴바늘이 가리키는 작은 눈금 한 칸은 □분을 나타냅니다.

3 시계를 보고 □ 안에 알맞은 수를 써넣으세요.

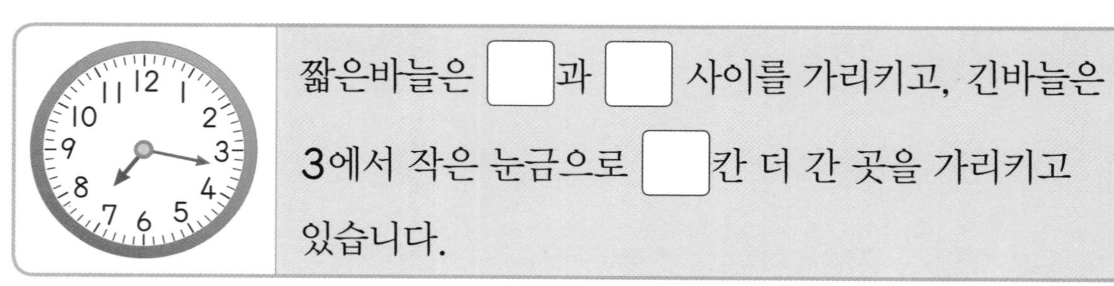

짧은바늘은 □과 □ 사이를 가리키고, 긴바늘은 3에서 작은 눈금으로 □칸 더 간 곳을 가리키고 있습니다.

4 시각을 써 보세요.

(1)

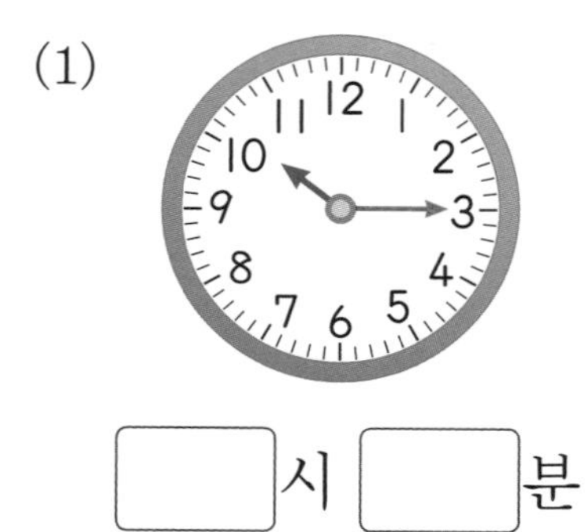

□시 □분

(2)

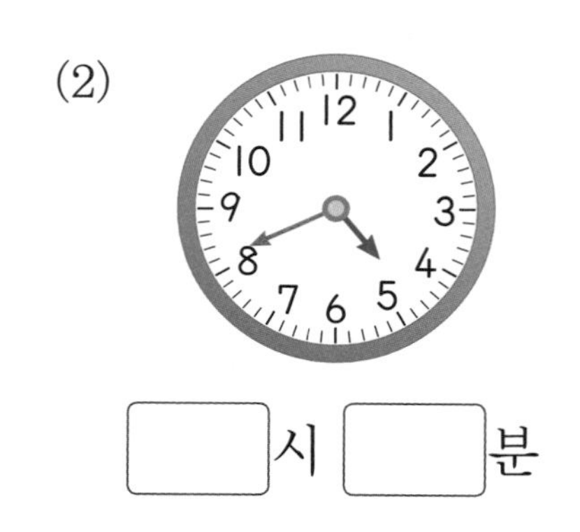

□시 □분

5 전자시계가 나타내는 시각을 써 보세요.

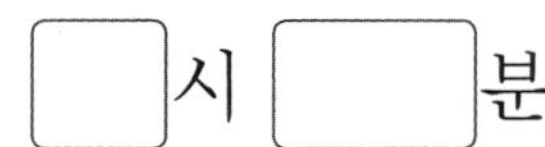

6 같은 시각을 나타내는 것끼리 선으로 이어 보세요.

 • • 3:55

 • • 

 • • 

7 □ 안에 알맞은 수를 써넣으세요.

(1) 2시 50분은 □시 □분 전입니다.

(2) 5시 15분 전은 □시 □분입니다.

8 시각에 맞게 긴바늘을 그려 넣으세요.

(1)

(2)

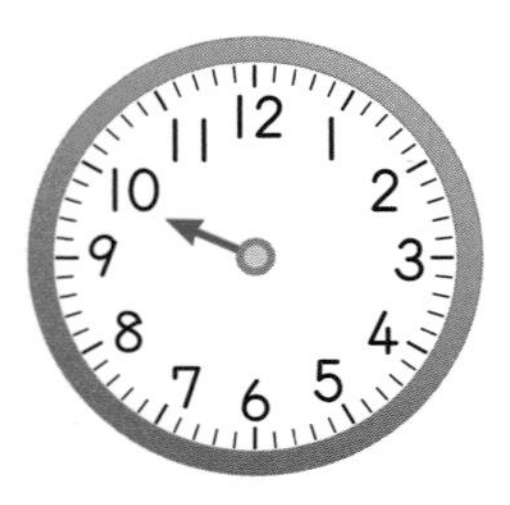

9 시각을 두 가지 방법으로 읽어 보세요.

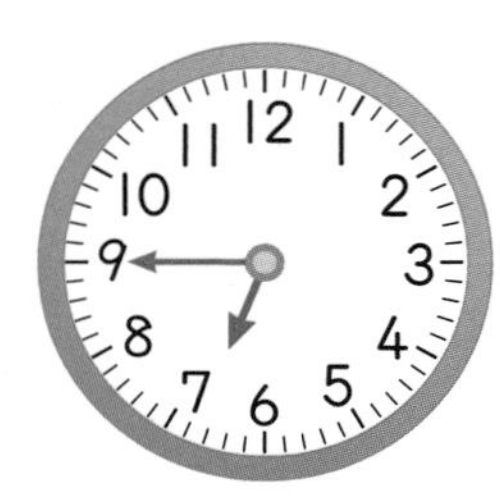

☐시 ☐분

☐시 ☐분 전

10 다음 시각에 알맞은 시계를 찾아 ○표 하세요.

4시 10분 전

(　　　) (　　　)

11 시각에 맞게 시곗바늘을 그려 넣으세요.

(1) 2시 10분 전

(2) 6시 15분 전

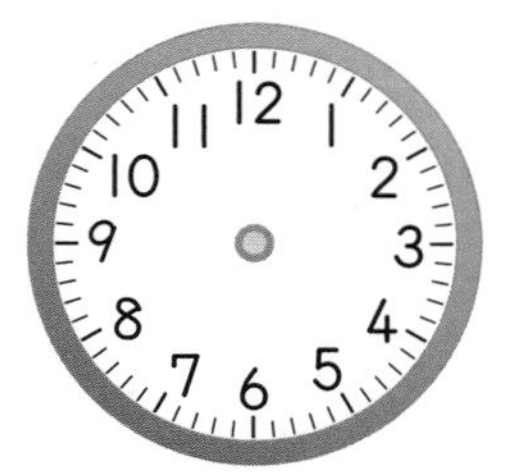

12 같은 시각을 나타내는 것끼리 선으로 이어 보세요.

9시 5분 전 | 10시 10분 전 | 8시 15분 전

13 거울에 비친 시계의 모습이 오른쪽과 같습니다. 이 시계가 나타내는 시각은 몇 시 몇 분일까요?

( )

14 대화를 읽고 어제 더 늦게 잔 사람의 이름을 써 보세요.

( )

교과서 개념 잡기

개념 4 1시간 알아보기

- 시계의 긴바늘이 한 바퀴 도는 데 60분의 시간이 걸립니다.

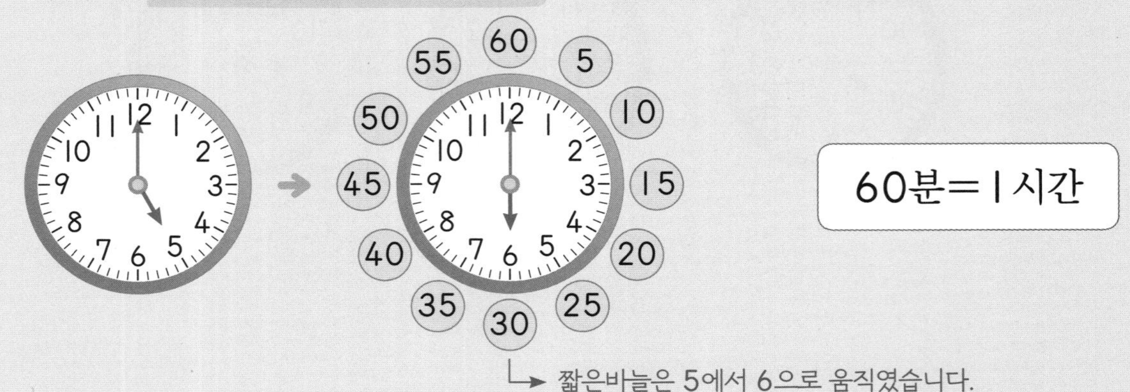

60분=1시간
짧은바늘은 5에서 6으로 움직였습니다.

- 걸린 시간 구하기

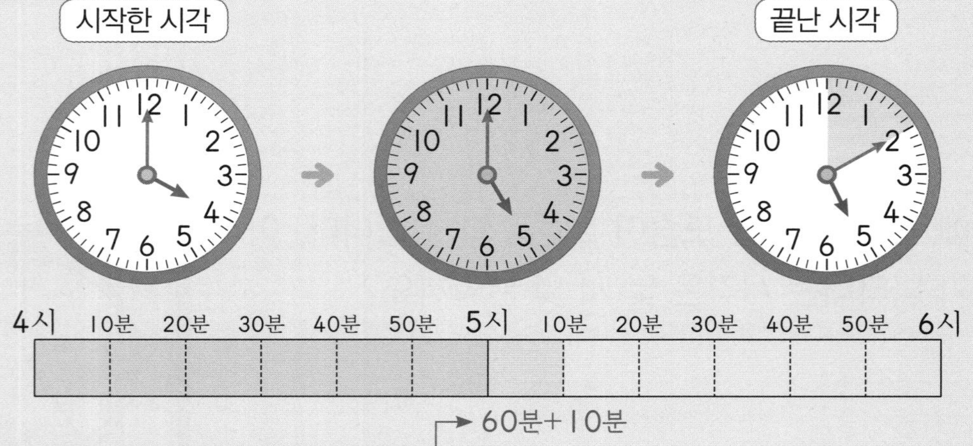

➡ 걸린 시간: 1시간 10분=70분

개념 5 하루의 시간 알아보기

- 하루는 24시간입니다.
- **전날 밤 12시부터 낮 12시까지를 오전이라 하고 낮 12시부터 밤 12시까지를 오후라고 합니다.**

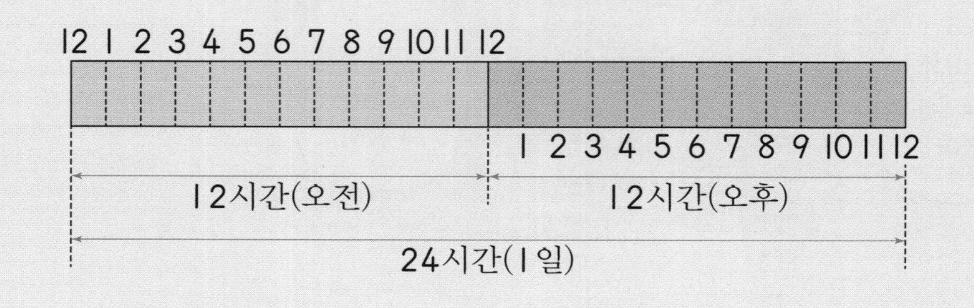

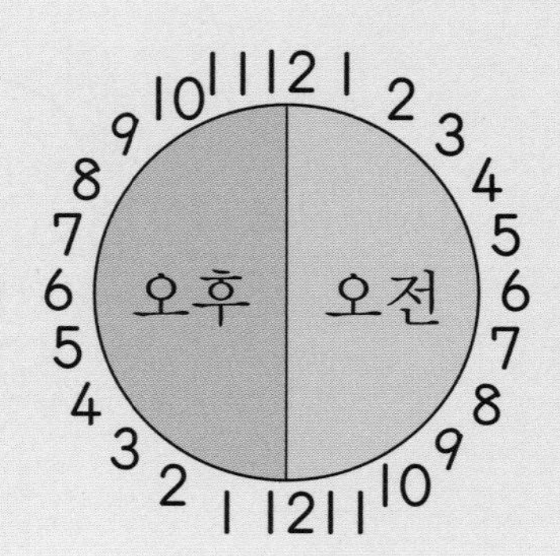

정답과 풀이 p.26

1 □ 안에 알맞은 수를 써넣으세요.

(1) 2시간=□분

(2) 48시간=□일

2 (　　) 안에 오전과 오후를 알맞게 써넣으세요.

(1) 아침 8시 (　　　　　)

(2) 낮 2시 (　　　　　)

3 두 시계를 보고 시간이 얼마나 지났는지 시간 띠에 나타내어 구해 보세요.

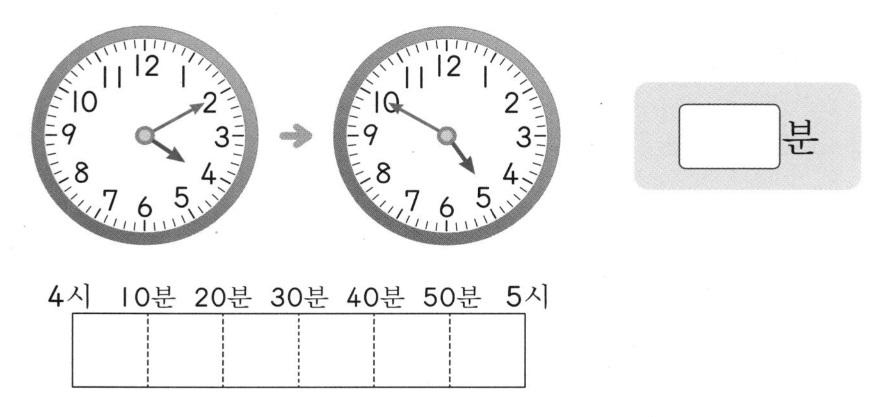

□분

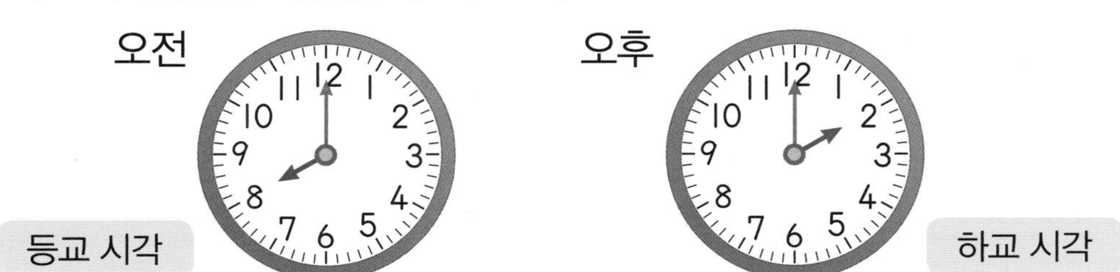

4 민수가 학교에 있었던 시간을 구해 보세요.

오전　　오후

등교 시각　　하교 시각

(1) 민수가 학교에 있었던 시간을 시간 띠에 나타내어 보세요.

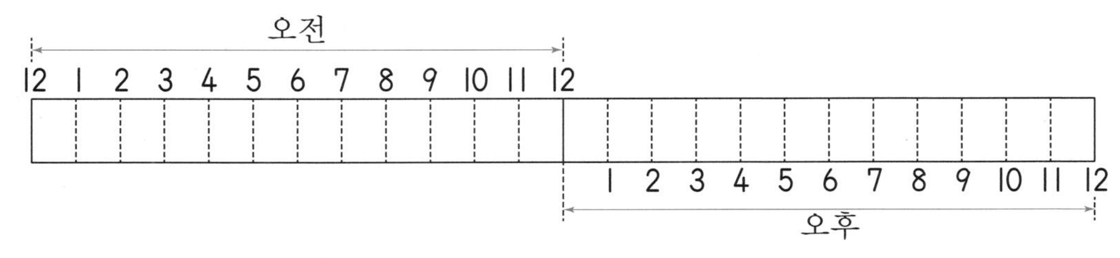

(2) 민수가 학교에 있었던 시간은 □시간입니다.

4 단원

개념 6 한 달의 달력 알아보기

일	월	화	수	목	금	토
			1	2	3	4
5	6	7	8	9	10	11
12	13	14	15	16	17	18
19	20	21	22	23	24	25
26	27	28	29	30	31	

1주일은 월요일, 화요일, 수요일, 목요일, 금요일, 토요일, 일요일로 7일이에요.

- 1주일은 7일입니다. **1주일=7일**
- **같은 요일은 7일마다 반복**됩니다.

개념 7 1년의 달력 알아보기

- 1년은 12개월입니다. **1년=12개월**
- 각 달의 날수

월	1	2	3	4	5	6	7	8	9	10	11	12
날수(일)	31	28	31	30	31	30	31	31	30	31	30	31

- **2월은 4년에 한 번씩 29일**이 됩니다.
- 각 달의 날수를 모두 더하면 **1년은 365일**입니다.

주의
1월, 2월과 같이 말하는 것은 각각의 달을 뜻하고, 1개월, 2개월과 같이 말하는 것은 기간을 뜻합니다.

개념 Check

각 달의 날수가 맞는 것에 ○표 하세요.

1월 → 31일

2월 → 30일

3월 → 30일

1 □ 안에 알맞은 수를 써넣으세요.

(1) 7일=□주일

(2) 12개월=□년

2 어느 해의 12월 달력을 보고 □ 안에 알맞은 수나 말을 써넣으세요.

(1) 수요일이 □번 있습니다.

(2) 12월 25일 크리스마스는 □요일입니다.

(3) 크리스마스부터 1주일 전은 □일입니다.

3 각 달의 날수를 빈칸에 알맞게 써넣으세요.

월	1	2	3	4	5	6	7	8	9	10	11	12
날수(일)		28										

4 옳은 것에 ○표, 틀린 것에 ×표 하세요.

2년=24개월

(　　　　)

3주일=24일

(　　　　)

교과서 개념 play 달력과 생활 계획표 알아보기

준비물 붙임딱지

각자 원하는 달을 정해서 달력을 완성해 보세요. 그리고 붙임딱지를 붙여서 달력을 자유롭게 꾸미고 언제 어떤 일이 있었는지 이야기해 보세요.

□ 월

일	월	화	수	목	금	토
			1	2	3	4
5	6	7	8	9	10	11
12	13	14	15	16	17	18
19	20	21	22	23	24	25
26	27					

- □일에서 1주일 후인 □일에 도넛을 먹으러 갑니다.
- □일에서 2주일 후인 □일이 내 생일입니다.

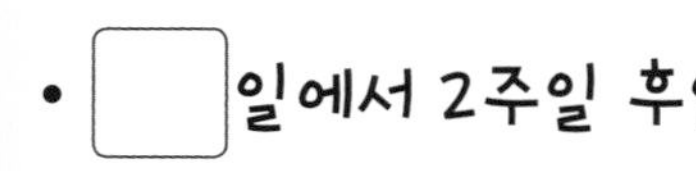

- 내 생일 4일 전인 □일에 피아노 콩쿠르가 있습니다.

- 매주 □요일은 치킨 먹는 날입니다.

- 매주 □요일은 운동을 합니다.

- ______________________________

소현이의 하루 생활 계획표예요. 아침에 한 일부터 순서에 맞게 붙임딱지를 붙이고 오전이나 오후를 □ 안에 알맞게 써넣으세요.

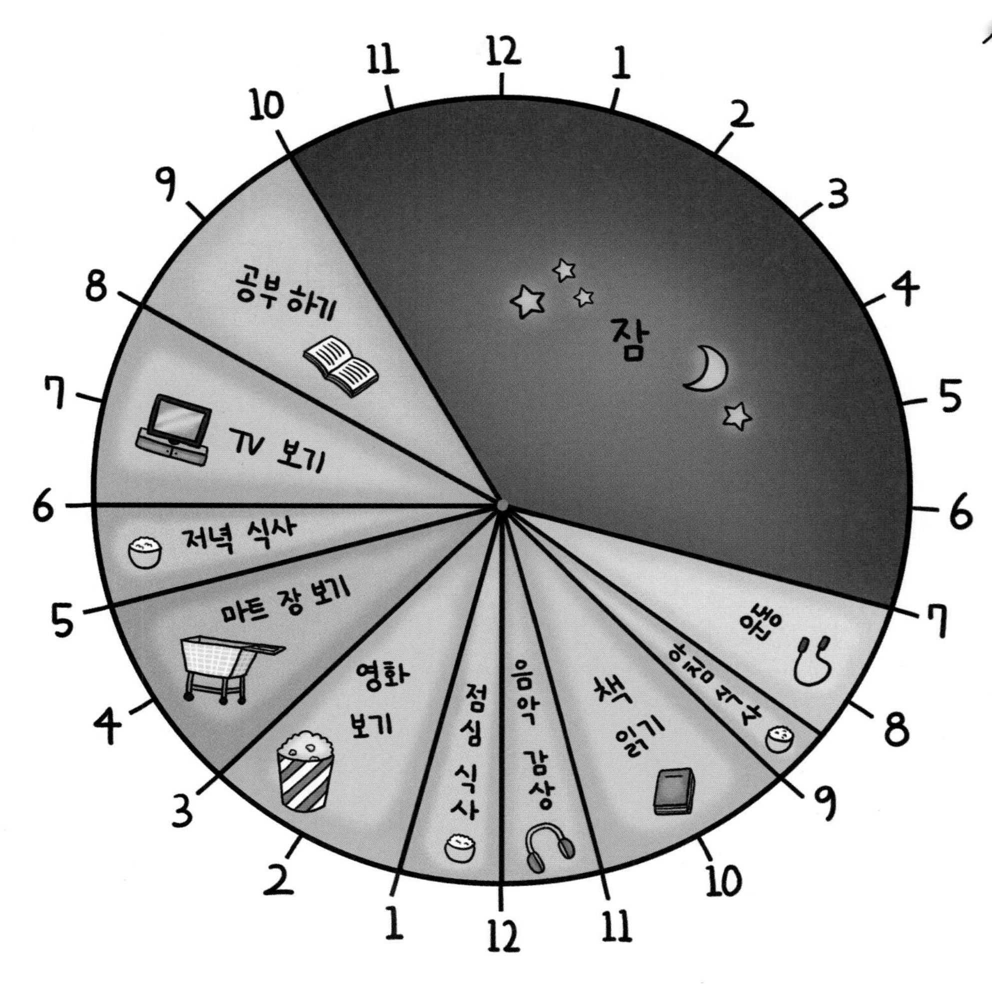

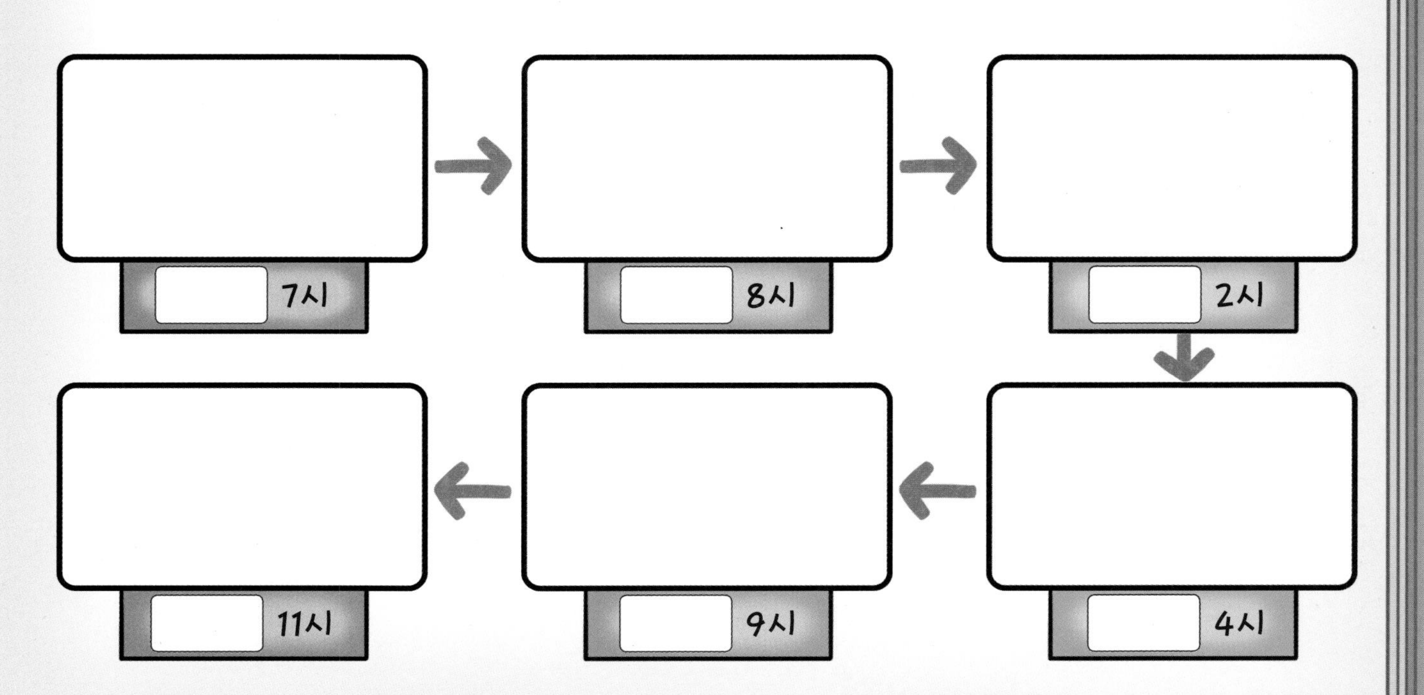

집중! 드릴 문제

[1~12] □ 안에 알맞은 수를 써넣으세요.

1 120분=□시간

2 1시간 30분=□분

3 70분=□시간 □분

4 30시간=□일 □시간

5 1일 5시간=□시간

6 3일=□시간

7 3년=□개월

8 14일=□주일

9 1년 6개월=□개월

10 1주일 4일=□일

11 20개월=□년 □개월

12 2주일 3일=□일

[13~16] 두 시계를 보고 시간이 얼마나 지났는지 시간 띠에 나타내어 구해 보세요.

13

4시 10분 20분 30분 40분 50분 5시

□분

14

6시 10분 20분 30분 40분 50분 7시 10분 20분 30분 40분 50분 8시

□시간 □분

15

3시 10분 20분 30분 40분 50분 4시 10분 20분 30분 40분 50분 5시

□시간 □분

16

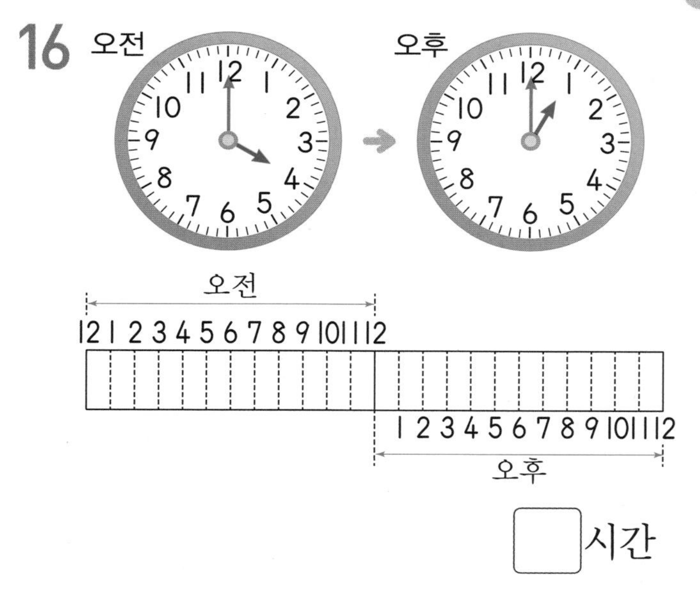

□시간

교과서 개념 확인 문제

1 두 시계를 보고 시간이 얼마나 지났는지 시간 띠에 나타내어 구해 보세요.

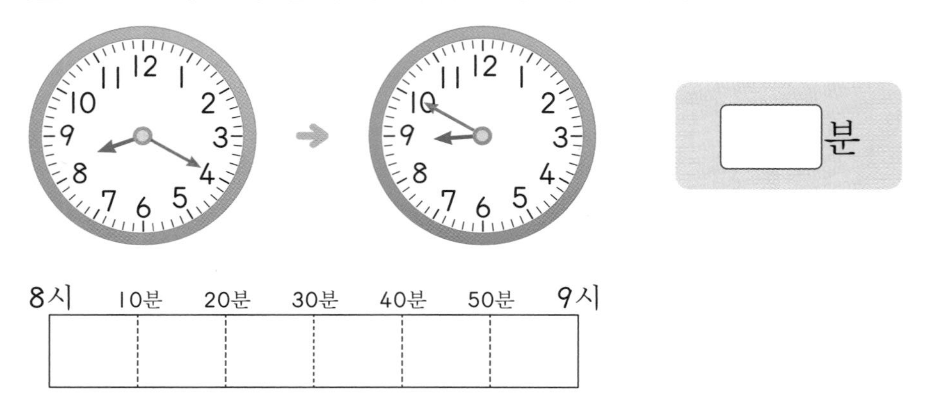

2 각 달은 며칠인지 빈칸에 알맞은 수를 써넣으세요.

월	1	2	3	4	5	6
날수(일)						

3 □ 안에 알맞은 수를 써넣으세요.

(1) 1시간 15분=□분+15분=□분

(2) 150분=□시간 □분

(3) 82분=□시간 □분

4 관계있는 것끼리 선으로 이어 보세요.

오전　　오후

저녁 8시　　낮 1시　　새벽 4시　　아침 10시

[5~8] 어느 해의 9월 달력입니다. 달력을 보고 물음에 답하세요.

9월

일	월	화	수	목	금	토
						5
6	7	8	9		11	12
13	14	15			18	19
		22	23	24	25	

5 위의 달력을 완성해 보세요.

6 이 달의 토요일의 날짜를 모두 써 보세요.

( )

7 11일에서 1주일 후는 며칠이고, 무슨 요일일까요?

( ), ( )

8 24일에서 2주일 전은 무슨 요일일까요?

( )

9 □ 안에 알맞은 수를 써넣으세요.

오전

놀이동산에 들어간 시각

오후

놀이동산에서 나온 시각

➔ 놀이동산에 있었던 시간은 □시간입니다.

10 날수가 같은 달끼리 짝 지은 것에 ○표 하세요.

3월, 9월	7월, 8월	2월, 10월
(　　　)	(　　　)	(　　　)

11 민준이가 민속촌에 있었던 시간은 몇 시간일까요?

오전

민속촌에 들어간 시각

오후

민속촌에서 나온 시각

(　　　　　　)

12 □ 안에 알맞은 수를 써넣으세요.

(1) 2일=□시간

(2) 3주일=□일

(3) 27시간=□일 □시간

(4) 1년 5개월=□개월

(5) 20개월=□년 □개월

13 더 긴 시간의 기호를 써 보세요.

㉠ 1시간 20분 ㉡ 90분

(   )

4 단원

14 준호는 6시에 학원에 가서 1시간 20분 후 집에 돌아왔습니다. 준호가 집에 온 시각은 몇 시 몇 분일까요?

(   )

15 2교시 수업이 끝나고 나서 10분 후 3교시 수업이 시작합니다. 3교시 수업이 시작하는 시각은 몇 시 몇 분일까요?

□시 □분

1 시계의 긴바늘이 가리키는 숫자가 몇 분을 나타내는지 써넣으세요.

숫자	1	2	3	4	5	6	7	8	9	10	11	12
분	5											0

2 □ 안에 알맞은 수를 써넣으세요.

(1) 60분=□시간

(2) 1일=□시간

(3) 1주일=□일

(4) 1년=□개월

3 시각을 써 보세요.

(1)

□시 □분 전

(2)

□시 □분

4 오전을 나타내는 시각을 모두 고르세요. ··················· (   )

① 아침 6시 ② 저녁 7시 ③ 새벽 1시

④ 낮 3시 ⑤ 밤 10시

정답과 풀이 p.29

5 시각에 맞게 긴바늘을 그려 넣으세요.

(1) 9시 5분

(2) 11시 17분

(3) 3시 41분

6 지유가 영화를 보는 데 걸린 시간을 시간 띠에 나타내어 구해 보세요.

시작한 시각

끝난 시각

□분=□시간 □분

7 □ 안에 알맞은 수나 말을 써넣어 5시 35분을 설명해 보세요.

시계의 □바늘이 □와 □ 사이에 있고,

□바늘이 □을 가리키면 5시 35분입니다.

8 축제 시간표를 보고 전통 놀이 체험을 하는 데 몇 시간 몇 분이 걸리는지 구해 보세요.

전통문화 축제 시간표

시간	행사 이름
9:00 ~ 10:00	풍물놀이 공연
10:00 ~ 11:40	전통 음식 만들기 체험
11:40 ~ 2:00	전통 놀이 체험
⋮	⋮

(　　　　　　　　)

[9~10] 어느 해의 10월 달력을 보고 물음에 답하세요.

10월

일	월	화	수	목	금	토
					1	2
3	4	5	6	7	8	9
10	11	12	13	14	15	16
17	18	19	20	21	22	23
24	25	26	27	28	29	30
31						

9 연아는 매주 월요일과 목요일에 태권도 학원에 갑니다. 10월에 태권도 학원에 가는 날은 모두 며칠일까요?

(　　　　　　　　)

10 연아의 생일은 10월 셋째 토요일이고 민수는 연아보다 14일 늦게 태어났습니다. 민수의 생일은 몇 월 며칠일까요?

(　　　　　　　　)

5 표와 그래프

학습 계획표

내용	쪽수	날짜	확인
교과서 개념 잡기	118~121쪽	월 일	
교과서 개념 play / 집중! 드릴 문제	122~125쪽	월 일	
교과서 개념 확인 문제	126~129쪽	월 일	
교과서 개념 잡기	130~133쪽	월 일	
교과서 개념 play / 집중! 드릴 문제	134~137쪽	월 일	
교과서 개념 확인 문제	138~141쪽	월 일	
개념 확인평가	142~144쪽	월 일	

교과서 개념 잡기

개념 1 자료를 보고 표로 나타내어 보기

• 상혁이네 모둠 학생들이 좋아하는 운동을 조사한 자료

상혁이네 모둠 학생들이 좋아하는 운동

축구	야구	달리기	배구	달리기	축구
상혁	민재	초아	연경	영아	은호
달리기	축구	야구	달리기	축구	달리기
인성	영애	원석	태희	정표	남경

〈자료로 나타내면 편리한 점〉

누가 어떤 운동을 좋아하는지 알 수 있습니다.

• 조사한 자료를 보고 표로 나타내기

상혁이네 모둠 학생들이 좋아하는 운동별 학생 수

운동	축구	야구	달리기	배구	합계
학생 수(명)	𝍸	𝍸	𝍸	𝍸	
	4	2	5	1	12

〈표로 나타내면 편리한 점〉

좋아하는 운동별로 학생 수와 전체 학생 수를 쉽게 알 수 있습니다.

개념 Check

위의 상혁이네 모둠 학생들이 좋아하는 운동별 학생 수를 나타낸 표에서 달리기를 좋아하는 학생 수에 ○표 하세요.

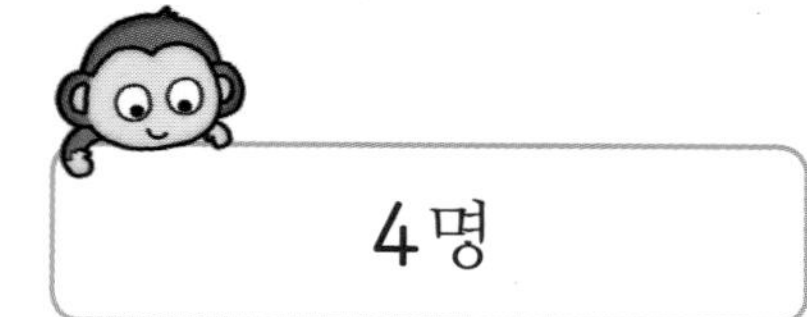

4명

5명

[1~4] 가은이네 모둠 학생들이 배우고 싶은 악기를 조사한 자료입니다. 물음에 답하세요.

가은이네 모둠 학생들이 배우고 싶은 악기

바이올린	거문고	장구	기타	바이올린
가은	영민	재인	세영	안나
기타	바이올린	기타	바이올린	장구
은호	지현	진기	민혁	호동

1 가은이가 배우고 싶은 악기는 무엇일까요?

( )

2 거문고를 배우고 싶은 학생은 누구일까요?

( )

3 조사한 자료를 보고 표로 나타내어 보세요.

가은이네 모둠 학생들이 배우고 싶은 악기별 학생 수

악기	바이올린	거문고	장구	기타	합계
학생 수(명)					

4 가은이네 모둠 학생은 모두 몇 명일까요?

( )

개념 2 자료를 조사하여 표로 나타내어 보기

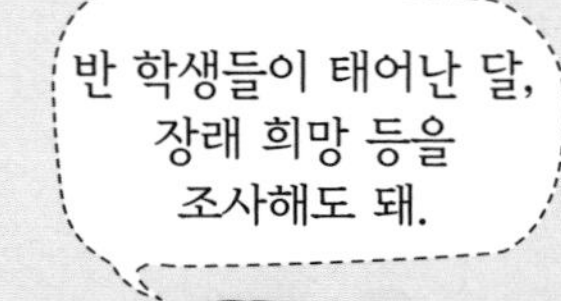

반 학생들이 태어난 달,
장래 희망 등을
조사해도 돼.

❶ 조사하는 것 정하기

반 학생들이 좋아하는 계절을 조사합니다.

❷ 조사하는 방법 생각하기

선생님이 계절을 말하고 학생들이 손을 듭니다.

❸ 자료를 조사하기

영아네 반 학생들이 좋아하는 계절

계절	손을 든 학생
봄	영아, 근우
여름	초아, 인성, 원석, 상혁, 지연, 현철, 안나, 진호
가을	정표, 경은, 호필, 연경, 승희
겨울	윤호, 혜민, 가은, 종민, 다혜, 채연

❹ 조사한 자료를 표로 나타내기

영아네 반 학생들이 좋아하는 계절별 학생 수

계절	봄	여름	가을	겨울	합계
학생 수(명)	𝍸𝍸	𝍸𝍸	𝍸𝍸	𝍸𝍸	
	2	8	5	6	21

개념 Check

위의 영아네 반 학생들이 좋아하는 계절을 조사한 자료에서 연경이가 좋아하는 계절에 ○표 하세요.

가을 겨울

주어진 조각 붙임딱지를 여러 장 사용하여 모양을 만들고 사용한 조각의 수를 표로 나타내어 보세요.

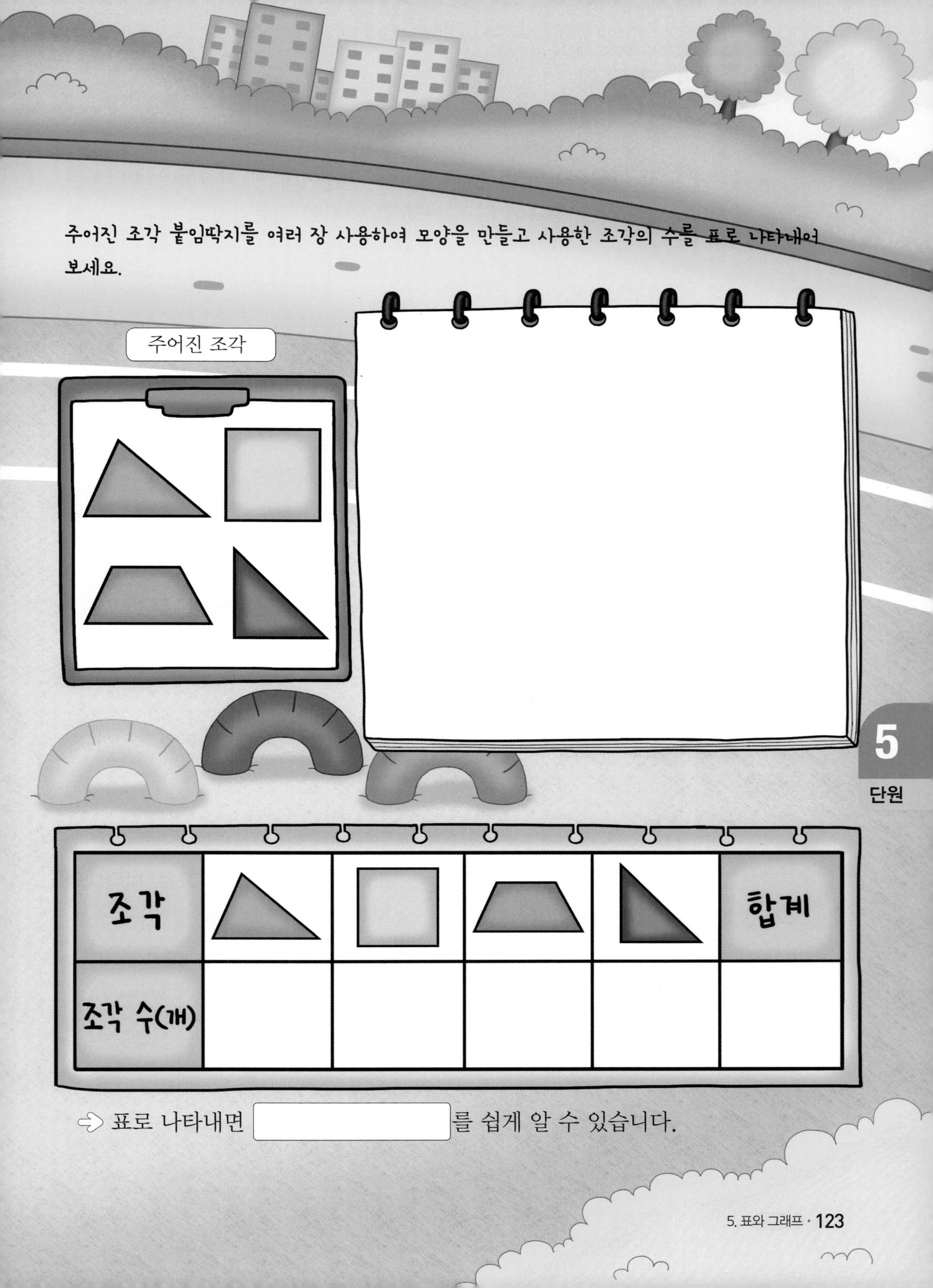

조각	(삼각형)	(사각형)	(사다리꼴)	(직각삼각형)	합계
조각 수(개)					

→ 표로 나타내면 [   ]를 쉽게 알 수 있습니다.

집중! 드릴 문제

[1~3] 유빈이네 모둠 학생들이 좋아하는 동물을 조사한 자료입니다. 물음에 답하세요.

유빈이네 모둠 학생들이 좋아하는 동물

사자	코끼리	기린	코끼리
유빈	현근	초희	영준
코끼리	사자	코끼리	사자
다빈	도연	병훈	예림

1 기린을 좋아하는 학생은 누구일까요?

( )

2 코끼리를 좋아하는 학생은 몇 명일까요?

( )

3 조사한 자료를 보고 표로 나타내어 보세요.

유빈이네 모둠 학생들이 좋아하는 동물별 학생 수

동물	사자	코끼리	기린	합계
학생 수 (명)				

[4~6] 민준이네 반 학생들이 좋아하는 색깔을 조사한 자료입니다. 물음에 답하세요.

민준이네 반 학생들이 좋아하는 색깔

빨강	파랑	노랑	빨강	초록	빨강
민준	종선	진기	은지	민성	지민
파랑	빨강	초록	파랑	빨강	파랑
현서	혁주	현우	의현	수민	승원
빨강	초록	빨강	노랑	파랑	초록
영서	시헌	채윤	지원	미경	태윤

4 시헌이가 좋아하는 색깔은 무엇일까요?

( )

5 민준이네 반 학생은 모두 몇 명일까요?

( )

6 조사한 자료를 보고 표로 나타내어 보세요.

민준이네 반 학생들이 좋아하는 색깔별 학생 수

색깔	빨강	파랑	노랑	초록	합계
학생 수 (명)					

[7~10] 조사한 자료를 보고 표로 나타내어 보세요.

7

재윤이네 모둠 학생들이 좋아하는 채소

채소	이름
당근	재윤, 준기, 정린
오이	건호, 남경
시금치	세빈, 성민, 정원, 가연

재윤이네 모둠 학생들이 좋아하는 채소별 학생 수

채소	당근	오이	시금치	합계
학생 수 (명)	卌	卌	卌	

8

상현이네 모둠 학생들이 겨울방학에 가 보고 싶은 장소

스키장	썰매장	스케이트장
상현 현주 하진 시윤	예진 충민 동민	민희 지호 현태

상현이네 모둠 학생들이 겨울방학에 가 보고 싶은 장소별 학생 수

장소	스키장	썰매장	스케이트장	합계
학생 수 (명)	卌	卌	卌	

9

종혁이네 모둠 학생들이 좋아하는 간식

이름	간식	이름	간식
종혁	떡볶이	정훈	치킨
채빈	피자	수빈	떡볶이
도혁	햄버거	은아	피자
상우	치킨	수진	떡볶이
수연	떡볶이	지선	치킨

종혁이네 모둠 학생들이 좋아하는 간식별 학생 수

간식	떡볶이	피자	햄버거	치킨	합계
학생 수 (명)					

10

세희네 모둠 학생들의 장래 희망

이름	장래 희망	이름	장래 희망
세희	연예인	형서	유튜버
신수	운동선수	희정	연예인
연아	유튜버	규영	유튜버
준현	선생님	정선	연예인
미애	연예인	현진	운동선수
윤석	유튜버	수정	유튜버

세희네 모둠 학생들의 장래 희망별 학생 수

장래 희망	연예인	운동선수	유튜버	선생님	합계
학생 수 (명)					

5 단원

교과서 개념 확인 문제

[1~5] 경수네 반 학생들이 좋아하는 동물을 조사하였습니다. 물음에 답하세요.

경수네 반 학생들이 좋아하는 동물

경수 (햄스터)	민수 (개)	세호	예원 (고양이)	슬기	아빈 (토끼)
현지	동진	가은	채민	기연	준서
지헌	여준	보미	영호	나경	동근

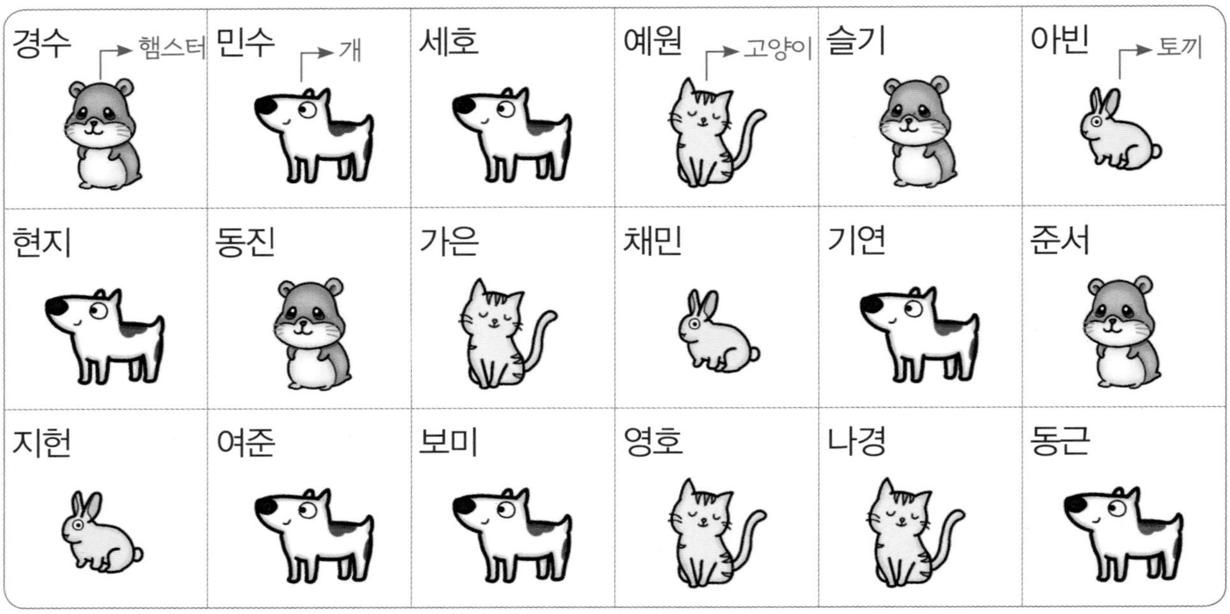

1 슬기가 좋아하는 동물은 무엇일까요?

( )

2 고양이를 좋아하는 학생의 이름을 모두 써 보세요.

( )

3 경수네 반 학생은 모두 몇 명일까요?

( )

정답과 풀이 p.32

4 조사한 자료를 보고 표로 나타내어 보세요.

경수네 반 학생들이 좋아하는 동물별 학생 수

동물	햄스터	개	고양이	토끼	합계
학생 수(명)	||||/ ||||/	||||/ ||||/	||||/ ||||/	||||/ ||||/	

5 알맞은 말에 ○표 하세요.

(1) 누가 어떤 동물을 좋아하는지 알 수 있는 것은 (자료 , 표)입니다.

(2) 동물별 좋아하는 학생 수를 한눈에 알아보기 쉬운 것은 (자료 , 표)입니다.

6 자료를 조사하여 표로 나타내는 순서를 기호로 써 보세요.

5 단원

[7~9] 승기네 모둠 학생들이 겨울 방학에 가 보고 싶은 장소를 종이에 적어 칠판에 붙이는 방법으로 조사하였습니다. 물음에 답하세요.

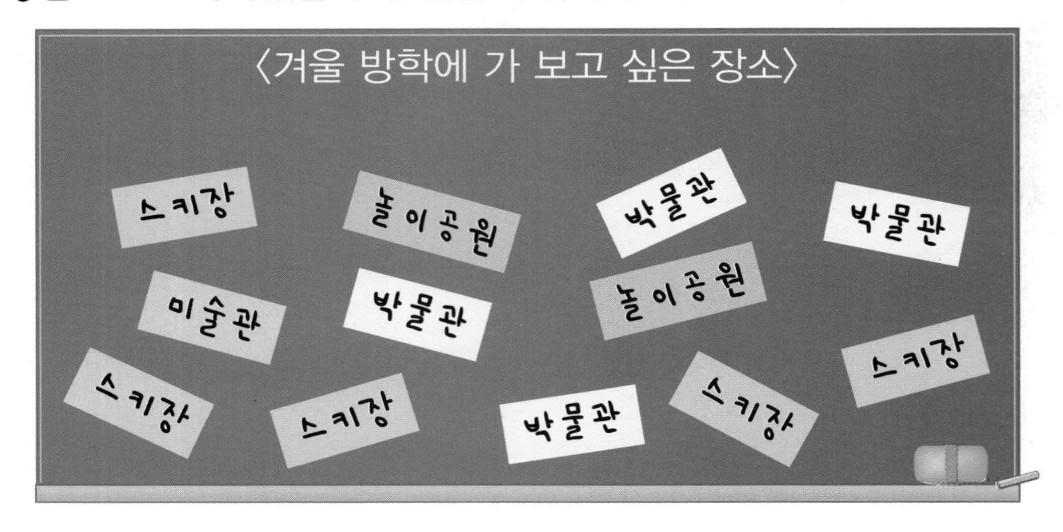

7 조사한 자료를 보고 표로 나타내어 보세요.

승기네 모둠 학생들이 겨울 방학에 가 보고 싶은 장소별 학생 수

장소	스키장	놀이공원	박물관	미술관	합계
학생 수(명)					

8 승기네 모둠 학생은 모두 몇 명일까요?

( )

9 가장 많은 학생이 가 보고 싶은 장소는 어디일까요?

( )

[10~11] **장나라네 모둠 학생들의 이름에 있는 자음자와 모음자의 수를 세어 표로 나타내려고 합니다. 물음에 답하세요.**

내 이름 '장나라'에 있는 모음자와 자음자는 ㅈ, ㅏ, ㅇ, ㄴ, ㅏ, ㄹ, ㅏ야. 그럼 모음자와 자음자는 7개야.

10 장나라네 모둠 학생들의 이름에 있는 모음자와 자음자의 수를 세어 표의 빈칸에 써넣으세요.

장나라네 모둠 학생들의 이름에 있는 모음자와 자음자의 수

이름	장나라	박민아	강호동	곽나경	하이안
모음자와 자음자의 수(개)	7				

11 위 10을 보고 표로 나타내어 보세요.

장나라네 모둠 학생들의 이름에 있는 모음자와 자음자의 수별 학생 수

모음자와 자음자의 수	7개	8개	9개	합계
학생 수(명)				

12 왼쪽 모양을 만드는 데 사용한 조각을 보고 표로 나타내어 보세요.

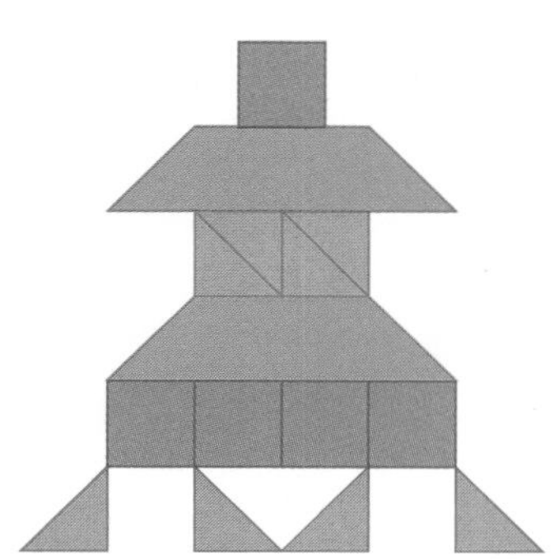

사용한 조각별 수

조각	■	⏢	◺	합계
수(개)				

개념 3 그래프로 나타내어 보기

상혁이네 모둠 학생들이 좋아하는 간식

피자	치킨	햄버거	아이스크림	과자	치킨	피자
상혁	민재	초아	연경	영아	은호	가은
아이스크림	피자	치킨	피자	햄버거	아이스크림	피자
인성	영애	원석	태희	정표	남경	근우

상혁이네 모둠 학생들이 좋아하는 간식별 학생 수

5	○				
4	○				
3	○	○		○	
2	○	○	○	○	
1	○	○	○	○	○
학생 수(명) / 간식	피자	치킨	햄버거	아이스크림	과자

➩ 상혁이네 모둠에서 가장 많은 학생이 좋아하는 간식을 한눈에 알 수 있습니다.

그래프를 그리는 순서

① 가로와 세로에 어떤 내용을 넣을지 정합니다.
② 가로와 세로를 각각 몇 칸으로 할지 정합니다.
③ 항목별 수를 ○, ×, / 중 하나를 선택하여 나타냅니다.
④ 그래프의 제목을 씁니다.

1 예준이네 모둠 학생들이 좋아하는 아이스크림 맛을 조사한 자료입니다. 조사한 자료를 보고 ○를 이용하여 그래프로 나타내어 보세요.

예준이네 모둠 학생들이 좋아하는 아이스크림 맛

녹차 맛	딸기 맛	초콜릿 맛	녹차 맛	딸기 맛	녹차 맛	초콜릿 맛	녹차 맛
예준	주영	초연	태건	아인	찬민	가람	혜영

예준이네 모둠 학생들이 좋아하는 아이스크림 맛별 학생 수

4			
3			
2			
1	○		
학생 수(명) / 아이스크림 맛	녹차 맛	딸기 맛	초콜릿 맛

2 재현이가 한 달 동안 읽은 책을 조사한 자료입니다. 조사한 자료를 보고 ×를 이용하여 그래프로 나타내어 보세요.

재현이가 한 달 동안 읽은 책

위인전	만화책	동화책
만화책	동화책	위인전
동화책	만화책	만화책
만화책	동화책	만화책

재현이가 한 달 동안 읽은 책별 책 수

6			
5			
4			
3			
2			
1	×		
책 수(권) / 책	위인전	만화책	동화책

개념 4 표와 그래프의 내용을 알고 나타내어 보기

• 표의 내용 알아보기

현수네 반 학생들이 존경하는 인물별 학생 수

인물	세종대왕	이순신	신사임당	김구	안중근	윤동주	합계
학생 수(명)	6	4	2	5	3	1	21

① 현수네 반 학생 21명을 조사하였습니다.

② 이순신을 존경하는 학생은 4명입니다.

• 그래프의 내용 알아보기

현수네 반 학생들이 존경하는 인물별 학생 수

6	○					
5	○			○		
4	○	○		○		
3	○	○		○	○	
2	○	○	○	○	○	
1	○	○	○	○	○	○
학생 수(명) / 인물	세종대왕	이순신	신사임당	김구	안중근	윤동주

① 현수네 반에서 가장 많은 학생이 존경하는 인물은 세종대왕입니다.

② 현수네 반에서 가장 적은 학생이 존경하는 인물은 윤동주입니다.

• 표와 그래프로 나타내는 방법

① 어떤 내용을, 누구에게, 어떤 방법으로 조사할지 정합니다.

② 조사한 자료를 표와 그래프로 나타내고, 내용을 정리합니다.

개념 Check

위 표와 그래프 중 가장 많은 학생이 존경하는 인물과 가장 적은 학생이 존경하는 인물을 한눈에 알아보기 편리한 것에 ○표 하세요.

표 / 그래프

정답과 풀이 p.33

[1~2] 종원이의 필통에 있는 학용품 수를 조사하여 나타낸 표입니다. 물음에 답하세요.

종원이의 필통에 있는 학용품 수

학용품	색연필	지우개	연필	풀	자	합계
학용품 수(개)	6	3	4	1	2	16

1 가장 많이 들어 있는 학용품은 무엇일까요?

( )

2 가장 적게 들어 있는 학용품은 무엇일까요?

( )

[3~4] 효진이네 반 학생들이 좋아하는 음식을 조사하여 나타낸 그래프입니다. 물음에 답하세요.

효진이네 반 학생들이 좋아하는 음식별 학생 수

6			○			
5		○	○		○	
4	○	○	○		○	
3	○	○	○	○	○	
2	○	○	○	○	○	
1	○	○	○	○	○	○
학생 수(명) / 음식	자장면	돈가스	라면	볶음밥	치킨	파스타

3 가장 많은 학생이 좋아하는 음식은 무엇일까요?

( )

4 가장 적은 학생이 좋아하는 음식은 무엇일까요?

( )

5 단원

교과서 개념 play 표와 그래프로 나타내기

준비물 붙임딱지

준수네 모둠 학생들이 좋아하는 곤충을 조사하려고 합니다. 자료를 조사하여 곤충 붙임딱지를 알맞게 붙인 뒤 □ 안에 알맞은 수를 써넣고 표와 그래프로 각각 나타내어 보세요.

준수	향기	민수	한결	수근
경희	민아	호동	예진	동혁
나라	종서	현아	수지	예은

□	□	□	□	2

준수네 모둠 학생들이 좋아하는 곤충별 학생 수

곤충	잠자리	나비	무당벌레	사슴벌레	사마귀	합계
학생 수(명)					2	

준수네 모둠 학생들이 좋아하는 곤충별 학생 수

5					
4					
3					
2					○
1					○
학생 수(명) / 곤충	잠자리	나비	무당벌레	사슴벌레	사마귀

준수네 모둠 학생들이 좋아하는 곤충별 학생 수

사마귀	×	×			
사슴벌레					
무당벌레					
나비					
잠자리					
곤충 / 학생 수(명)	1	2	3	4	5

5 단원

집중! 드릴 문제

[1~3] 윤지네 모둠 학생들이 좋아하는 과일을 조사하였습니다. 물음에 답하세요.

윤지네 모둠 학생들이 좋아하는 과일

→사과 →귤 →포도 →감

윤지	찬민	주영	태은	주환
아영	준우	혜빈	한결	소민

1 조사한 자료를 보고 ○를 이용하여 그래프로 나타내어 보세요.

윤지네 모둠 학생들이 좋아하는 과일별 학생 수

4				
3				
2				
1				
학생 수 (명) / 과일	사과	귤	포도	감

2 가장 많은 학생이 좋아하는 과일은 무엇일까요?

( )

3 가장 적은 학생이 좋아하는 과일은 무엇일까요?

( )

[4~6] 태희네 모둠 학생들이 좋아하는 꽃을 조사하였습니다. 물음에 답하세요.

태희네 모둠 학생들이 좋아하는 꽃

장미	백합	무궁화	튤립	장미
튤립	장미	튤립	무궁화	장미
장미	무궁화	백합	장미	튤립

4 조사한 자료를 보고 ×를 이용하여 그래프로 나타내어 보세요.

태희네 모둠 학생들이 좋아하는 꽃별 학생 수

6				
5				
4				
3				
2				
1				
학생 수 (명) / 꽃	장미	백합	튤립	무궁화

5 가장 많은 학생이 좋아하는 꽃은 무엇일까요?

( )

6 가장 적은 학생이 좋아하는 꽃은 무엇일까요?

( )

[7~9] 나연이네 반 학생들이 좋아하는 계절을 조사한 표입니다. 물음에 답하세요.

나연이네 반 학생들이 좋아하는 계절별 학생 수

계절	봄	여름	가을	겨울	합계
학생 수 (명)	5	7	3	6	21

7 표를 보고 ○를 이용하여 그래프로 나타내어 보세요.

나연이네 반 학생들이 좋아하는 계절별 학생 수

7				
6				
5				
4				
3				
2				
1				
학생 수 (명) / 계절	봄	여름	가을	겨울

8 가장 많은 학생이 좋아하는 계절은 무엇일까요?

( )

9 가장 적은 학생이 좋아하는 계절은 무엇일까요?

( )

[10~12] 지후네 반 학생들이 좋아하는 반려동물을 조사한 표입니다. 물음에 답하세요.

지후네 반 학생들이 좋아하는 반려동물별 학생 수

반려동물	강아지	고양이	햄스터	앵무새	합계
학생 수 (명)	6	4	7	5	22

10 표를 보고 /를 이용하여 그래프로 나타내어 보세요.

지후네 반 학생들이 좋아하는 반려동물별 학생 수

7				
6				
5				
4				
3				
2				
1				
학생 수 (명) / 반려동물	강아지	고양이	햄스터	앵무새

11 가장 많은 학생이 좋아하는 반려동물은 무엇일까요?

( )

12 가장 적은 학생이 좋아하는 반려동물은 무엇일까요?

( )

5 단원

교과서 개념 확인 문제

[1~2] 예은이네 모둠 학생들이 좋아하는 과일을 조사하였습니다. 물음에 답하세요.

예은이네 모둠 학생들이 좋아하는 과일

이름	과일	이름	과일	이름	과일
희원	사과	영진	배	수지	청포도
민호	배	소영	청포도	동진	배
동건	귤	현지	배	원후	사과

1 조사한 자료를 보고 표로 나타내어 보세요.

예은이네 모둠 학생들이 좋아하는 과일별 학생 수

과일	사과	배	귤	청포도	합계
학생 수(명)					

2 조사한 자료를 보고 ×를 이용하여 그래프로 나타내어 보세요.

예은이네 모둠 학생들이 좋아하는 과일별 학생 수

청포도					
귤					
배					
사과					
과일 / 학생 수(명)	1	2	3	4	5

[3~5] 나라네 반 학생들이 좋아하는 간식을 조사하여 나타낸 표입니다. 물음에 답하세요.

나라네 반 학생들이 좋아하는 간식별 학생 수

간식	피자	도넛	치킨	떡	합계
학생 수(명)	8	5	4	6	23

3 나라네 반 학생은 모두 몇 명일까요?

( )

4 가장 적은 학생이 좋아하는 간식은 무엇이고, 몇 명이 좋아하는지 써 보세요.

( ), ( )

5 표를 보고 ○를 이용하여 그래프로 나타내어 보세요.

나라네 반 학생들이 좋아하는 간식별 학생 수

8				
7				
6				
5				
4				
3				
2				
1				
학생 수(명) / 간식	피자	도넛	치킨	떡

[6~8] 수지네 반 학생들이 태어난 계절을 조사하였습니다. 물음에 답하세요.

수지네 반 학생들이 태어난 계절별 학생 수

계절	봄	여름	가을	겨울	합계
학생 수(명)	5	6	9	4	24

6

여름에 태어난 학생은 몇 명일까요?

( )

7

가장 많은 학생이 태어난 계절은 무엇이고, 몇 명일까요?

( ), ( )

8

표를 보고 /를 이용하여 그래프로 나타내어 보세요.

수지네 반 학생들이 태어난 계절별 학생 수

9				
8				
7				
6				
5				
4				
3				
2				
1				
학생 수(명) / 계절	봄	여름	가을	겨울

[9~11] 주어진 달력을 보고 빨간색으로 표시된 공휴일의 수를 조사하여 표와 그래프로 나타내려고 합니다. 물음에 답하세요.

2월

일	월	화	수	목	금	토
	1	2	3	4	5	6
7	8	9	10	11	12	13
14	15	16	17	18	19	20
21	22	23	24	25	26	27
28						

3월

일	월	화	수	목	금	토
	1	2	3	4	5	6
7	8	9	10	11	12	13
14	15	16	17	18	19	20
21	22	23	24	25	26	27
28	29	30	31			

4월

일	월	화	수	목	금	토
				1	2	3
4	5	6	7	8	9	10
11	12	13	14	15	16	17
18	19	20	21	22	23	24
25	26	27	28	29	30	

9 달력을 보고 월별 공휴일 수를 조사하여 표로 나타내어 보세요.

월별 공휴일 수

월	2	3	4	합계
공휴일 수(일)				

10 위 9의 표를 보고 ○를 이용하여 그래프로 나타내어 보세요.

월별 공휴일 수

공휴일 수(일) / 월	2		

11 공휴일이 가장 많은 달은 몇 월이고, 그달의 공휴일 수는 며칠일까요?

( ), ( )

5 단원

개념 확인평가

5. 표와 그래프

맞은 개수

[1~4] 동석이네 모둠 학생들이 좋아하는 음료수를 조사한 자료입니다. 물음에 답하세요.

동석이네 모둠 학생들이 좋아하는 음료수

콜라	사이다	주스	우유	주스	우유
동석	진희	정민	유리	상훈	세훈
우유	콜라	사이다	콜라	우유	주스
은주	명선	소영	승원	가은	선주

1 동석이와 가은이가 좋아하는 음료수는 각각 무엇일까요?

동석 ( ), 가은 ( )

2 사이다를 좋아하는 학생의 이름을 모두 써 보세요.

( )

3 조사한 자료를 보고 표로 나타내어 보세요.

동석이네 모둠 학생들이 좋아하는 음료수별 학생 수

음료수	콜라	사이다	주스	우유	합계
학생 수(명)					

4 동석이네 모둠 학생은 모두 몇 명일까요?

( )

[5~7] 슬기네 반 학생들이 가 보고 싶은 나라를 조사한 자료입니다. 물음에 답하세요.

슬기네 반 학생들이 가 보고 싶은 나라

미국	일본	베트남	호주	스위스	프랑스	미국	베트남
베트남	미국	스위스	베트남	프랑스	미국	베트남	스위스
스위스	베트남	호주	프랑스	미국	베트남	스위스	미국

5 조사한 자료를 보고 표로 나타내어 보세요.

슬기네 반 학생들이 가 보고 싶은 나라별 학생 수

나라	미국	일본	베트남	호주	스위스	프랑스	합계
학생 수(명)							

6 조사한 자료를 보고 ○를 이용하여 그래프로 나타내어 보세요.

슬기네 반 학생들이 가 보고 싶은 나라별 학생 수

7						
6						
5						
4						
3						
2						
1						
학생 수(명) / 나라	미국	일본	베트남	호주	스위스	프랑스

7 가장 많은 것과 가장 적은 것을 한눈에 알아보기 편리한 것은 표와 그래프 중 무엇일까요?

( )

8 어느 해 7월부터 12월까지 공휴일은 달력에 빨간색으로 표시된 날입니다. 공휴일의 수를 조사하여 표로 나타낸 뒤 표를 보고 ○를 이용하여 그래프로 나타내어 보세요.

7월

일	월	화	수	목	금	토
			1	2	3	4
5	6	7	8	9	10	11
12	13	14	15	16	17	18
19	20	21	22	23	24	25
26	27	28	29	30	31	

8월

일	월	화	수	목	금	토
						1
2	3	4	5	6	7	8
9	10	11	12	13	14	15
16	17	18	19	20	21	22
23	24	25	26	27	28	29
30	31					

9월

일	월	화	수	목	금	토
		1	2	3	4	5
6	7	8	9	10	11	12
13	14	15	16	17	18	19
20	21	22	23	24	25	26
27	28	29	30			

10월

일	월	화	수	목	금	토
				1	2	3
4	5	6	7	8	9	10
11	12	13	14	15	16	17
18	19	20	21	22	23	24
25	26	27	28	29	30	31

11월

일	월	화	수	목	금	토
1	2	3	4	5	6	7
8	9	10	11	12	13	14
15	16	17	18	19	20	21
22	23	24	25	26	27	28
29	30					

12월

일	월	화	수	목	금	토
		1	2	3	4	5
6	7	8	9	10	11	12
13	14	15	16	17	18	19
20	21	22	23	24	25	26
27	28	29	30	31		

월별 공휴일 수

월	7	8	9	10	11	12	합계
공휴일 수(일)							

월별 공휴일 수

9						
8						
7						
6						
5						
4						
3						
2						
1						
공휴일 수(일) / 월	7	8	9	10	11	12

6 규칙 찾기

학습 계획표

내용	쪽수	날짜	확인
교과서 개념 잡기	146~149쪽	월 일	
교과서 개념 play / 집중! 드릴 문제	150~153쪽	월 일	
교과서 개념 확인 문제	154~157쪽	월 일	
교과서 개념 잡기	158~161쪽	월 일	
교과서 개념 play / 집중! 드릴 문제	162~165쪽	월 일	
교과서 개념 확인 문제	166~169쪽	월 일	
개념 확인평가	170~172쪽	월 일	

교과서 개념 잡기

개념 1 덧셈표에서 규칙 찾기

+	0	1	2	3	4	5	6	7	8	9
0	0	1	2	3	4	5	6	7	8	9
1	1	2	3	4	5	6	7	8	9	10
2	2	3	4	5	6	7	8	9	10	11
3	3	4	5	6	7	8	9	10	11	12
4	4	5	6	7	8	9	10	11	12	13
5	5	6	7	8	9	10	11	12	13	14
6	6	7	8	9	10	11	12	13	14	15
7	7	8	9	10	11	12	13	14	15	16
8	8	9	10	11	12	13	14	15	16	17
9	9	10	11	12	13	14	15	16	17	18

① ▬으로 칠해진 수에는 아래쪽으로 내려갈수록 1씩 커지는 규칙이 있습니다.

② ▬으로 칠해진 수에는 오른쪽으로 갈수록 1씩 커지는 규칙이 있습니다.

③ ↘ 방향으로 갈수록 2씩 커지는 규칙이 있습니다.

④ 어떤 줄이든 홀수, 짝수 (또는 짝수, 홀수)가 반복됩니다.

같은 줄에서 왼쪽으로 갈수록 1씩 작아지는 규칙도 있고,

같은 줄에서 위쪽으로 올라갈수록 1씩 작아지는 규칙도 있어요.

위 덧셈표에서 찾은 규칙을 바르게 말한 것에 ○표 하세요.

같은 줄에서 아래쪽으로 내려갈수록 1씩 커집니다.

같은 줄에서 오른쪽으로 갈수록 1씩 작아집니다.

[1~4] 덧셈표를 보고 물음에 답하세요.

+	0	1	2	3	4	5	6	7
0	0	1	2	3	4	5	6	7
1	1	2	3	4	5	6	7	8
2	2	3	4	5	6	7	8	9
3	3	4	5	6	7	8	9	10
4	4	5	6	7	8	9	10	11
5	5	6	7	8				12
6	6	7	8	9				
7	7	8	9	10				

1 위 빈칸에 알맞은 수를 써넣으세요.

2 ▬으로 칠해진 수의 규칙을 찾아 완성해 보세요.

규칙 오른쪽으로 갈수록 ☐씩 (커지는 , 작아지는) 규칙이 있습니다.

3 ▬으로 칠해진 수의 규칙을 찾아 완성해 보세요.

규칙 아래쪽으로 내려갈수록 ☐씩 (커지는 , 작아지는) 규칙이 있습니다.

4 ▬으로 칠해진 수의 규칙을 찾아 완성해 보세요.

규칙 ↘ 방향으로 갈수록 ☐씩 (커지는 , 작아지는) 규칙이 있습니다.

6 단원

개념 2 곱셈표에서 규칙 찾기

×	1	2	3	4	5	6	7	8	9
1	1	2	3	4	5	6	7	8	9
2	2	4	6	8	10	12	14	16	18
3	3	6	9	12	15	18	21	24	27
4	4	8	12	16	20	24	28	32	36
5	5	10	15	20	25	30	35	40	45
6	6	12	18	24	30	36	42	48	54
7	7	14	21	28	35	42	49	56	63
8	8	16	24	32	40	48	56	64	72
9	9	18	27	36	45	54	63	72	81

① ▬으로 칠해진 수에는 2씩 커지는 규칙이 있습니다.

② ▬으로 칠해진 수에는 9씩 커지는 규칙이 있습니다.

③ 2단, 4단, 6단, 8단 곱셈구구에 있는 수는 모두 짝수입니다.

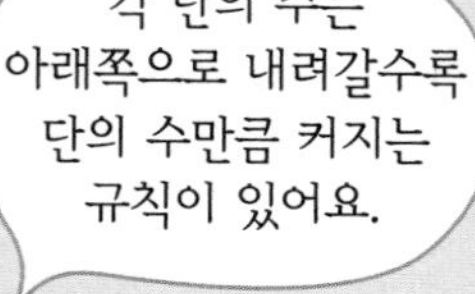

각 단의 수는 아래쪽으로 내려갈수록 단의 수만큼 커지는 규칙이 있어요.

각 단의 수는 오른쪽으로 갈수록 단의 수만큼 커지는 규칙이 있어요.

개념 Check

위 곱셈표에서 ▬으로 칠해진 수에서 찾은 규칙으로 바른 것에 ○표 하세요.

위쪽으로 올라갈수록 8씩 커집니다.

아래쪽으로 내려갈수록 8씩 커집니다.

[1~3] **곱셈표를 보고 물음에 답하세요.**

×	1	2	3	4	5
1	1	2	3	4	5
2	2	4	6	8	10
3	3	6	9	12	15
4	4	8		16	
5	5	10	15	20	

1 위 빈칸에 알맞은 수를 써넣으세요.

2 ▬으로 칠해진 곳과 규칙이 같은 곳을 찾아 색칠해 보세요.

3 ▬으로 칠해진 수의 규칙을 찾아 완성해 보세요.

규칙 아래쪽으로 내려갈수록 ☐씩 커지는 규칙이 있습니다.

4 규칙을 찾아 왼쪽 빈칸에 알맞은 수를 써넣고, 규칙을 완성해 보세요.

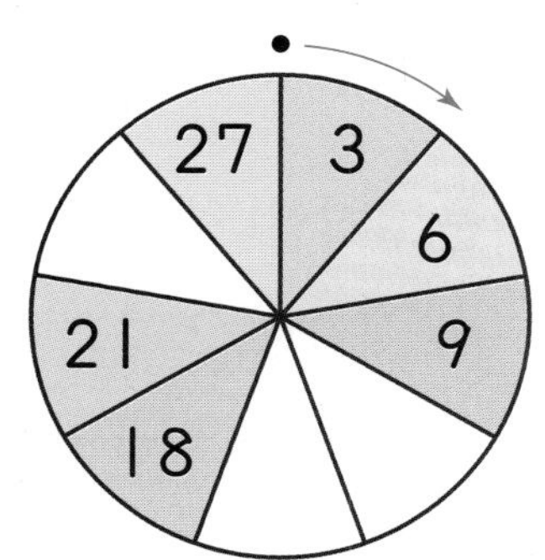

규칙 ☐씩 커지는 규칙이 있습니다.

6 단원

교과서 개념  덧셈표와 곱셈표에서 규칙 찾기

준비물 색 필름

민서는 덧셈표를 만들었어요. 덧셈표에서 규칙을 찾아보세요.

+	0	1	2	3	4	5	6	7	8	9
0	0	1	2	3	4	5	6	7	8	9
1	1	2	3	4	5	6	7	8	9	10
2	2	3	4	5	6	7	8	9	10	11
3	3	4	5	6	7	8	9	10	11	12
4	4	5	6	7	8	9	10	11	12	13
5	5	6	7	8	9	10	11	12	13	14
6	6	7	8	9	10	11	12	13	14	15
7	7	8	9	10	11	12	13	14	15	16
8	8	9	10	11	12	13	14	15	16	17
9	9	10	11	12	13	14	15	16	17	18

- ▬ 으로 칠해진 수는 아래쪽으로 내려갈수록 ☐ 씩 커지는 규칙입니다.
- ▬ 으로 칠해진 수는 오른쪽으로 갈수록 ☐ 씩 커지는 규칙입니다.
- ▬ 으로 칠해진 수는 ↘ 방향으로 갈수록 ☐ 씩 커지는 규칙입니다.
- ▬ 으로 칠해진 수는 ________________

서준이는 곱셈표를 만들었어요. 곱셈표에서 규칙을 찾아보세요.

×	1	2	3	4	5	6	7	8	9
1	1	2	3	4	5	6	7	8	9
2	2	4	6	8	10	12	14	16	18
3	3	6	9	12	15	18	21	24	27
4	4	8	12	16	20	24	28	32	36
5	5	10	15	20	25	30	35	40	45
6	6	12	18	24	30	36	42	48	54
7	7	14	21	28	35	42	49	56	63
8	8	16	24	32	40	48	56	64	72
9	9	18	27	36	45	54	63	72	81

- ▭ 으로 칠해진 수는 오른쪽으로 갈수록 ☐ 씩 커지는 규칙입니다.
- ▭ 으로 칠해진 수는 아래쪽으로 내려갈수록 ☐ 씩 커지는 규칙입니다.
- ▭ 을 따라 접으면 만나는 수는 서로 ☐.
- ▭ 으로 칠해진 수 위에 있는 수들은 ☐ 씩 커지는 규칙입니다.

6 단원

집중! 드릴 문제

[1~4] 덧셈표를 보고 물음에 답하세요.

+	5	6	7	8	9
5	10	11	12	13	14
6	11	12	13	14	15
7	12	13	14	15	16
8				16	17
9					18

1 위 빈칸에 알맞은 수를 써넣으세요.

2 ▬ 으로 칠해진 수의 규칙을 찾아 써 보세요.

규칙 ____________________

____

3 ▬ 으로 칠해진 수의 규칙을 찾아 써 보세요.

규칙 ____________________

____

4 덧셈표를 초록색 점선을 따라 접었을 때 만나는 수는 서로 어떤 관계일까요?

(   )

[5~8] 덧셈표를 보고 물음에 답하세요.

+	1	3	5	7	9
2	3	5	7	9	11
4	5	7	9	11	13
6			11	13	15
8				15	17
10					19

5 위 빈칸에 알맞은 수를 써넣으세요.

6 알맞은 말에 ○표 하세요.

덧셈표에 있는 수들은 모두 (홀수 , 짝수)입니다.

7 ▬ 으로 칠해진 수의 규칙을 찾아 써 보세요.

규칙 ____________________

____

8 ▬ 으로 칠해진 수의 규칙을 찾아 완성해 보세요.

규칙 (↘ , ↖) 방향으로 갈수록 □씩 커지는 규칙이 있습니다.

[9~12] 곱셈표를 보고 물음에 답하세요.

×	5	6	7	8	9
5	25	30	35		45
6	30	36	42		
7	35	42	49		
8	40	48	56	64	
9	45	54	63	72	81

9 위 빈칸에 알맞은 수를 써넣으세요.

10 ▬으로 칠해진 수의 규칙을 찾아 써 보세요.

규칙 ______________________

11 ▬으로 칠해진 수의 규칙을 찾아 써 보세요.

규칙 ______________________

12 □ 안에 알맞은 수를 써넣으세요.

▬으로 칠해진 수는 일의 자리 숫자가 □와 □이 반복됩니다.

[13~16] 곱셈표를 보고 물음에 답하세요.

×	1	3	5	7	9
1	1	3			
3	3	9			
5	5	15	25		
7	7	21	35	49	
9	9	27	45	63	81

13 위 빈칸에 알맞은 수를 써넣으세요.

14 알맞은 말에 ○표 하세요.

곱셈표에 있는 수들은 모두 (홀수 , 짝수)입니다.

15 ▬으로 칠해진 수의 규칙을 찾아 써 보세요.

규칙 ______________________

16 곱셈표를 초록색 점선을 따라 접었을 때 만나는 수는 서로 어떤 관계일까요?

(　　　　　　　　　　)

6 단원

교과서 개념 확인 문제

[1~4] 덧셈표를 보고 물음에 답하세요.

+	2	4	6	8	10
2	4	6	8	10	12
4	6	8	10	12	14
6	8	10	12	14	16
8	10	12			18
10	12	14			20

1 위 빈칸에 알맞은 수를 써넣으세요.

2 ▬으로 칠해진 수는 오른쪽으로 갈수록 몇씩 커지는 규칙이 있을까요?

( )

3 ▬으로 칠해진 수는 ↘ 방향으로 갈수록 몇씩 커지는 규칙이 있을까요?

( )

4 위 덧셈표에서 찾은 규칙으로 옳은 것에 ○표, 틀린 것에 ×표 하세요.

(1) 모두 짝수입니다. ( )

(2) 같은 줄에서 아래쪽으로 내려갈수록 1씩 커집니다. ( )

(3) ↙ 방향으로 같은 수들이 있습니다. ( )

[5~7] 곱셈표를 보고 물음에 답하세요.

×	2	3	4	5	6
2	4	6	8	10	12
3	6	9	12		18
4	8		16		
5	10	15		25	30
6	12		24		36

5 위 빈칸에 알맞은 수를 써넣으세요.

6 알맞은 말에 ○표 하세요.

곱셈표를 초록색 점선을 따라 접었을 때 만나는 수는 서로 (같습니다 , 다릅니다).

7 ▬으로 칠해진 수는 몇씩 커지는 규칙이 있을까요?

( )

8 규칙을 찾아 빈칸에 알맞은 수를 써넣으세요.

(1)

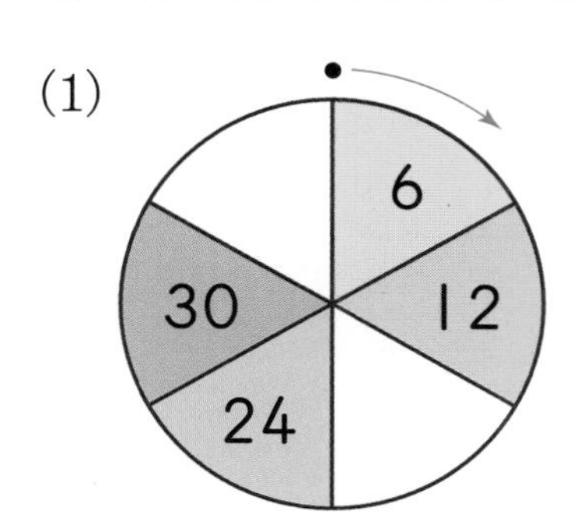

(2)

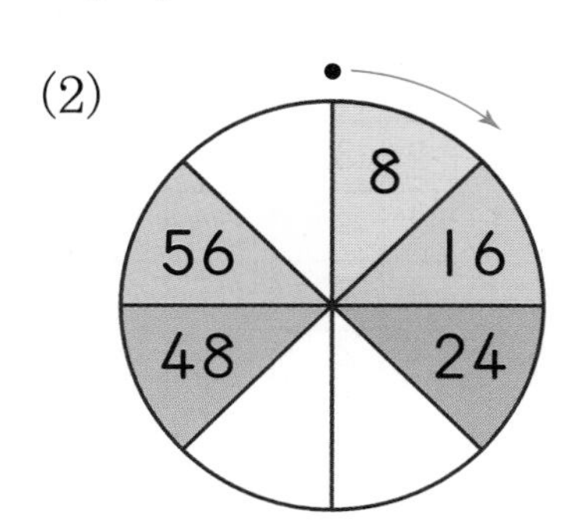

교과서 개념 확인 문제

[9~10] 덧셈표의 빈칸에 알맞은 수를 써넣고, 찾을 수 있는 규칙에 ○표 하세요.

9

+	1	3	5	7	9
1	2	4		8	10
3	4		8	10	12
5	6	8	10	12	14
7	8	10			16
9	10	12	14		

↓ 방향에 있는 수들은 반드시 → 방향에도 똑같이 있습니다. (　　　　)

어떤 줄이든 홀수, 짝수가 반복됩니다. (　　　　)

10

+	0	2	4	6	8
3	3	5	7	9	11
5	5		9		13
7	7	9	11	13	
9	9		13		
11	11		15	17	

↘ 방향으로 2씩 커지는 규칙이 있습니다. (　　　　)

3에서 19까지 곧은 선을 그은 후 접으면 만나는 수는 서로 같습니다. (　　　　)

11 덧셈표에서 규칙을 찾아 빈칸에 알맞은 수를 써넣으세요.

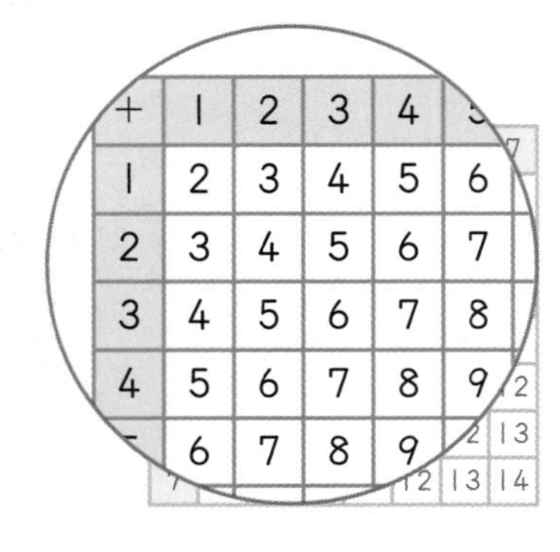

15	16	
	17	

[12~13] 곱셈표를 완성하고 규칙을 찾아보세요.

×	3	4	5	6	7
3	9	12	15	18	21
4	12			24	28
5	15	20	25		35
6	18		30	36	42
7	21	28		42	49

12 위 빈칸에 알맞은 수를 써넣으세요.

13 곱셈표에서 규칙을 찾아 써 보세요.

규칙 ______________________________

____

14 곱셈표에서 규칙을 찾아 빈칸에 알맞은 수를 써넣으세요.

×	1	2	3	4	5
1	1	2	3	4	5
2	2	4	6	8	10
3	3	6	9	12	15
4	4	8	12	16	20
5	5	10	15	20	

12	15		
	20	24	28
	25		

6 단원

교과서 개념 잡기

개념 3 무늬에서 규칙 찾기 (1)

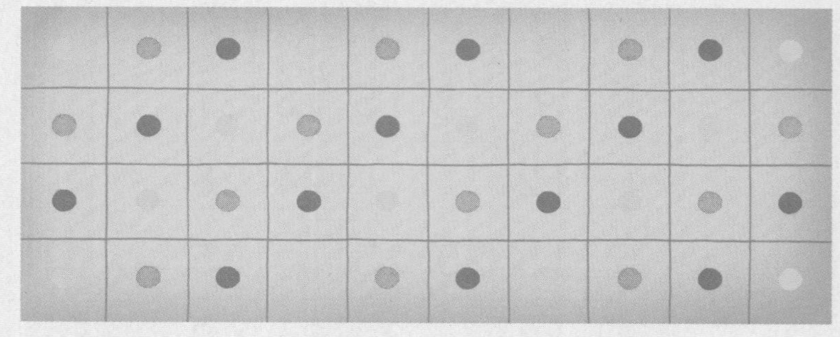

① 노란색, 주황색, 초록색이 반복되는 규칙입니다.

② ↙ 방향으로 똑같은 색이 반복되고 있습니다.

개념 4 무늬에서 규칙 찾기 (2)

1	2	3	2	1	2	3
2	1	2	3	2	1	2
3	2	1	2	3	2	1
2	3	2	1	2	3	2

① 왼쪽 무늬에 있는 ❀은 1, ☆은 2, ☽은 3으로 바꾸어 오른쪽에 나타내었습니다.

② ❀, ☆, ☽, ☆이 반복됩니다. → 오른쪽 표에서 1, 2, 3, 2가 반복됩니다.

③ ↙ 방향으로 보면 ☆이 같은 줄에 있는 규칙이 있습니다.

개념 Play

준비물 붙임딱지

규칙을 찾아 붙임딱지를 붙여서 무늬를 완성해 보세요.

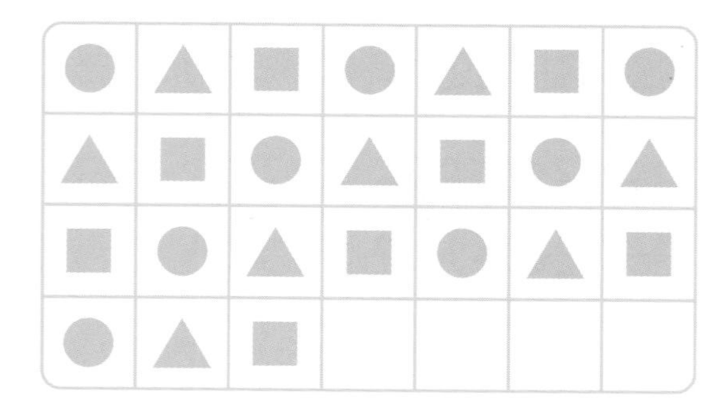

정답과 풀이 p.40

1

규칙을 찾아 빈칸에 알맞은 모양을 그리고 색칠해 보세요.

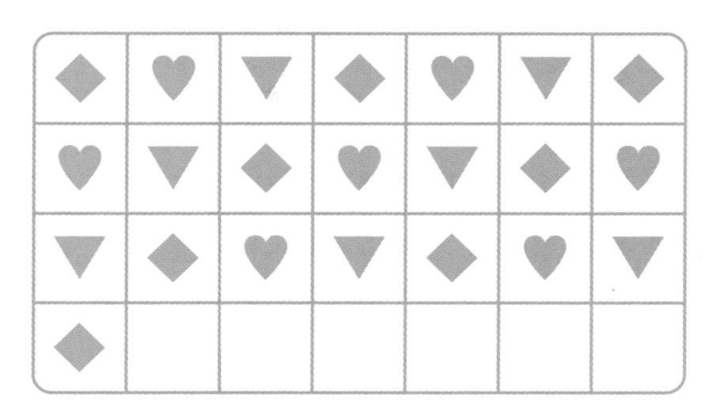

규칙 ◆, ☐, ☐가 반복되는 규칙입니다.

2

그림에서 규칙을 찾아 ○ 안에 알맞게 색칠하고, ●는 1, ●는 2, ●는 3으로 바꾸어 오른쪽에 나타내어 보세요.

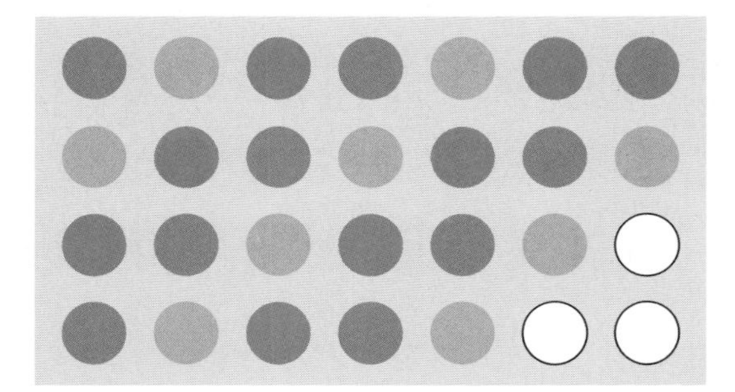

1	2	3	1	2	3	1
2						

6 단원

3

규칙을 찾아 ☐ 안에 알맞은 모양을 그려 넣고 색칠해 보세요.

(1) 

(2) ★ ▲ ● ★ ▲ ● ★ ▲ ● ★ ☐ ☐ ☐

개념 5 쌓은 모양에서 규칙 찾기

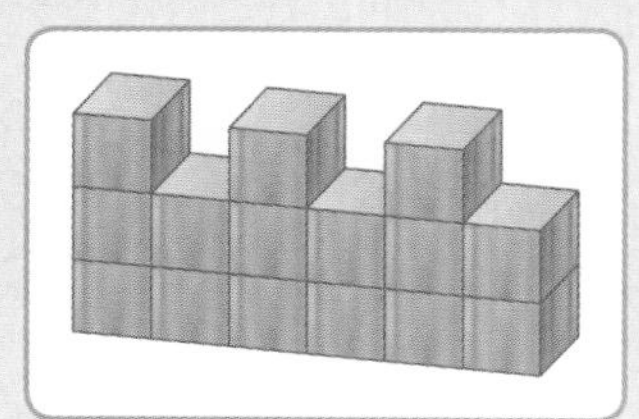

① 쌓기나무가 3개, 2개가 반복되는 규칙입니다.

② 1층과 2층은 쌓기나무를 맞닿게 쌓은 규칙이고 3층은 한 칸씩 건너 뛰고 쌓기나무를 쌓은 규칙입니다.

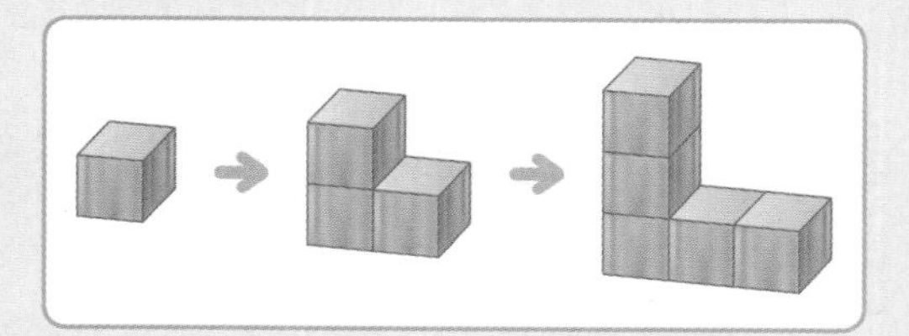

① 쌓기나무가 오른쪽에 1개, 위쪽에 1개씩 늘어나는 규칙입니다.

② 다음에 쌓을 모양은  입니다.

개념 6 생활에서 규칙 찾기

한 의자에 한 글자 숫자가 함께 쓰여 있습니다.

① 앞줄에서부터 가, 나, 다, 라……와 같이 한글이 순서대로 적혀 있는 규칙이 있습니다.

② 각 열에서도 왼쪽부터 1, 2, 3, 4……와 같이 수가 순서대로 적혀 있는 규칙이 있습니다.

개념 Check

쌓기나무가 2개, 1개가 반복되는 규칙으로 쌓은 것에 ○표 하세요.

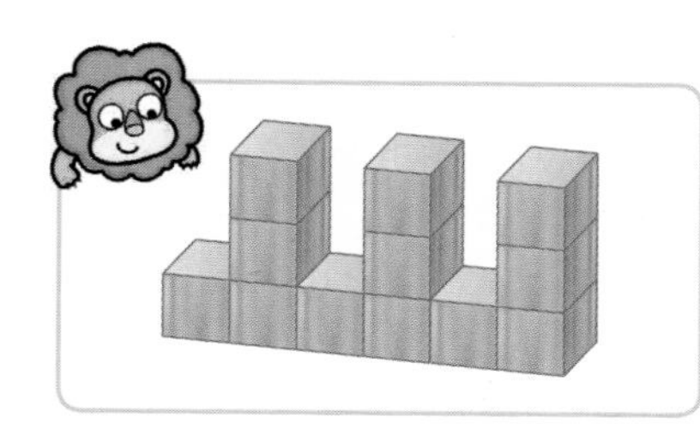

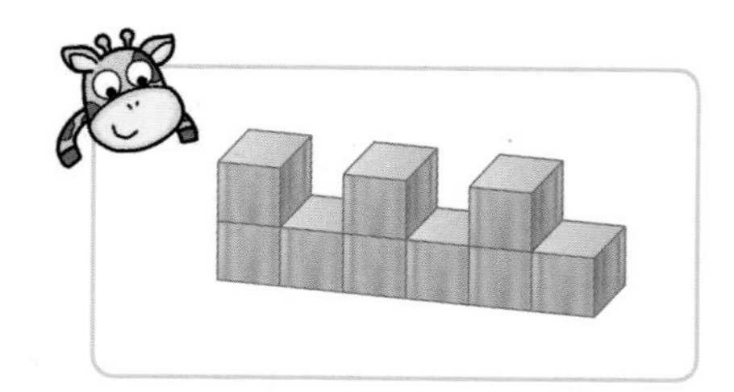

1 다음과 같은 모양으로 쌓기나무를 쌓았습니다. 쌓은 규칙을 써 보세요.

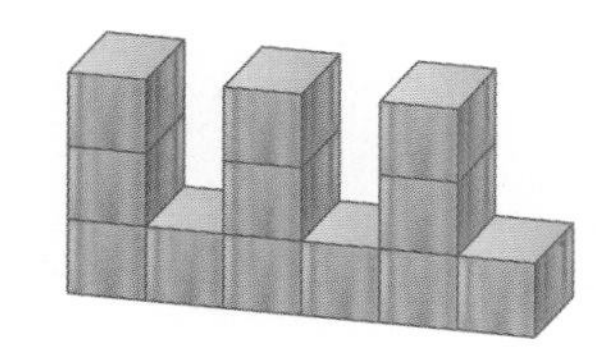

규칙 쌓기나무를 ☐층, ☐층이 반복되게 쌓았습니다.

2 규칙에 따라 쌓기나무를 쌓았습니다. 물음에 답하세요.

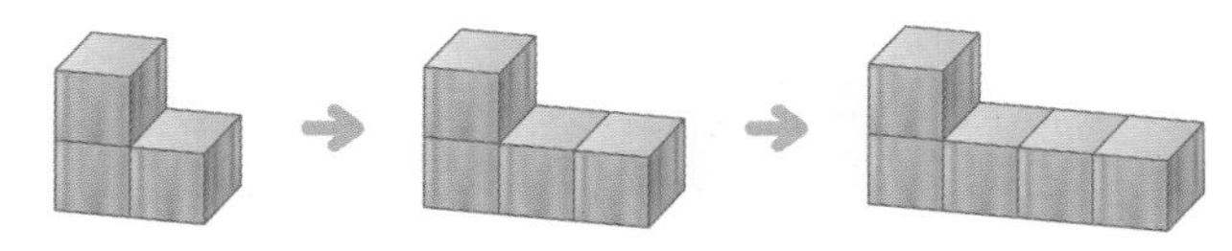

(1) 쌓기나무가 늘어나는 규칙을 찾아 써 보세요.

규칙 쌓기나무가 오른쪽에 ☐개씩 늘어나는 규칙입니다.

(2) 다음에 이어질 모양에 쌓을 쌓기나무는 모두 몇 개일까요?

( )

3 달력을 보고 물음에 답하세요.

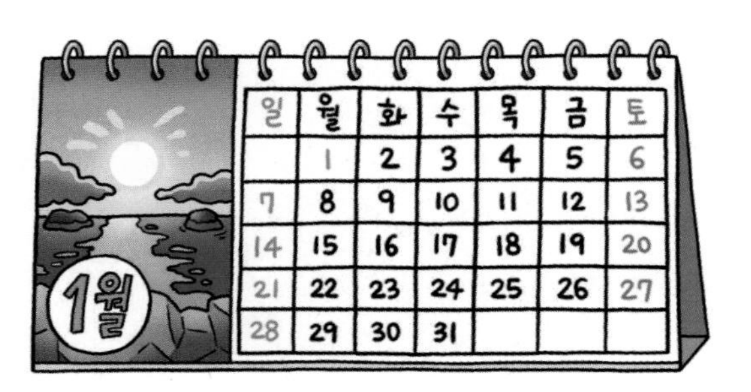

(1) 화요일은 며칠마다 반복될까요?

( )

(2) 달력에서 찾을 수 있는 규칙을 2가지 완성해 보세요.

규칙 1 일요일의 날짜는 ☐단 곱셈구구와 같습니다.

규칙 2 가로로 ☐씩 커지는 규칙이 있습니다.

6 단원

교과서 개념 play 규칙에 따라 만들기

준비물 붙임딱지

수호네 동네 일일 장터에서 물건과 음식을 만들어 팔고 있어요. 목걸이, 머리핀, 꼬치를 만들어진 규칙에 따라 붙임딱지를 붙여 완성하고, 또 자신만의 규칙을 정해서도 만들어 보세요.

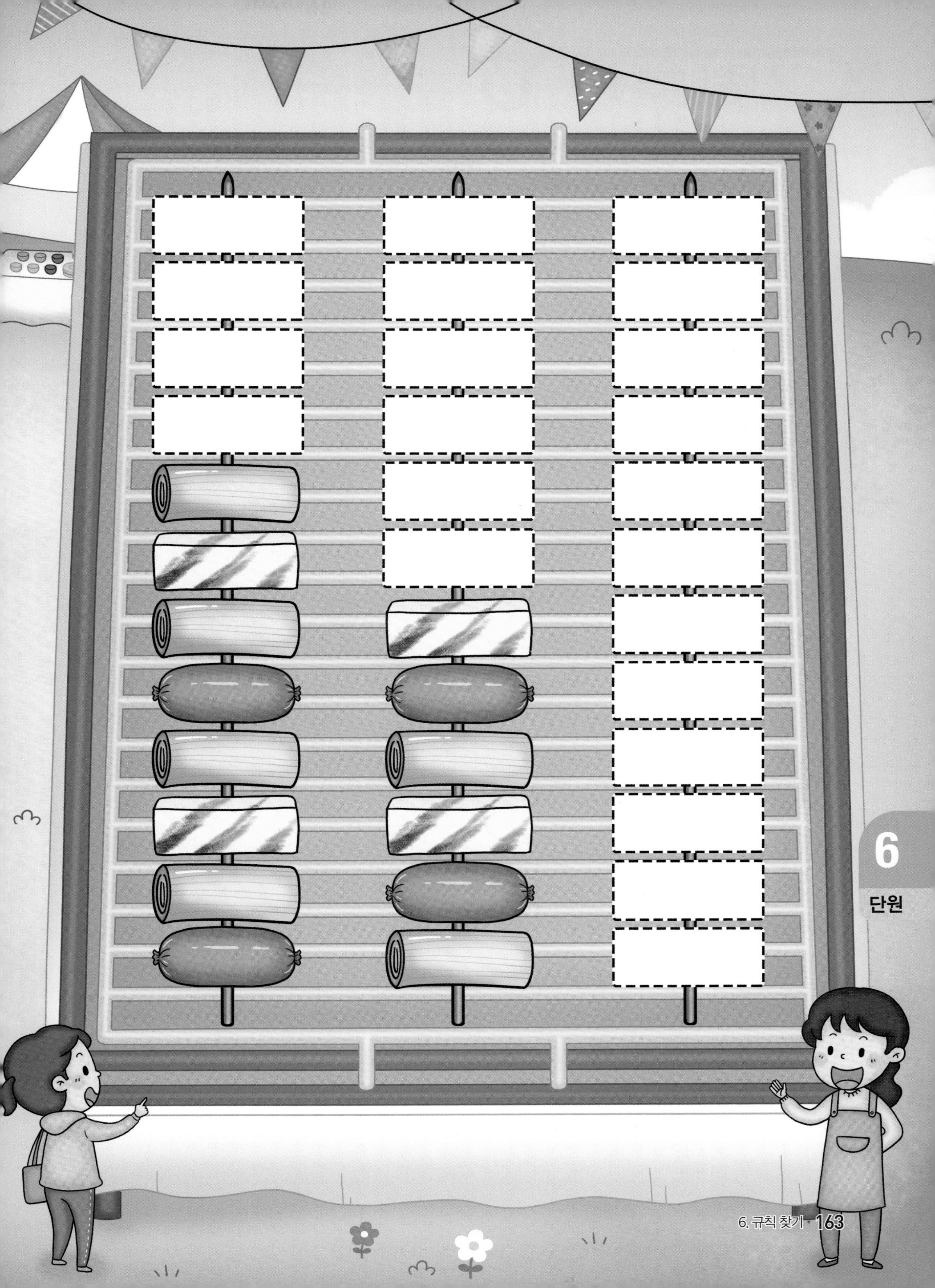
6
단원

집중! 드릴 문제

[1~4] 규칙을 찾아 무늬를 완성해 보세요.

1

2

3

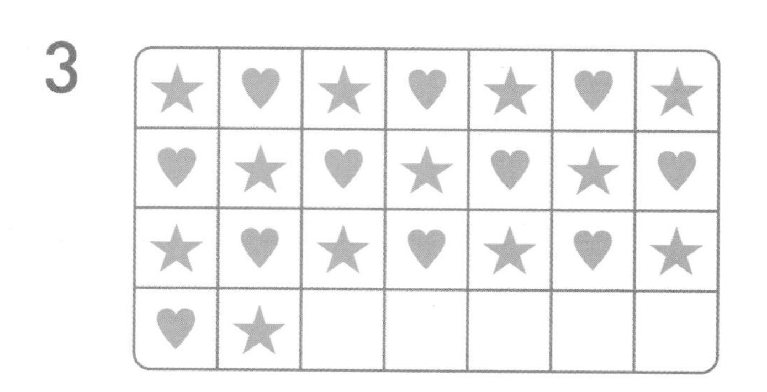

4

[5~6] 규칙을 찾아 알맞게 색칠해 보세요.

5

6

7 규칙을 찾아 써 보세요.

규칙

[8~10] 다음과 같은 모양으로 쌓기나무를 쌓았습니다. 쌓은 규칙을 찾아 완성해 보세요.

8 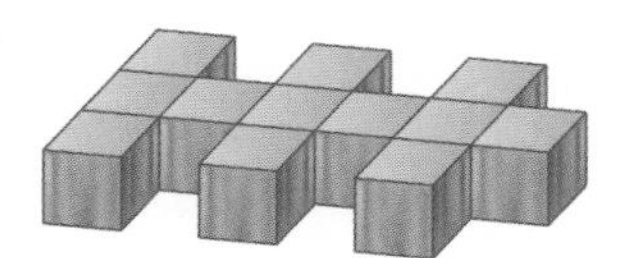

규칙 쌓기나무가 ☐개, ☐개가 반복되는 규칙이 있습니다.

9 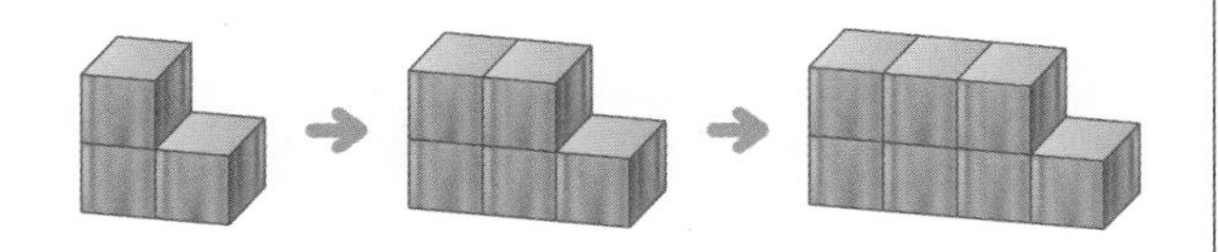

규칙 1층과 2층의 쌓기나무가 각각 ☐개씩 늘어나는 규칙입니다.

10 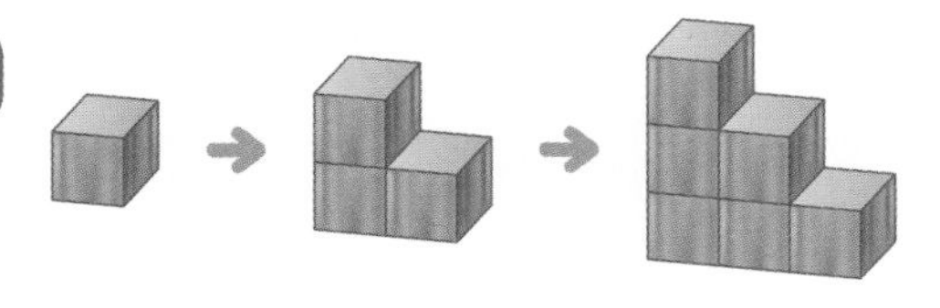

규칙 ☐층씩 높아지고 쌓기나무는 2개, ☐개, ☐개……가 늘어나는 규칙입니다.

[11~14] 달력을 보고 물음에 답하세요.

11 금요일에 있는 수의 규칙을 찾아 완성해 보세요.

규칙 ☐씩 커지는 규칙이 있습니다.

12 세로로 몇씩 커지는 규칙이 있을까요?

( )

13 오른쪽 위에서 왼쪽 아래로(↙) 보면 수는 몇씩 커질까요?

( )

14 날짜가 7단 곱셈구구와 같은 요일은 무슨 요일일까요?

( )

교과서 개념 확인 문제

1 규칙을 찾아 무늬를 완성해 보세요.

(1) 빨간색, 파란색, ☐이 반복되는 규칙입니다.

(2) 규칙을 찾아 빈칸에 알맞은 색을 칠해 보세요.

2 규칙을 찾아 ☐ 안에 알맞은 모양을 그리고 색칠해 보세요.

3 규칙을 찾아 ◯ 안에 알맞은 모양을 그려 넣고 규칙을 완성해 보세요.

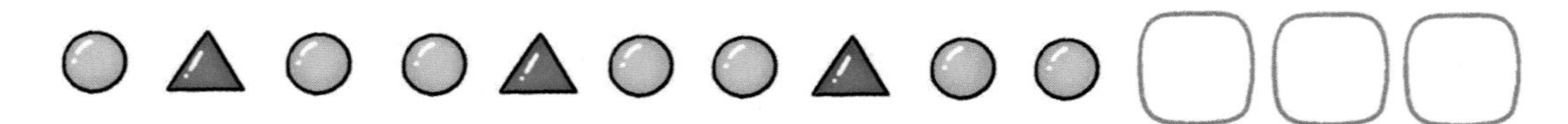

규칙 ☐, ☐, ☐가 반복되는 규칙이 있습니다.

4 다음과 같은 모양으로 쌓기나무를 쌓았습니다. 쌓은 규칙을 써 보세요.

규칙

[5~6] 과일을 보고 물음에 답하세요.

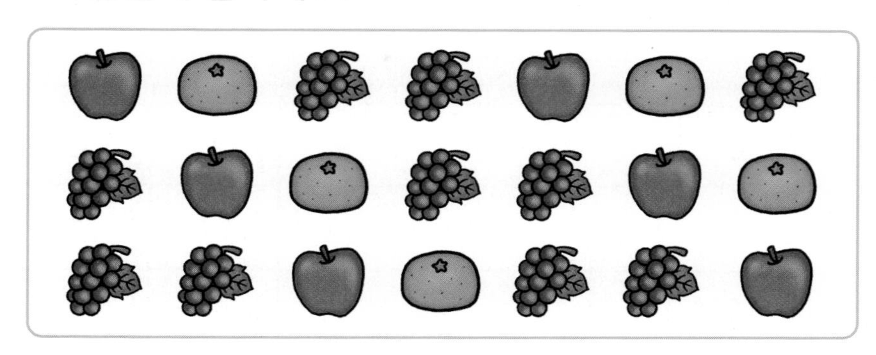

5 사과는 1, 귤은 2, 포도는 3으로 바꾸어 나타내어 보세요.

1	2	3	3	1	2	3
3	1	2	3			

6 찾을 수 있는 규칙을 써 보세요.

규칙 ______________________

7 계산기에 있는 수의 규칙을 찾아 □ 안에 알맞은 수를 써넣으세요.

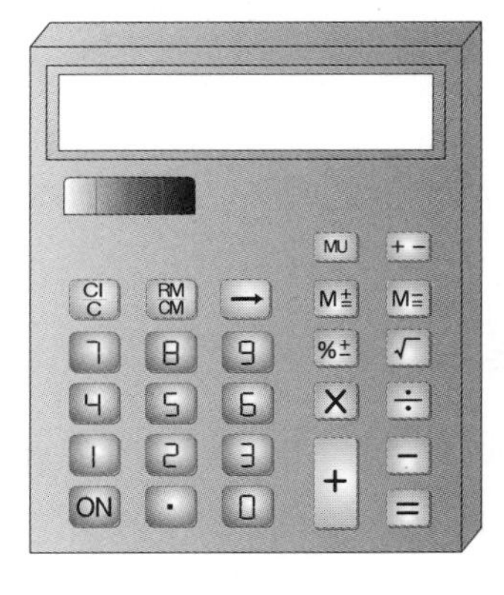

➔ 아래로 갈수록 □씩 작아지는 규칙이 있습니다.

6 단원

8 학교 사물함을 보고 사물함 번호에서 찾을 수 있는 규칙을 찾아보세요.

1	2	3	4	5	6	7	8
9	10	11	12	13	14	15	16
17	18						

(1) 위 빈칸에 알맞은 번호를 써넣으세요.

(2) 사물함의 번호는 같은 줄에서 오른쪽으로 갈수록 ☐씩 커지고, 아래로 내려갈수록 ☐씩 커지는 규칙이 있습니다.

9 규칙에 따라 쌓기나무를 쌓아 갈 때 ☐ 안에 놓을 쌓기나무는 몇 개일까요?

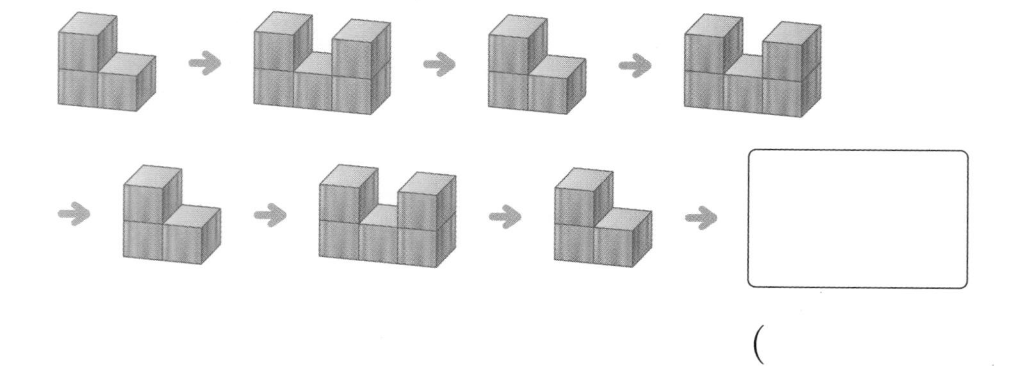

(　　　　　　　)

10 규칙을 찾아 시곗바늘을 알맞게 그려 보세요.

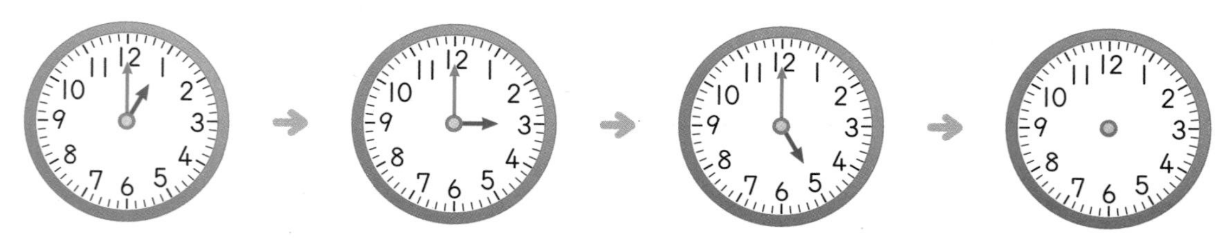

11 규칙을 찾아 삼각형 안에 ●을 알맞게 그려 보세요.

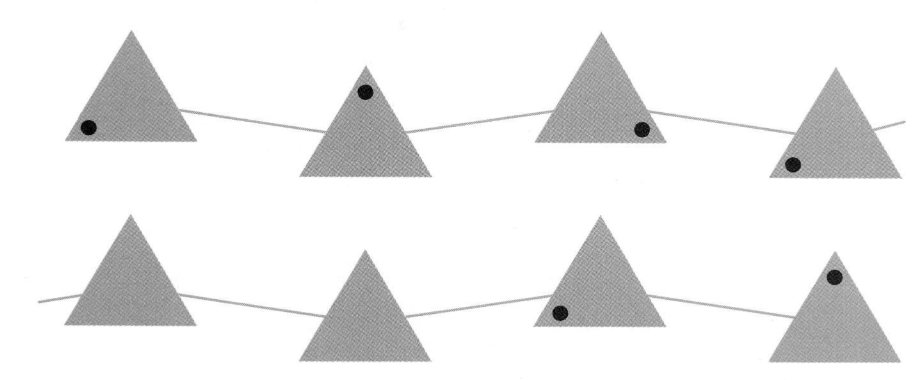

12 규칙에 따라 쌓기나무를 쌓았습니다. 쌓기나무를 5층으로 쌓으려면 쌓기나무는 모두 몇 개 필요할까요?

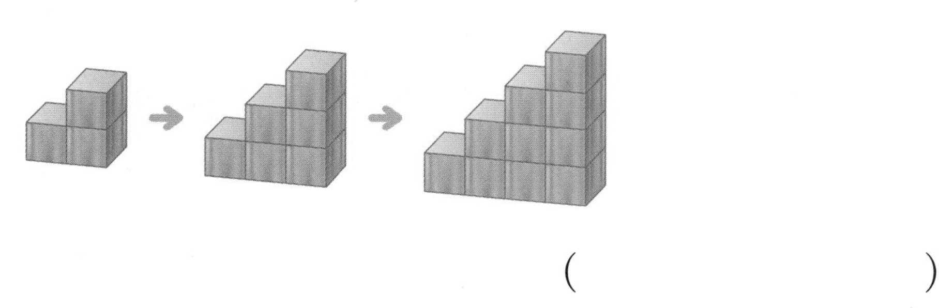

(　　　　　　　　)

13 달력의 일부분이 찢어져 있습니다. 10월 셋째 금요일은 며칠일까요?

10월						
일	월	화	수	목	금	토
		1	2	3	4	5
6	7	8	9	10	11	12
13						

(　　　　　　　　)

맞은 개수

[1~3] 덧셈표를 보고 물음에 답하세요.

+	3	4	5	6	7
3	6	7	8	9	10
4	7	8	9	10	11
5	8	9	10	11	12
6	9	10	11	12	13
7	10	11	12	13	14

1 ▬으로 칠해진 수의 규칙을 찾아 써 보세요.

규칙 □쪽으로 내려갈수록 □씩 커지는 규칙이 있습니다.

2 ▬으로 칠해진 수의 규칙을 찾아 써 보세요.

규칙 □쪽으로 갈수록 □씩 커지는 규칙이 있습니다.

3 덧셈표에서 규칙을 한 가지 더 찾아 써 보세요.

규칙 □ 방향으로 같은 수들이 있는 규칙이 있습니다.

4 규칙을 찾아 빈칸에 알맞은 수를 써넣으세요.

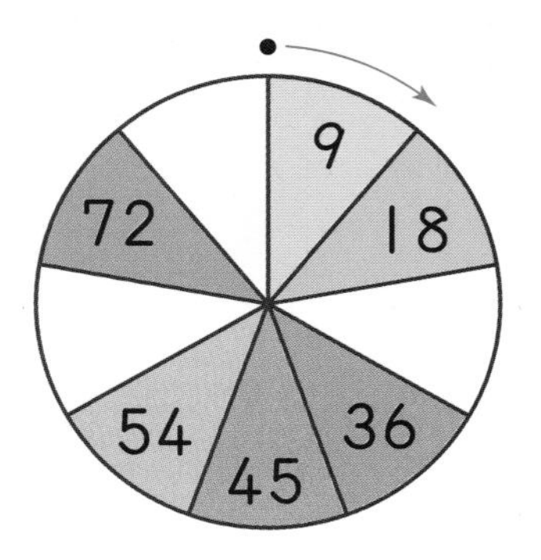

5 규칙에 따라 쌓기나무를 쌓았습니다. 다음에 이어질 모양에 쌓을 쌓기나무는 모두 몇 개일까요?

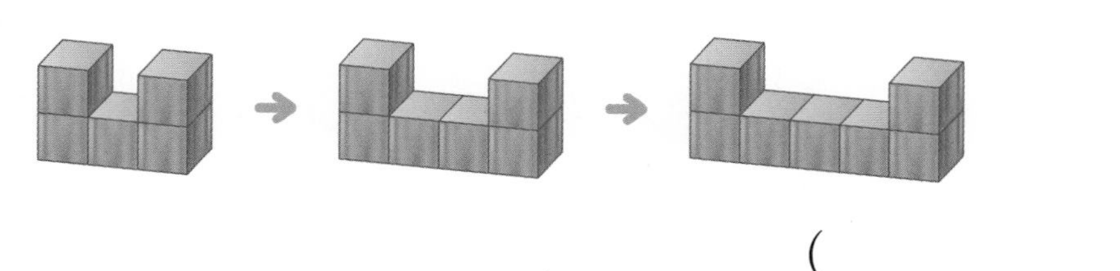

(　　　　　　　　　　)

[6~7] **숫자 무늬 타일을 규칙에 따라 놓았습니다. 물음에 답하세요.**

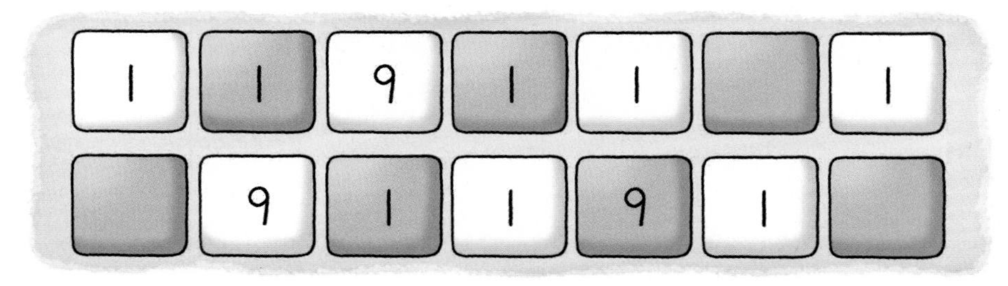

6 규칙에 맞게 위 빈칸을 완성해 보세요.

7 타일을 놓은 규칙을 찾아 써 보세요.

규칙

8 모양이 쌓여 있는 그림을 보고 규칙을 찾아 빈 곳에 알맞은 모양을 그리고 색칠해 보세요.

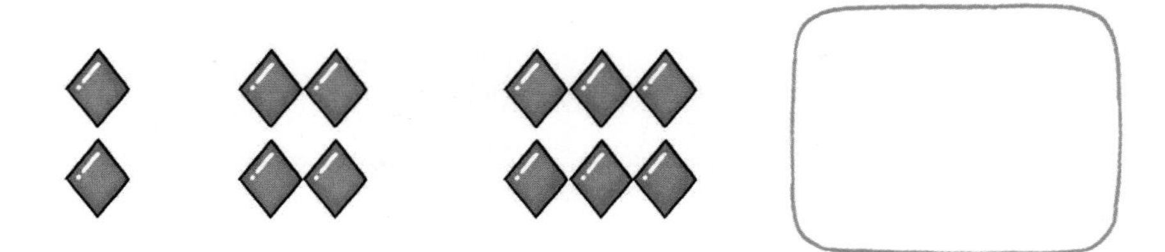

9 규칙을 찾아 시곗바늘을 알맞게 그려 보세요.

10 곱셈표를 완성하고 규칙을 찾아 써 보세요.

×		4		6
	9			18
4		16		
	15		25	
6		24		36

규칙 ______________________________

____

11 규칙에 따라 벽돌을 쌓았습니다. 벽돌을 4층으로 쌓으려면 벽돌은 모두 몇 개 필요할까요?

(　　　　　　　　)

2-2 Start Play 붙임딱지

문제의 알맞은 곳에 붙임딱지를 붙여보세요.

10~11쪽

22~23쪽

1379 1399 1479 2479 2497

3298 3398 3498 4259 4297 4379

4397 4459 4479 5018 5019 5056

5081 5298 5305 5306 5325 5326

자르는 선

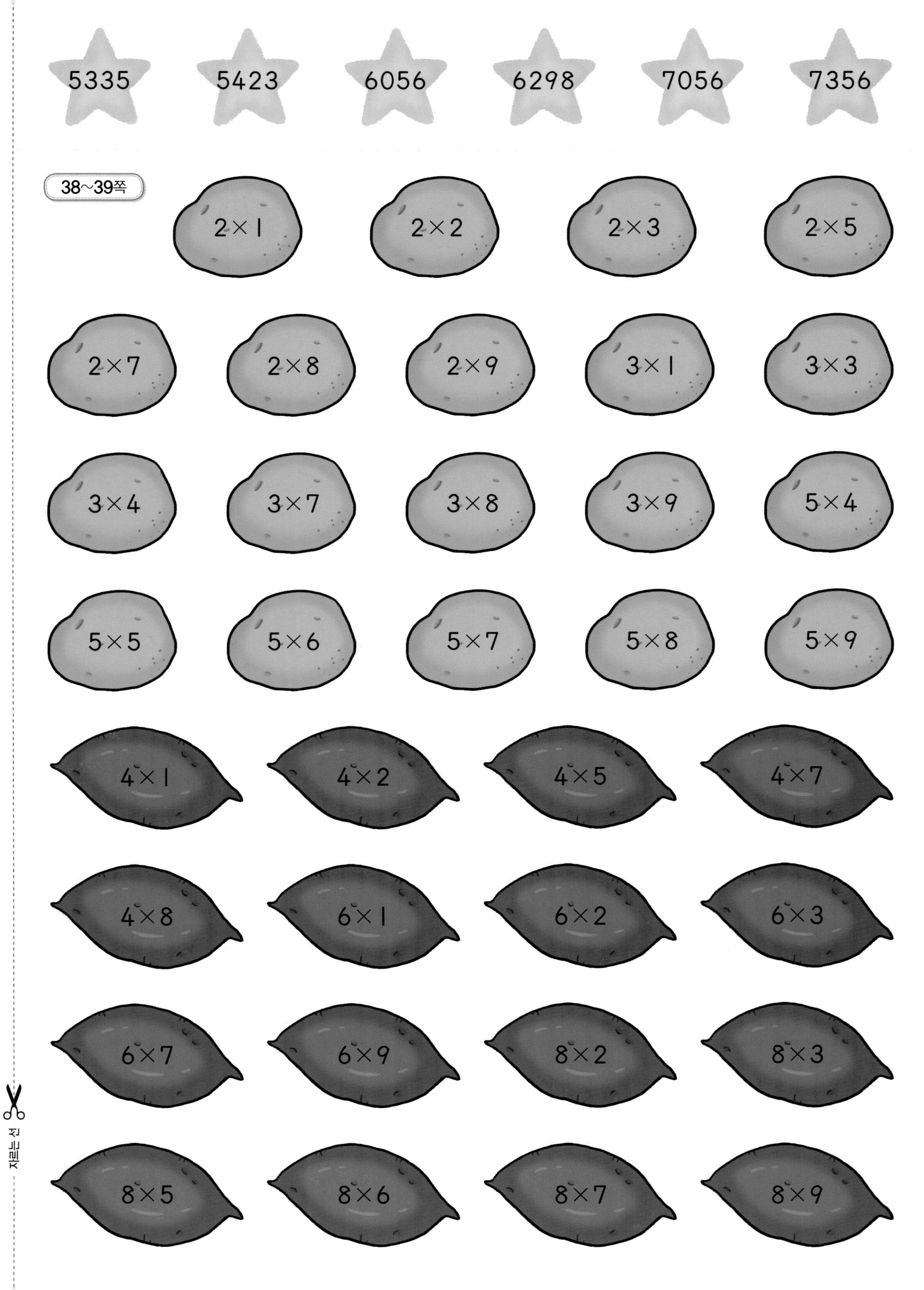
5335
5423
6056
6298
7056
7356
38~39쪽
2×1
2×2
2×3
2×5
2×7
2×8
2×9
3×1
3×3
3×4
3×7
3×8
3×9
5×4
5×5
5×6
5×7
5×8
5×9
4×1
4×2
4×5
4×7
4×8
6×1
6×2
6×3
6×7
6×9
8×2
8×3
8×5
8×6
8×7
8×9
자르는 선

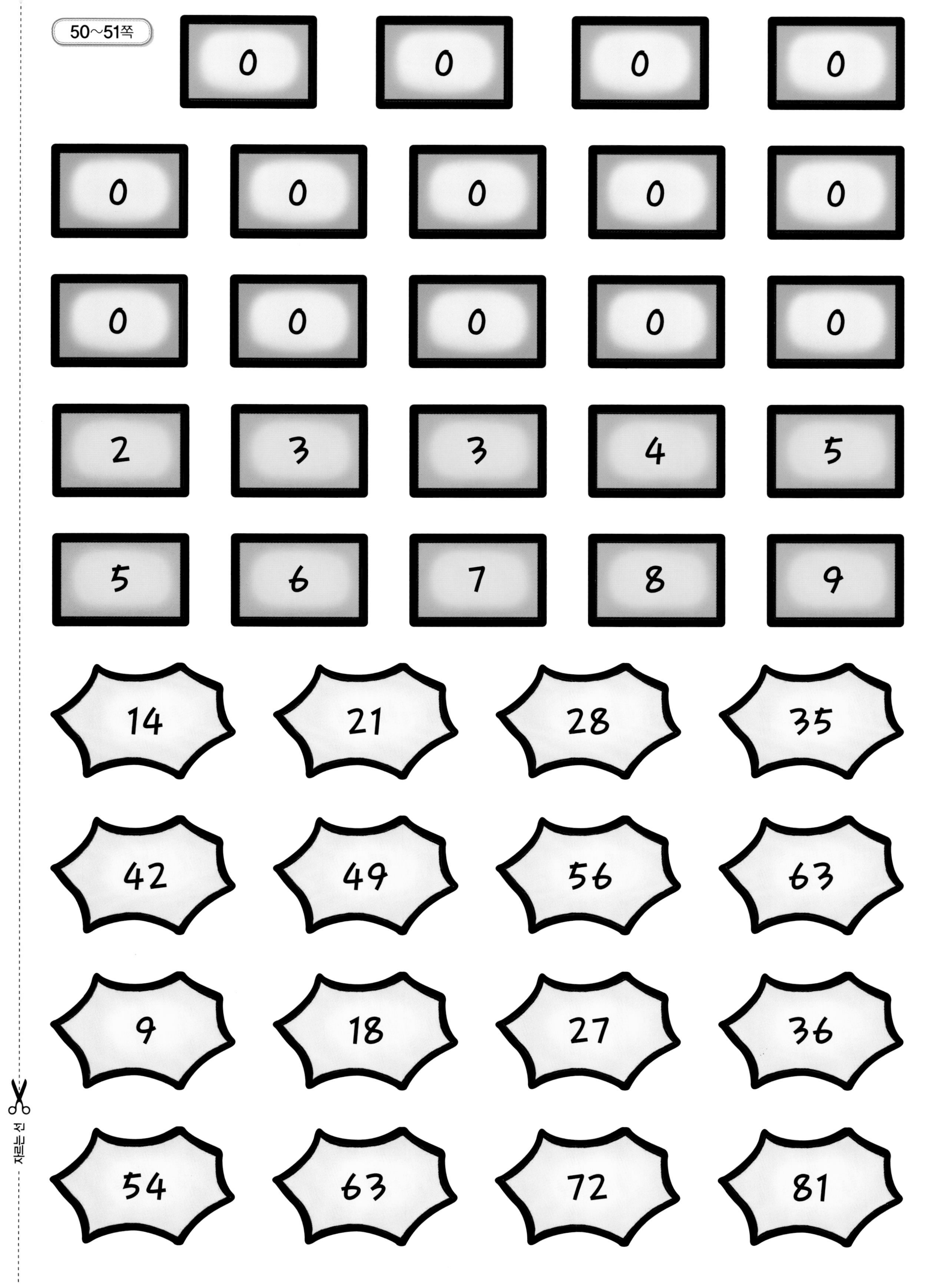
50~51쪽
0
0
0
0
0
0
0
0
0
0
0
0
0
0
2
3
3
4
5
5
6
7
8
9
14
21
28
35
42
49
56
63
9
18
27
36
54
63
72
81
자르는 선

66~67쪽

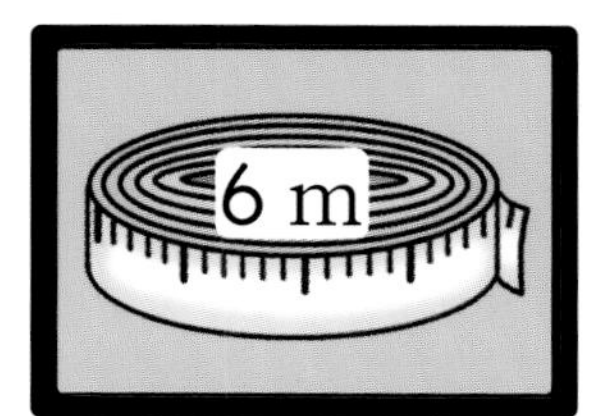
6 m
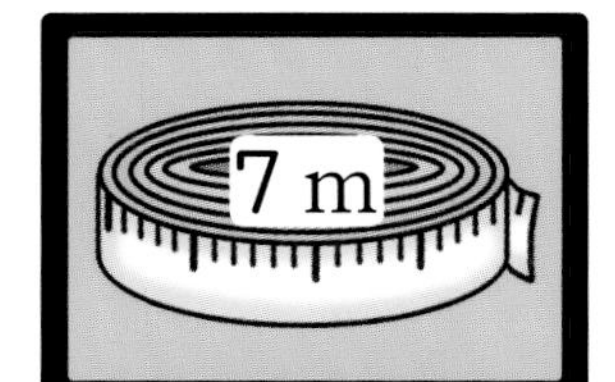
7 m
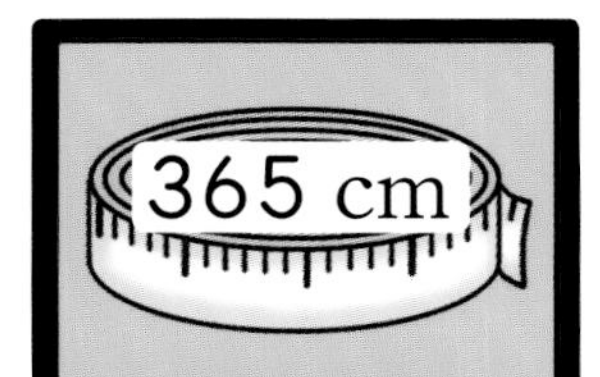
365 cm

378 cm
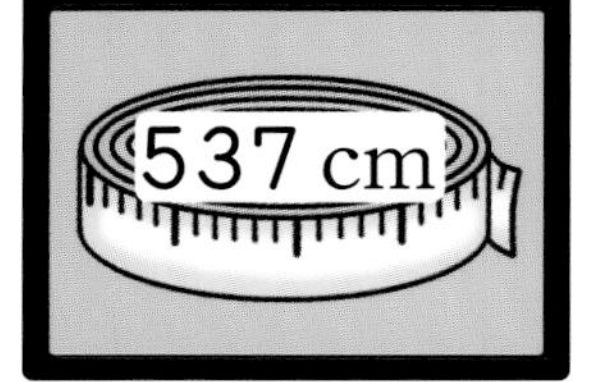
537 cm
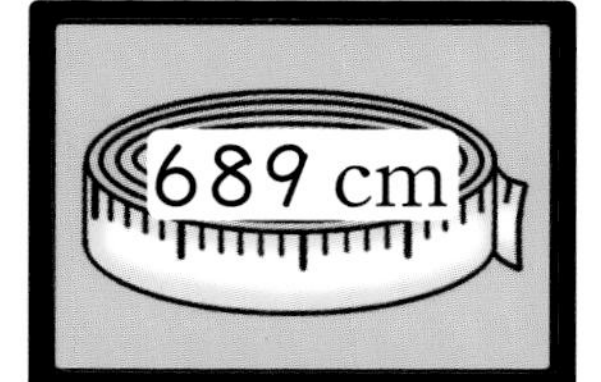
689 cm
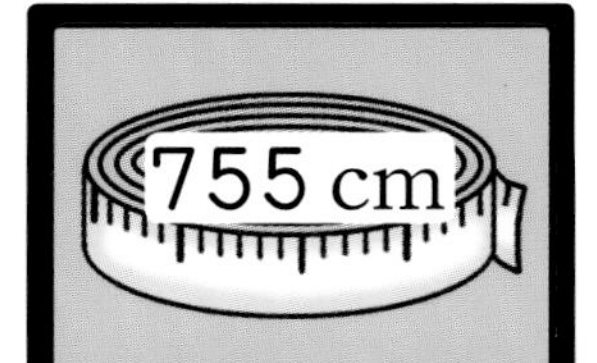
755 cm
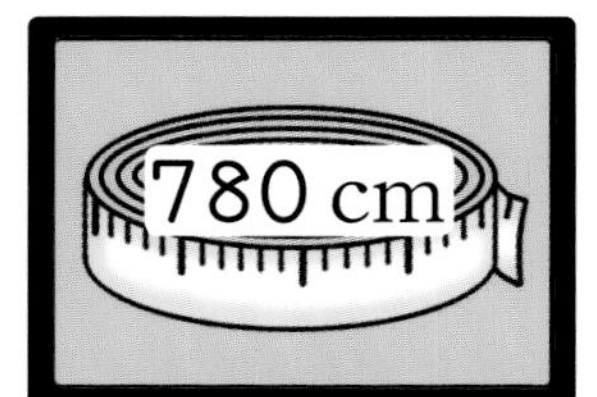
780 cm
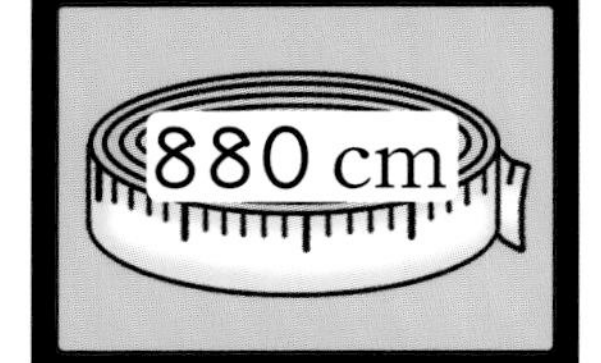
880 cm
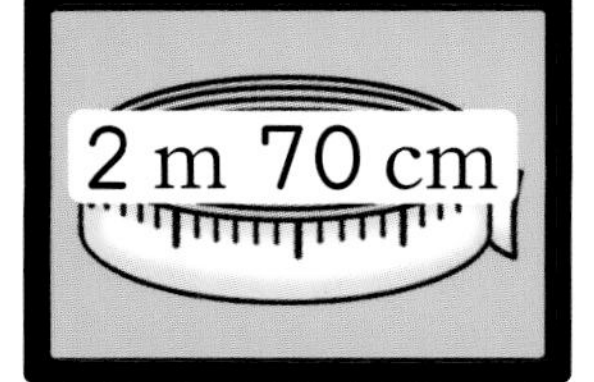
2 m 70 cm
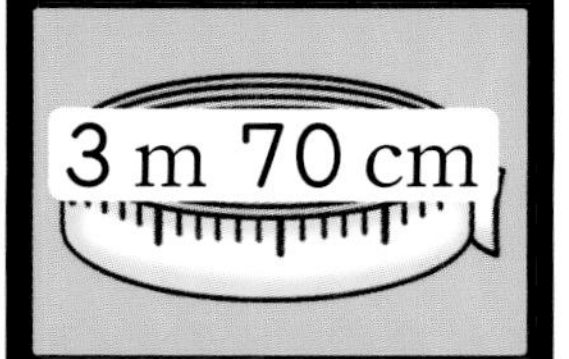
3 m 70 cm
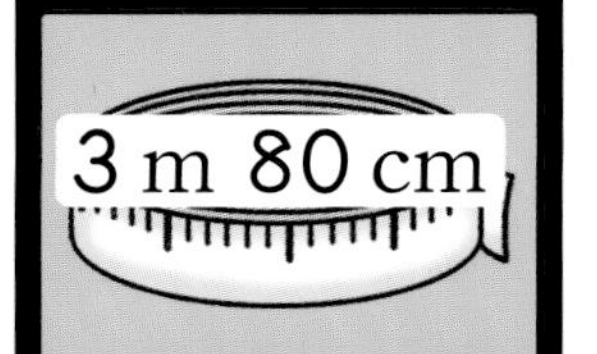
3 m 80 cm
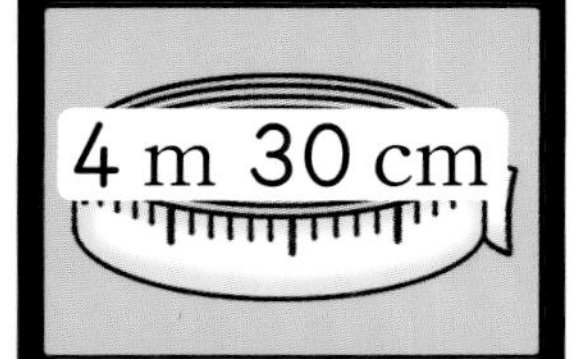
4 m 30 cm
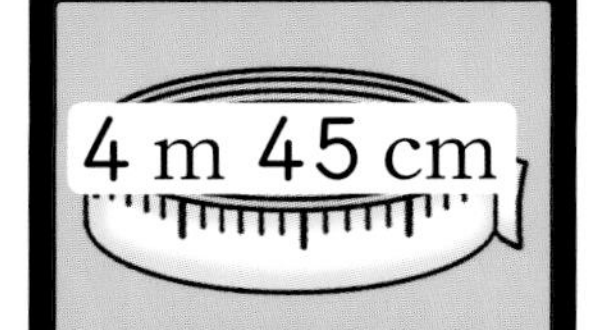
4 m 45 cm
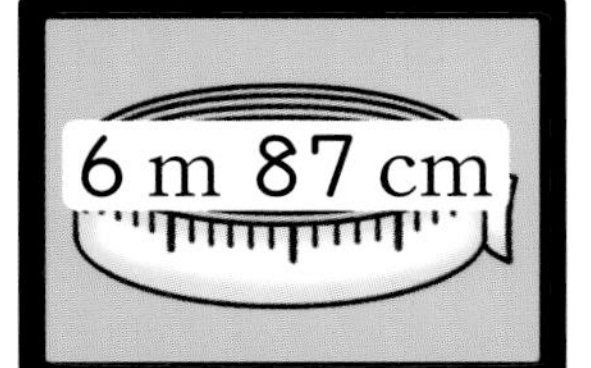
6 m 87 cm
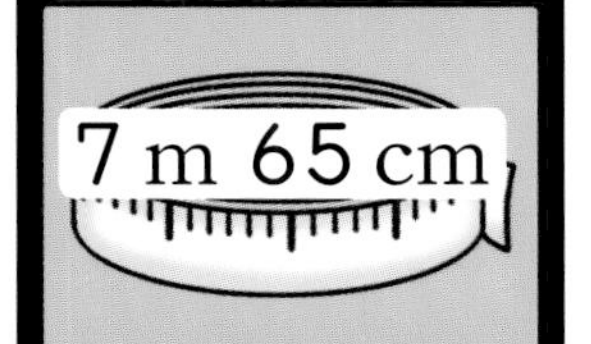
7 m 65 cm
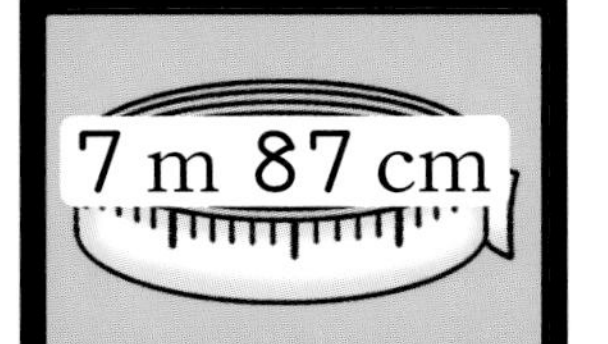
7 m 87 cm
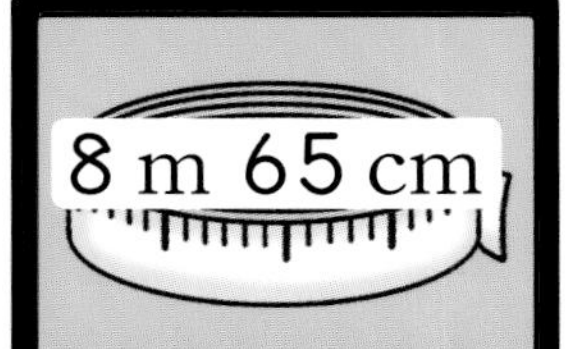
8 m 65 cm

10 m 66 cm

78~79쪽

2 m 24 cm

2 m 72 cm

3 m 34 cm

3 m 44 cm

3 m 65 cm

3 m 75 cm

4 m 23 cm

4 m 26 cm

4 m 33 cm

4 m 36 cm

4 m 43 cm

4 m 53 cm

4 m 77 cm

4 m 87 cm

5 m 12 cm

5 m 26 cm

5 m 36 cm

8 m 63 cm

8 m 73 cm

자르는 선

94~95쪽

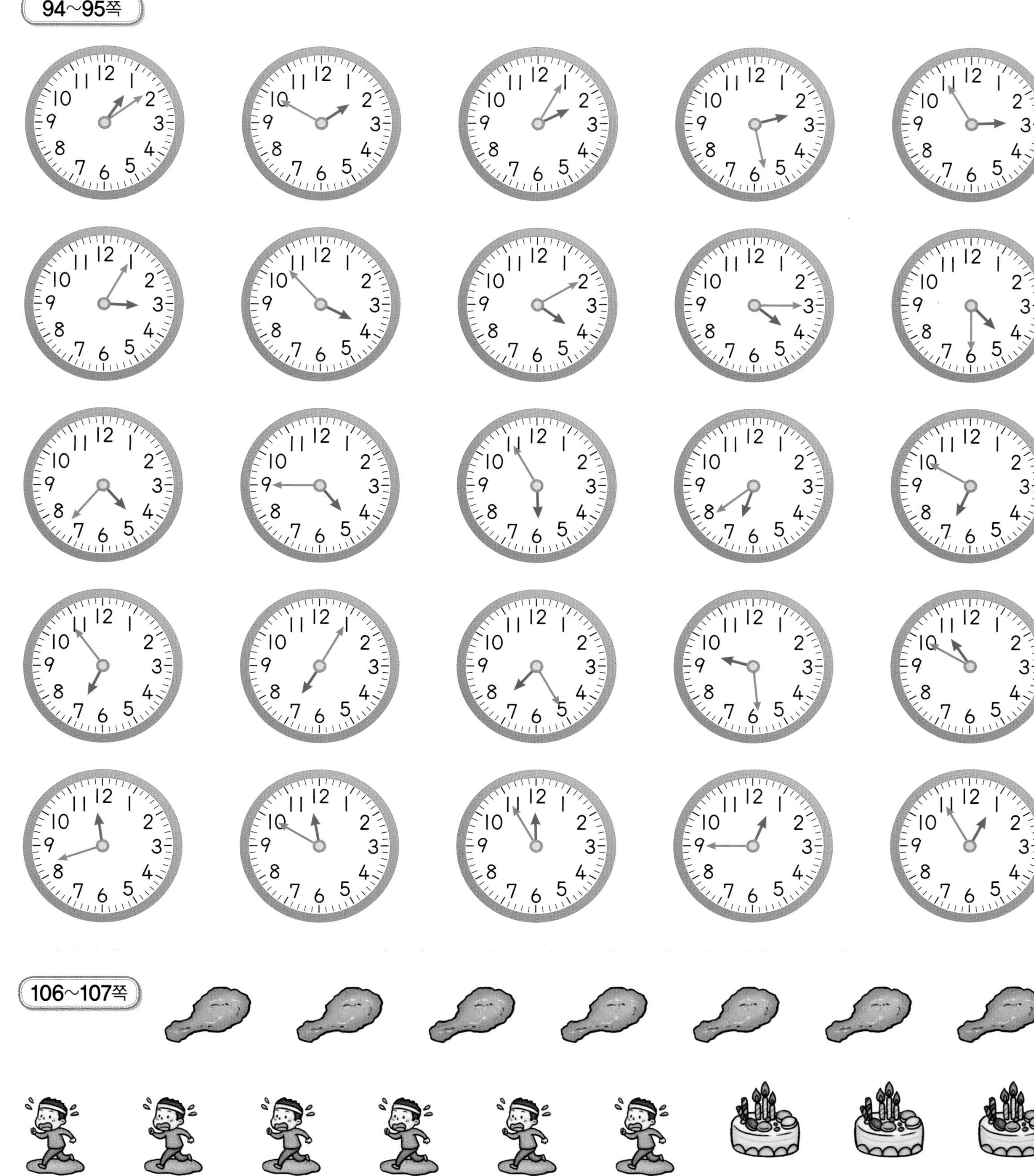

106~107쪽

자르는 선

자르는 선

134쪽

162~163쪽

자르는 선

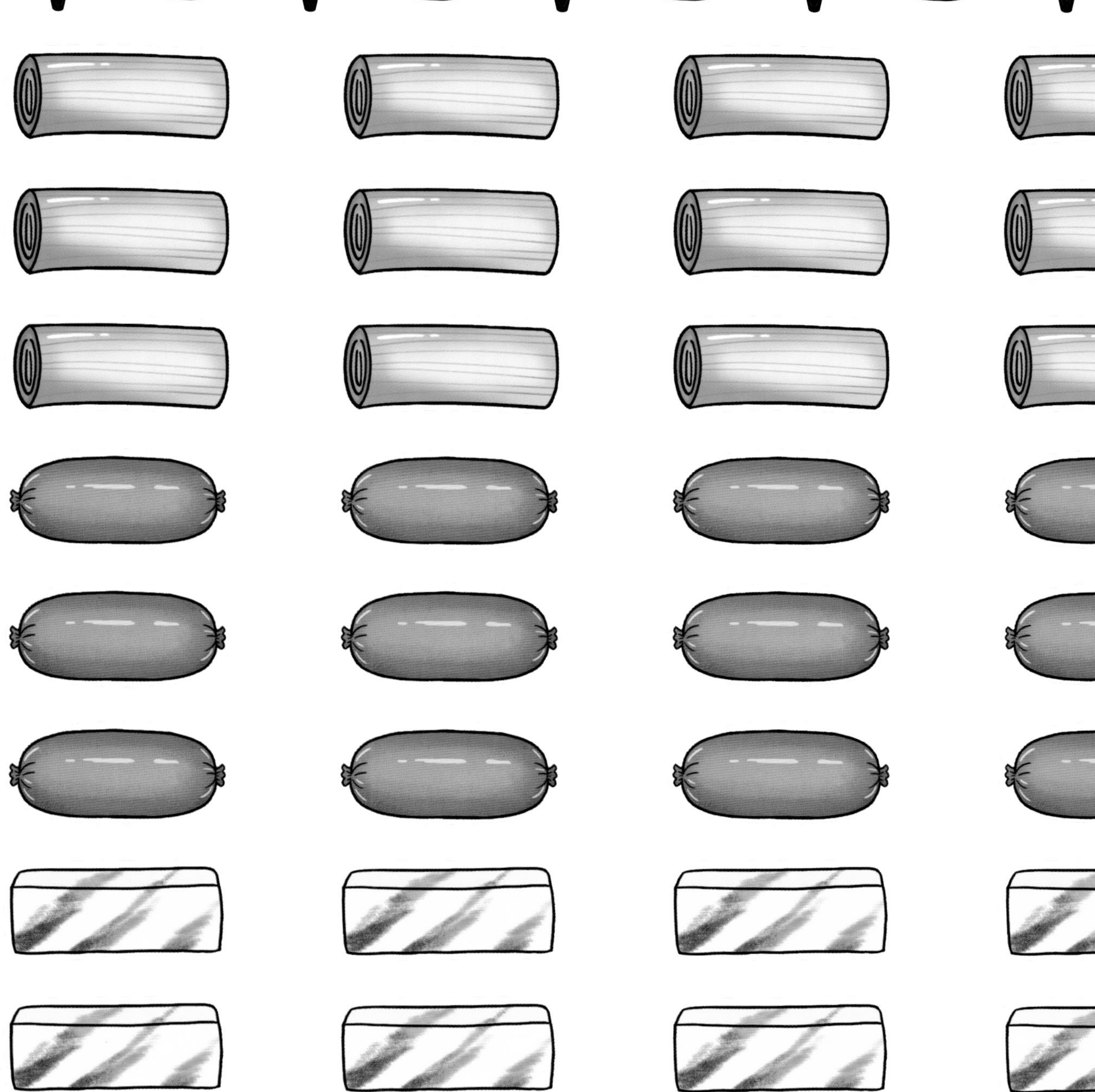

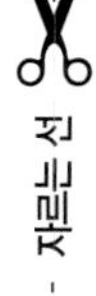
자르는 선

2-2 Start 붙임딱지

문제의 알맞은 곳에 붙임딱지를 붙여보세요.

6쪽

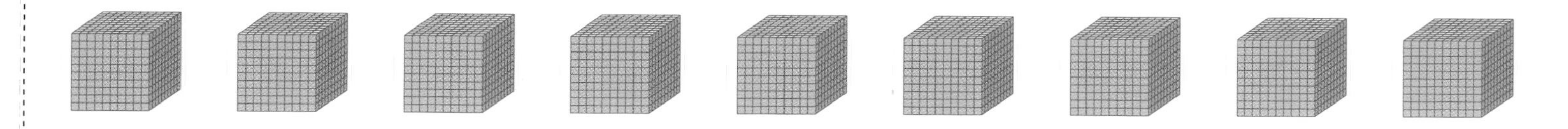

8쪽

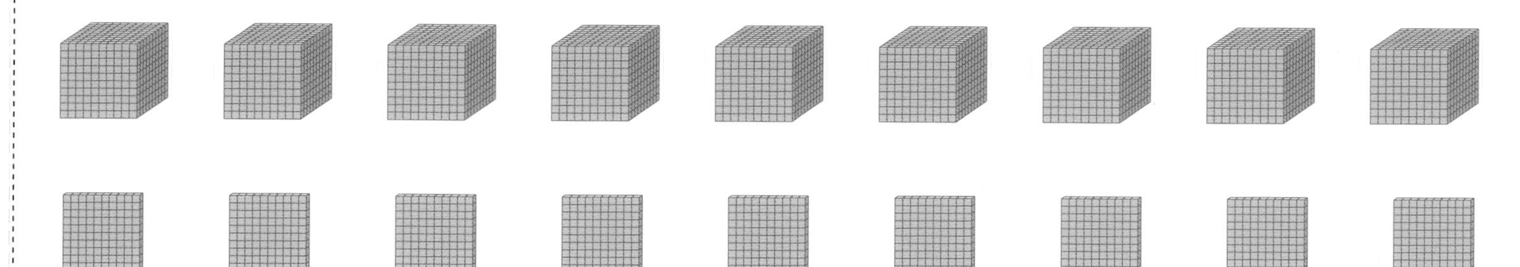

76쪽

158쪽

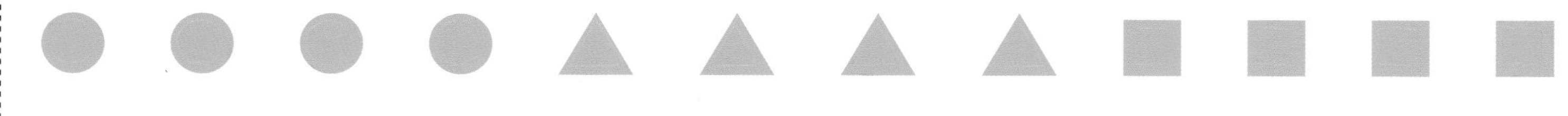

자르는 선

Go!
매쓰
GO!

교과서 GO! 사고력 GO!

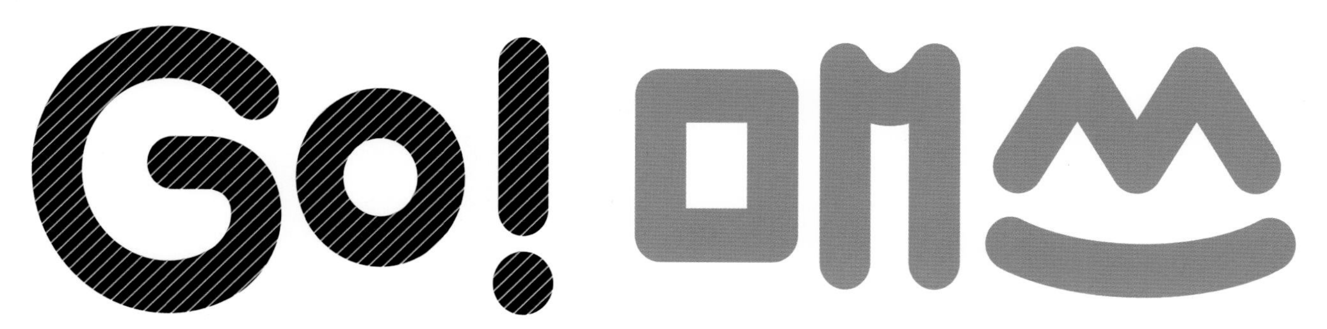

정답과 풀이

수학 2-2

열심히
풀었으니까,
한 번 맞춰 볼까?

Go! 매쓰 Start

정답과 풀이

1 네 자리 수 2쪽
2 곱셈구구 9쪽
3 길이 재기 16쪽
4 시각과 시간 23쪽
5 표와 그래프 30쪽
6 규칙 찾기 37쪽

수학 2-2

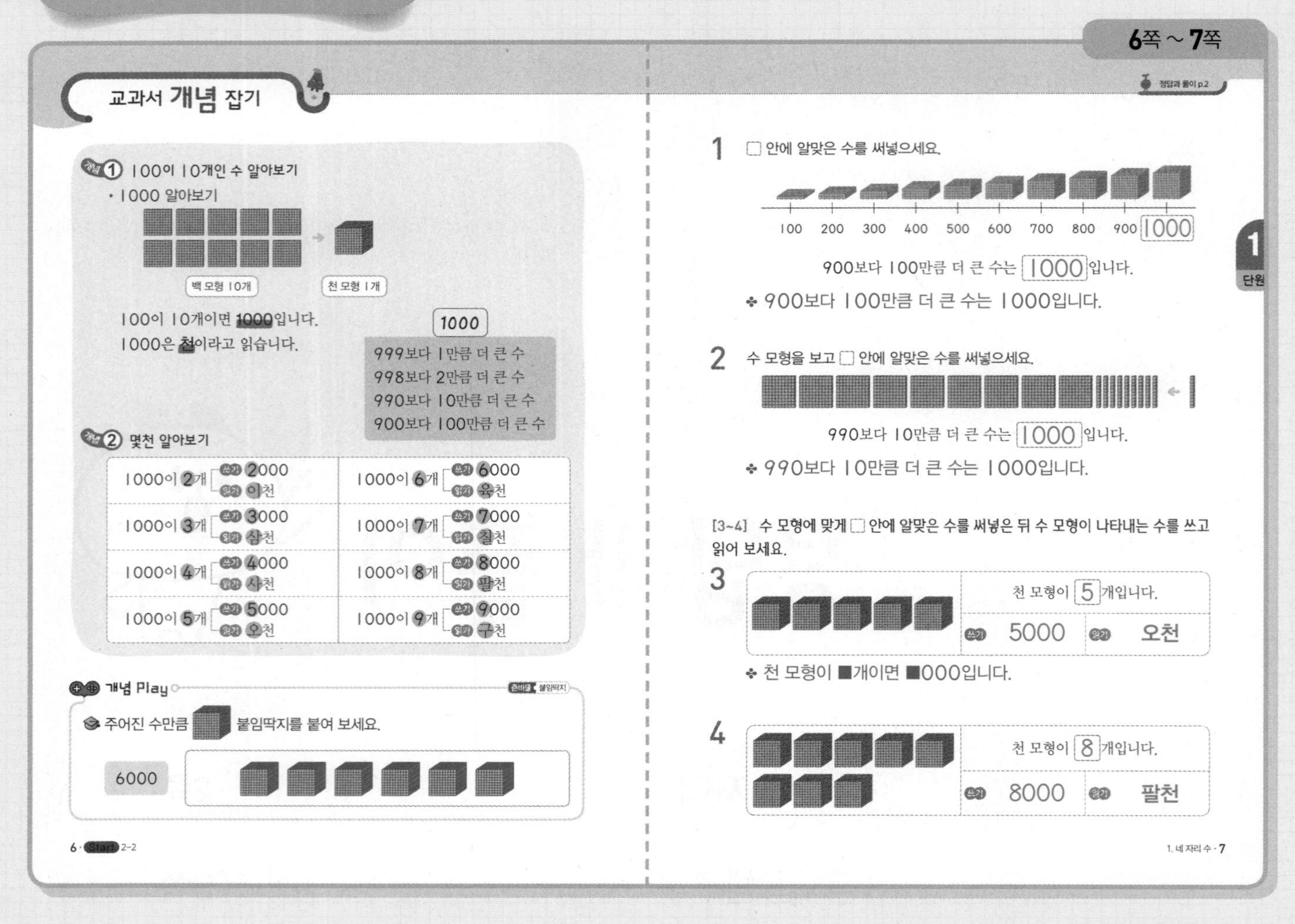

6쪽 ~ 7쪽

교과서 개념 잡기

개념 1 100이 10개인 수 알아보기

• 1000 알아보기

백 모형 10개 → 천 모형 1개

100이 10개이면 1000입니다.
1000은 천이라고 읽습니다.

1000

999보다 1만큼 더 큰 수
998보다 2만큼 더 큰 수
990보다 10만큼 더 큰 수
900보다 100만큼 더 큰 수

개념 2 몇천 알아보기

1000이 2개 – 쓰기 2000, 읽기 이천	1000이 6개 – 쓰기 6000, 읽기 육천
1000이 3개 – 쓰기 3000, 읽기 삼천	1000이 7개 – 쓰기 7000, 읽기 칠천
1000이 4개 – 쓰기 4000, 읽기 사천	1000이 8개 – 쓰기 8000, 읽기 팔천
1000이 5개 – 쓰기 5000, 읽기 오천	1000이 9개 – 쓰기 9000, 읽기 구천

개념 Play 준비물 붙임딱지

주어진 수만큼 붙임딱지를 붙여 보세요.

6000

정답과 풀이 p.2

1 □ 안에 알맞은 수를 써넣으세요.

100 200 300 400 500 600 700 800 900 [1000]

900보다 100만큼 더 큰 수는 [1000]입니다.

✤ 900보다 100만큼 더 큰 수는 1000입니다.

2 수 모형을 보고 □ 안에 알맞은 수를 써넣으세요.

990보다 10만큼 더 큰 수는 [1000]입니다.

✤ 990보다 10만큼 더 큰 수는 1000입니다.

[3~4] 수 모형에 맞게 □ 안에 알맞은 수를 써넣은 뒤 수 모형이 나타내는 수를 쓰고 읽어 보세요.

3 천 모형이 [5]개입니다. 쓰기 5000 읽기 오천

✤ 천 모형이 ■개이면 ■000입니다.

4 천 모형이 [8]개입니다. 쓰기 8000 읽기 팔천

1단원

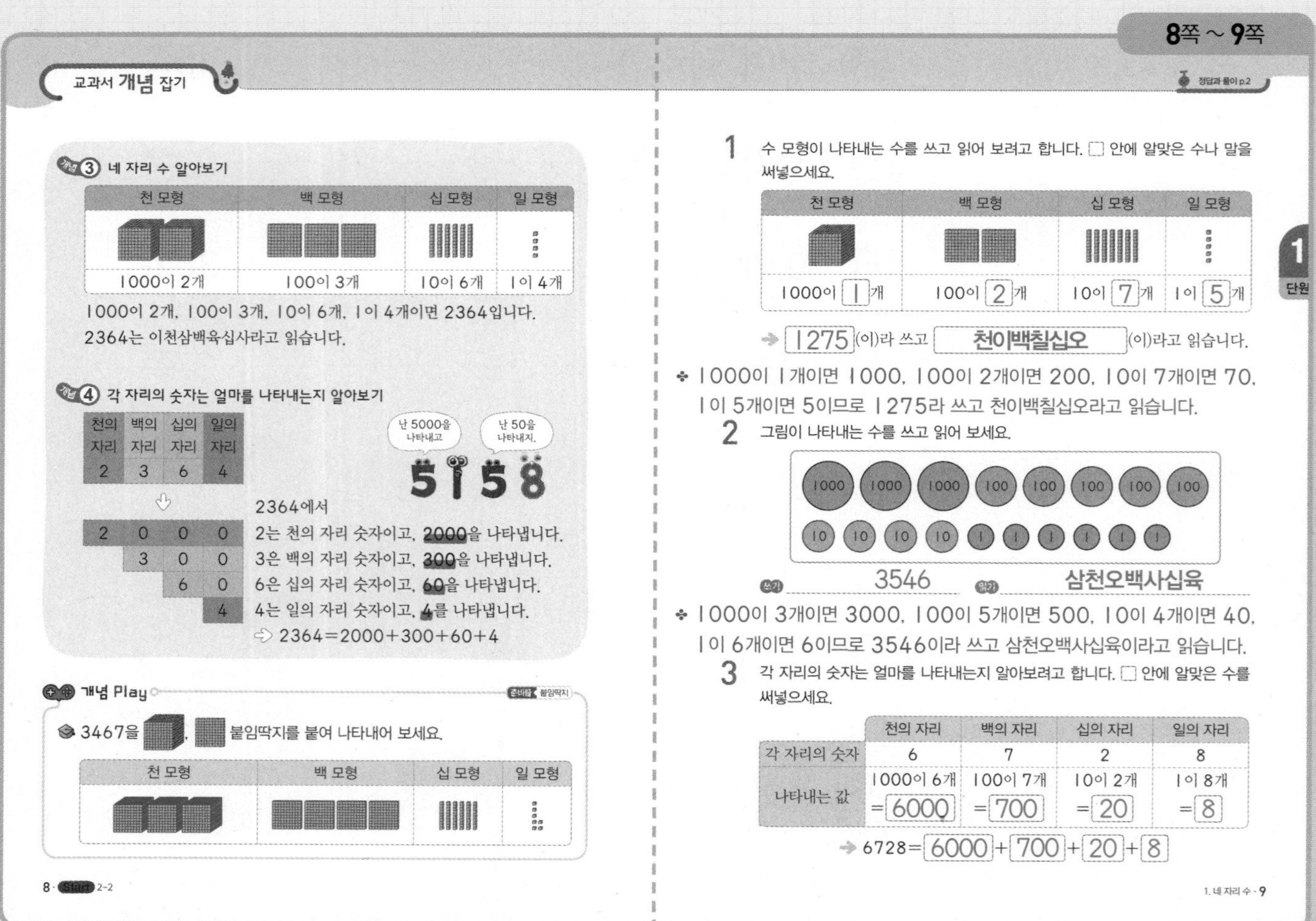

8쪽 ~ 9쪽

교과서 개념 잡기

개념 3 네 자리 수 알아보기

천 모형	백 모형	십 모형	일 모형
1000이 2개	100이 3개	10이 6개	1이 4개

1000이 2개, 100이 3개, 10이 6개, 1이 4개이면 2364입니다.
2364는 이천삼백육십사라고 읽습니다.

개념 4 각 자리의 숫자는 얼마를 나타내는지 알아보기

천의 자리	백의 자리	십의 자리	일의 자리
2	3	6	4

2	0	0	0
	3	0	0
		6	0
			4

2364에서
2는 천의 자리 숫자이고, 2000을 나타냅니다.
3은 백의 자리 숫자이고, 300을 나타냅니다.
6은 십의 자리 숫자이고, 60을 나타냅니다.
4는 일의 자리 숫자이고, 4를 나타냅니다.
⇨ 2364=2000+300+60+4

개념 Play 준비물 붙임딱지

3467을 붙임딱지를 붙여 나타내어 보세요.

천 모형	백 모형	십 모형	일 모형

정답과 풀이 p.2

1 수 모형이 나타내는 수를 쓰고 읽어 보려고 합니다. □ 안에 알맞은 수나 말을 써넣으세요.

천 모형	백 모형	십 모형	일 모형
1000이 [1]개	100이 [2]개	10이 [7]개	1이 [5]개

→ [1275](이)라 쓰고 [천이백칠십오](이)라고 읽습니다.

✤ 1000이 1개이면 1000, 100이 2개이면 200, 10이 7개이면 70, 1이 5개이면 5이므로 1275라 쓰고 천이백칠십오라고 읽습니다.

2 그림이 나타내는 수를 쓰고 읽어 보세요.

쓰기 3546 읽기 삼천오백사십육

✤ 1000이 3개이면 3000, 100이 5개이면 500, 10이 4개이면 40, 1이 6개이면 6이므로 3546이라 쓰고 삼천오백사십육이라고 읽습니다.

3 각 자리의 숫자는 얼마를 나타내는지 알아보려고 합니다. □ 안에 알맞은 수를 써넣으세요.

	천의 자리	백의 자리	십의 자리	일의 자리
각 자리의 숫자	6	7	2	8
나타내는 값	1000이 6개 =[6000]	100이 7개 =[700]	10이 2개 =[20]	1이 8개 =[8]

→ 6728=[6000]+[700]+[20]+[8]

1단원

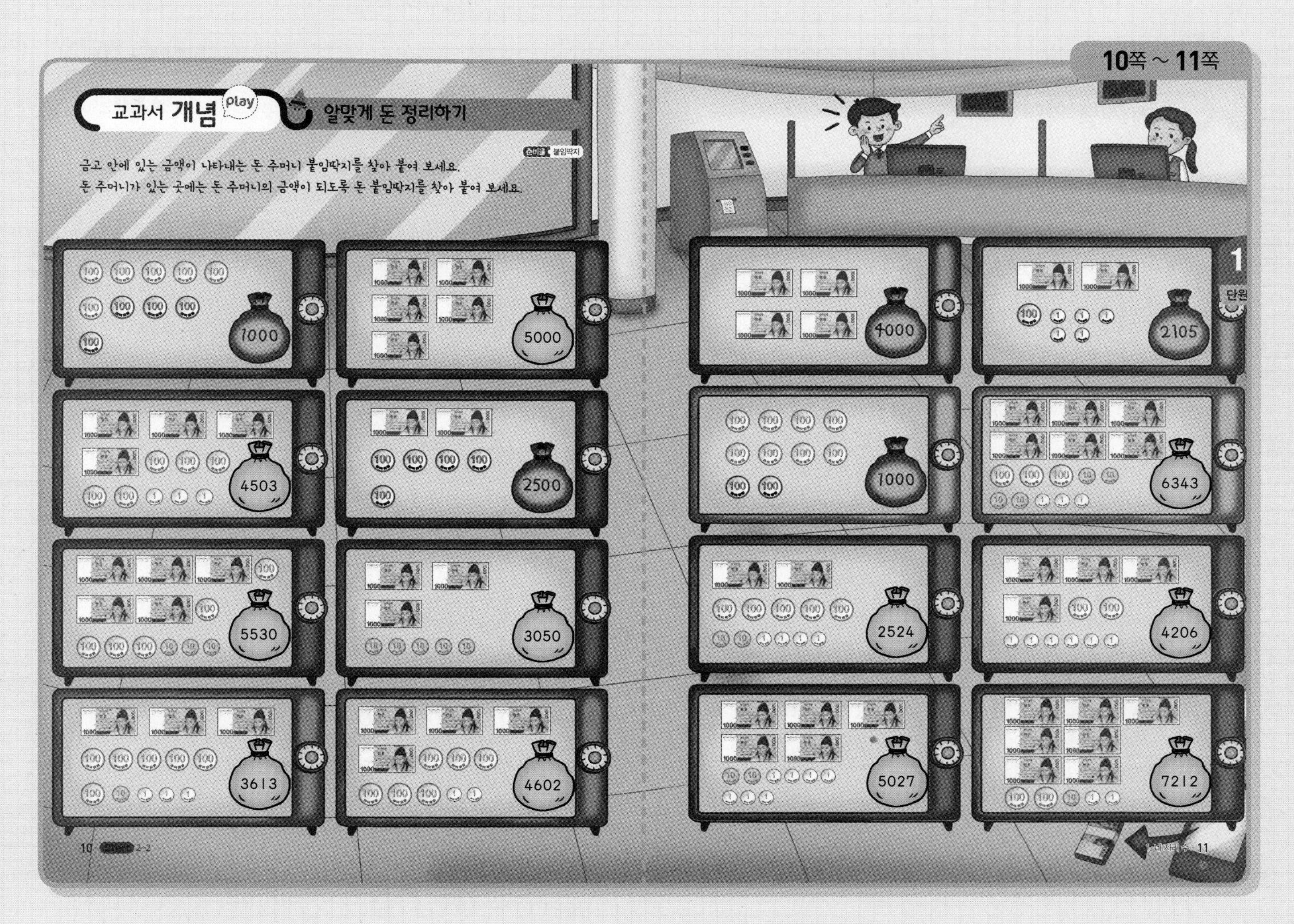

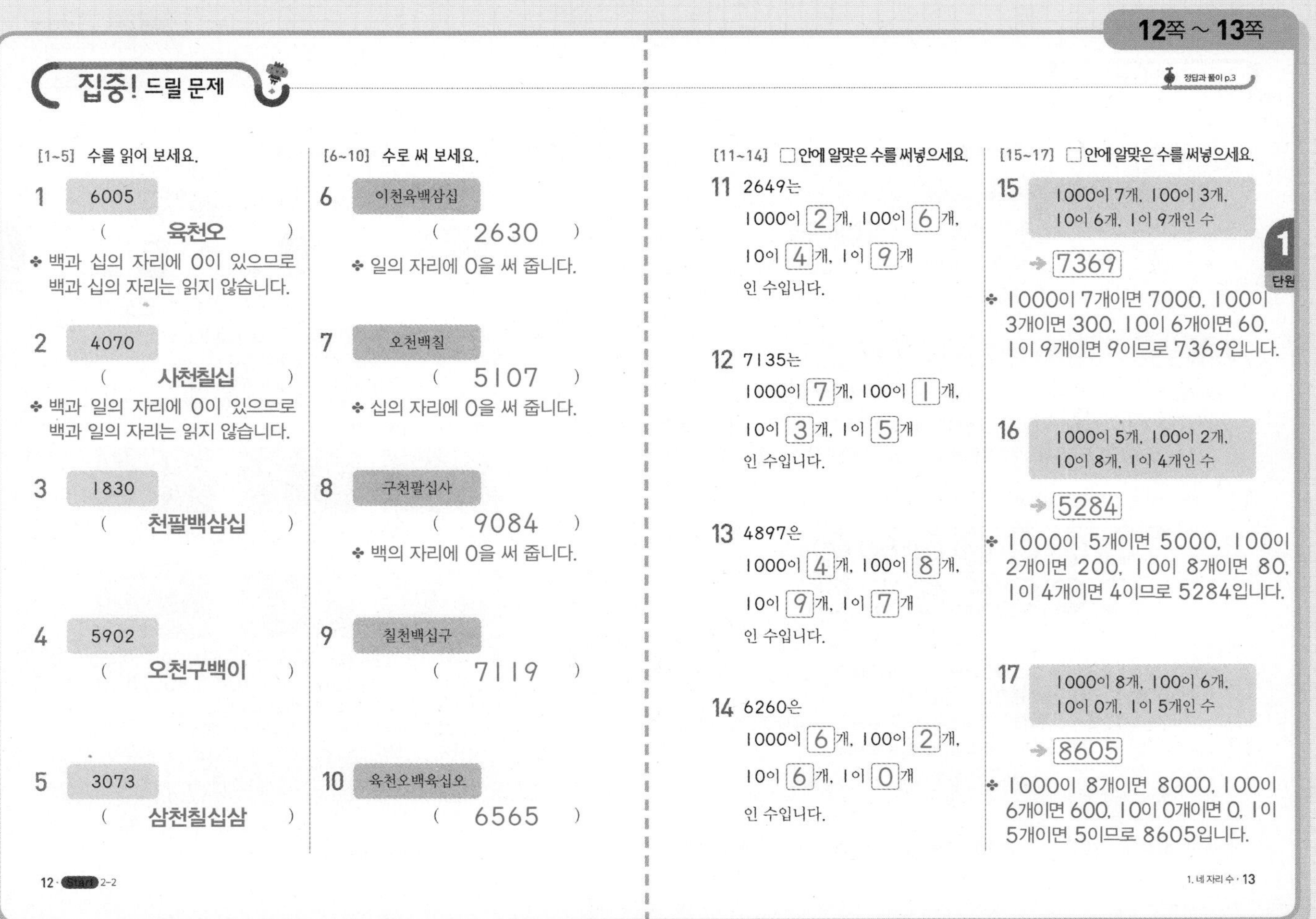

12쪽 ~ 13쪽

집중! 드릴 문제

정답과 풀이 p.3

[1~5] 수를 읽어 보세요.

1 6005

(육천오)

✤ 백과 십의 자리에 0이 있으므로 백과 십의 자리는 읽지 않습니다.

2 4070

(사천칠십)

✤ 백과 일의 자리에 0이 있으므로 백과 일의 자리는 읽지 않습니다.

3 1830

(천팔백삼십)

4 5902

(오천구백이)

5 3073

(삼천칠십삼)

[6~10] 수로 써 보세요.

6 이천육백삼십

(2630)

✤ 일의 자리에 0을 써 줍니다.

7 오천백칠

(5107)

✤ 십의 자리에 0을 써 줍니다.

8 구천팔십사

(9084)

✤ 백의 자리에 0을 써 줍니다.

9 칠천백십구

(7119)

10 육천오백육십오

(6565)

[11~14] □ 안에 알맞은 수를 써넣으세요.

11 2649는

1000이 [2]개, 100이 [6]개, 10이 [4]개, 1이 [9]개 인 수입니다.

12 7135는

1000이 [7]개, 100이 [1]개, 10이 [3]개, 1이 [5]개 인 수입니다.

13 4897은

1000이 [4]개, 100이 [8]개, 10이 [9]개, 1이 [7]개 인 수입니다.

14 6260은

1000이 [6]개, 100이 [2]개, 10이 [6]개, 1이 [0]개 인 수입니다.

[15~17] □ 안에 알맞은 수를 써넣으세요.

15 1000이 7개, 100이 3개, 10이 6개, 1이 9개인 수

→ [7369]

✤ 1000이 7개이면 7000, 100이 3개이면 300, 10이 6개이면 60, 1이 9개이면 9이므로 7369입니다.

16 1000이 5개, 100이 2개, 10이 8개, 1이 4개인 수

→ [5284]

✤ 1000이 5개이면 5000, 100이 2개이면 200, 10이 8개이면 80, 1이 4개이면 4이므로 5284입니다.

17 1000이 8개, 100이 6개, 10이 0개, 1이 5개인 수

→ [8605]

✤ 1000이 8개이면 8000, 100이 6개이면 600, 10이 0개이면 0, 1이 5개이면 5이므로 8605입니다.

1 단원

12 · Start 2-2

1. 네 자리 수 · 13

교과서 개념 확인 문제

정답과 풀이 p.4

1 □ 안에 알맞은 수를 써넣으세요.

(1) 900보다 100만큼 더 큰 수는 [1000]입니다.

(2) 990보다 [10]만큼 더 큰 수는 1000입니다.

✤ (1) 900보다 100만큼 더 큰 수는 1000입니다.
(2) 990보다 10만큼 더 큰 수는 1000입니다.

[2~3] 수 모형에 맞게 □ 안에 알맞은 수나 말을 써넣으세요.

2

천 모형이 6개이므로 [6000]이라 쓰고 [육천]이라고 읽습니다.

3

천 모형이 [9]개이므로 [9000]이라 쓰고 [구천]이라고 읽습니다.

4 같은 수를 찾아 선으로 이어 보세요.

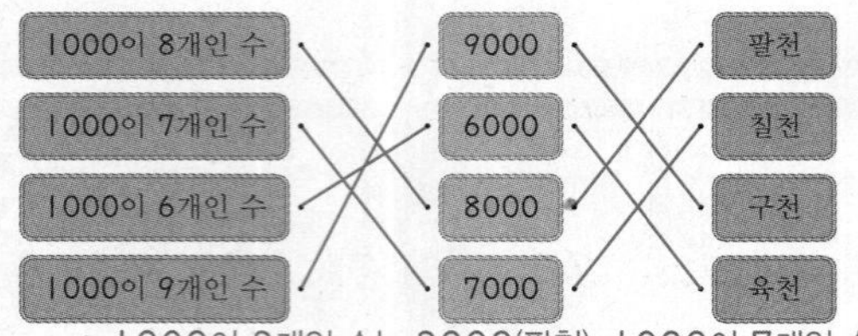

✤ 1000이 8개인 수는 8000(팔천), 1000이 7개인 수는 7000(칠천), 1000이 6개인 수는 6000(육천), 1000이 9개인 수는 9000(구천)입니다.

5 □ 안에 알맞은 수를 써넣으세요.

(1) 7209는 1000이 [7]개, 100이 [2]개, 10이 [0]개, 1이 [9]개

(2) 1000이 5개, 100이 8개, 10이 6개, 1이 4개이면 [5864]

✤ (2) 1000이 5개이면 5000, 100이 8개이면 800, 10이 6개이면 60, 1이 4개이면 4이므로 5864입니다.

6 다음 네 자리 수에서 밑줄 친 숫자 5는 얼마를 나타낼까요?

(1) 7<u>5</u>90 (500)　(2) 26<u>5</u>4 (50)

(3) <u>5</u>018 (5000)　(4) 390<u>5</u> (5)

✤ (1) 백의 자리 숫자이므로 500을 나타냅니다. (2) 십의 자리 숫자이므로 50을 나타냅니다.
(3) 천의 자리 숫자이므로 5000을 나타냅니다. (4) 일의 자리 숫자이므로 5를 나타냅니다.

7 네 자리 수를 보기 와 같이 나타내려고 합니다. □ 안에 알맞은 수를 써넣으세요.

보기
5196=5000+100+90+6

(1) 8173=[8000]+100+[70]+[3]

(2) 4592=[4000]+[500]+90+[2]

✤ (1) 8173은 1000이 8개, 100이 1개, 10이 7개, 1이 3개인 수입니다.
➔ 8173=8000+100+70+3

8 백의 자리 숫자와 일의 자리 숫자가 같은 네 자리 수를 모두 찾아 써 보세요.

2200　5030　4994　6866　1717

(5030, 1717)

✤ <u>5</u>0<u>3</u>0: 백의 자리 숫자와 일의 자리 숫자가 0으로 같습니다.
<u>1</u>7<u>1</u>7: 백의 자리 숫자와 일의 자리 숫자가 7로 같습니다.

교과서 개념 확인 문제

정답과 풀이 p.4

[9~10] 다음이 나타내는 수를 쓰고 읽어 보세요.

9 1000이 3개, 100이 5개, 10이 0개, 1이 6개인 수

➔ 쓰기 3506　읽기 삼천오백육

✤ 1000이 3개이면 3000, 100이 5개이면 500, 10이 0개이면 0, 1이 6개이면 6이므로 3506이라 쓰고 삼천오백육이라고 읽습니다.

10 1000이 7개, 100이 4개, 10이 9개, 1이 5개인 수

➔ 쓰기 7495　읽기 칠천사백구십오

✤ 1000이 7개이면 7000, 100이 4개이면 400, 10이 9개이면 90, 1이 5개이면 5이므로 7495라 쓰고 칠천사백구십오라고 읽습니다.

11 1000원이 되도록 묶었을 때 남는 돈은 얼마일까요?

예

(400원)

✤ 100이 10개이면 1000이므로 100원짜리 동전 10개를 묶으면 1000원이 되고 남는 동전은 4개입니다.
따라서 100원짜리 동전 4개가 남으므로 남는 돈은 400원입니다.

12 숫자 8이 나타내는 값이 가장 큰 수를 찾아 기호를 써 보세요.

㉠ 4185　㉡ 9812　㉢ 8063　㉣ 7568

(㉢)

✤ ㉠ 80　㉡ 800　㉢ 8000　㉣ 8이므로 가장 큰 수는 ㉢입니다.

13 다른 수를 말하고 있는 동물의 이름을 써 보세요.

1000이 7개인 수야.
코끼리

10이 70개인 수야.
원숭이

100이 70개인 수야.
고양이

(원숭이)

✤ 코끼리: 1000이 7개인 수는 7000입니다.
원숭이: 10이 70개인 수는 700입니다.
고양이: 100이 70개인 수는 7000입니다.

14 위와 아래에 있는 그림이 나타내는 수를 모아서 1000을 만들려고 합니다. 알맞은 것끼리 선으로 이어 보세요.

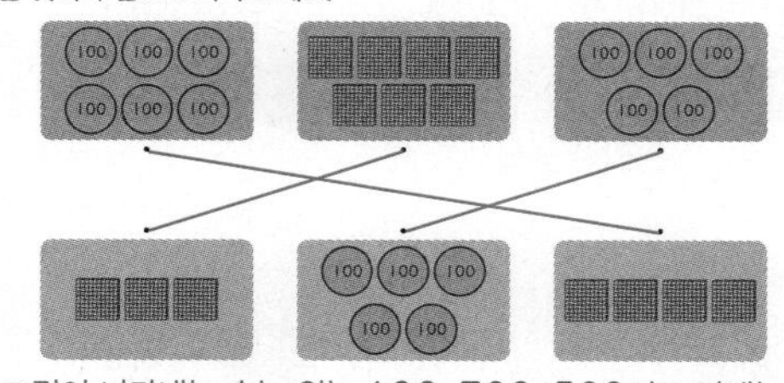

✤ 그림이 나타내는 수는 위는 600, 700, 500이고 아래는 300, 500, 400이므로 600과 400, 700과 300, 500과 500을 모아서 1000을 만들 수 있습니다.

15 다음 중 다른 수를 나타내는 것을 찾아 기호를 써 보세요.

㉠ 1000이 4개인 수　㉡ 4000
㉢ 10이 40개인 수　㉣ 100이 40개인 수

(㉢)

✤ ㉠, ㉡, ㉣ 4000　㉢ 400

교과서 개념 잡기

정답과 풀이 p.5

개념 5 뛰어 세기

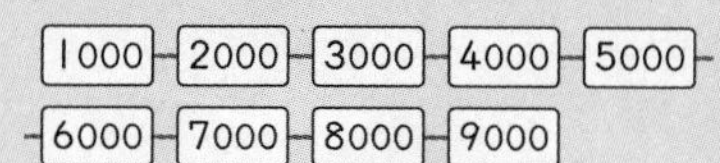

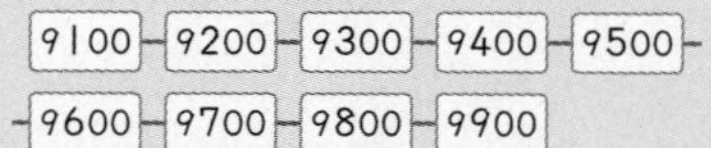

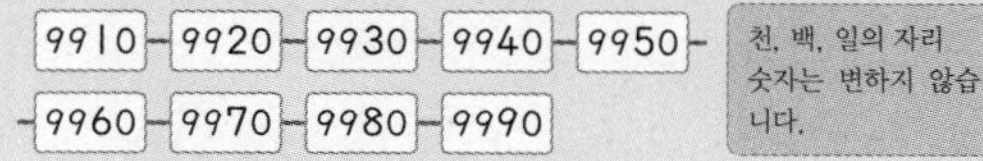

개념 Check

뛰어 세었습니다. 닭이 있는 곳에 알맞은 수를 찾아 ○표 하세요.

(5650) 5750

2650 3650 4650 6650 7650

1 1000씩 뛰어 세었습니다. □ 안에 알맞은 수나 말을 써넣고 1000씩 뛰어 세어 빈칸에 알맞은 수를 써넣으세요.

1000 – 2000 – 3000 – 4000 – 5000 – 6000 – 7000 – 8000

천의 자리 숫자가 1씩 커집니다.

✤ 천의 자리 숫자가 1씩 커집니다.

2 100씩 뛰어 세었습니다. □ 안에 알맞은 수나 말을 써넣고 100씩 뛰어 세어 빈칸에 알맞은 수를 써넣으세요.

1050 – 1150 – 1250 – 1350 – 1450 – 1550 – 1650 – 1750

백의 자리 숫자가 1씩 커집니다.

✤ 백의 자리 숫자가 1씩 커집니다.

3 10씩 뛰어 세었습니다. □ 안에 알맞은 수나 말을 써넣고 10씩 뛰어 세어 빈칸에 알맞은 수를 써넣으세요.

3720 – 3730 – 3740 – 3750 – 3760 – 3770 – 3780 – 3790

십의 자리 숫자가 1씩 커집니다.

✤ 십의 자리 숫자가 1씩 커집니다.

4 1씩 뛰어 세었습니다. □ 안에 알맞은 수나 말을 써넣고 1씩 뛰어 세어 빈칸에 알맞은 수를 써넣으세요.

6421 – 6422 – 6423 – 6424 – 6425 – 6426 – 6427 – 6428

일의 자리 숫자가 1씩 커집니다.

✤ 일의 자리 숫자가 1씩 커집니다.

교과서 개념 잡기

정답과 풀이 p.5

개념 6 어느 수가 더 큰지 알아보기

• 수 모형으로 나타내어 비교하기

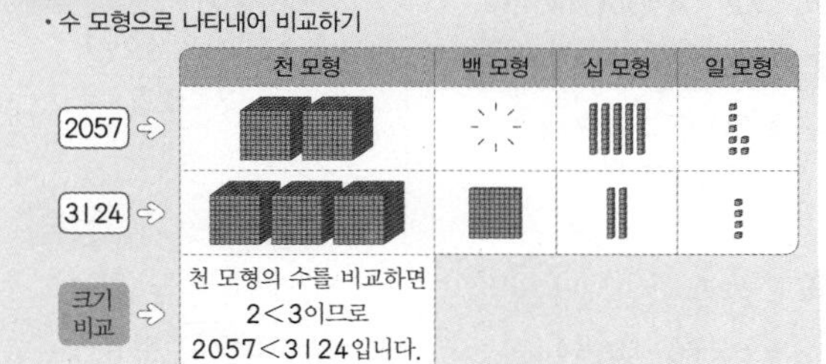

• 각 자리의 수를 이용해 비교하기

천 백 십 일의 자리를 순서대로 비교합니다.

	천의 자리	백의 자리	십의 자리	일의 자리
4562	4	5	6	2
4538	4	5	3	8
크기 비교	천의 자리 숫자가 4로 같습니다.	백의 자리 숫자가 5로 같습니다.	십의 자리 숫자를 비교하면 6>3이므로 4562>4538입니다.	

개념 Check

두 수의 크기 비교가 바른 곳에 ○표 하세요.

7239<7261 (○)　　7239>7261

1 ○ 안에 > 또는 <를 알맞게 써넣으세요.

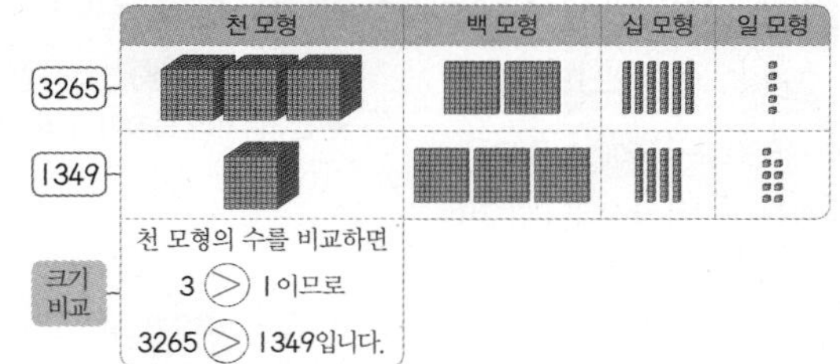

천 모형의 수를 비교하면 3 > 1이므로 3265 > 1349입니다.

✤ 3265 > 1349 (3>1)

2 □ 안에 알맞은 수를 써넣고 ○ 안에 > 또는 <를 알맞게 써넣으세요.

	천의 자리	백의 자리	십의 자리	일의 자리
7648	7	6	4	8
7652	7	6	5	2
크기 비교	천의 자리 숫자가 7(으)로 같고 백의 자리 숫자가 6(으)로 같습니다.		십의 자리 숫자를 비교하면 4 < 5이므로 7648 < 7652입니다.	

✤ 7648 < 7652 (4<5)

3 두 수의 크기를 비교하여 ○ 안에 > 또는 <를 알맞게 써넣으세요.

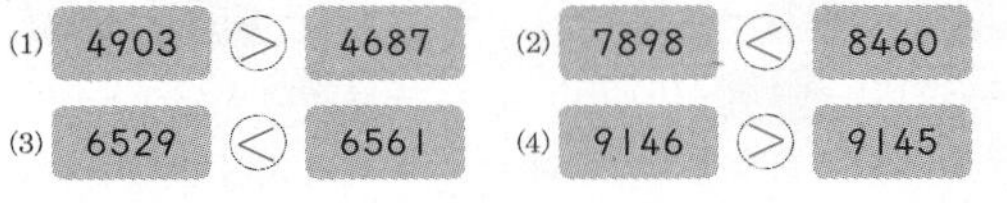

(1) 4903 > 4687　(2) 7898 < 8460

(3) 6529 < 6561　(4) 9146 > 9145

✤ (1) 4903 > 4687 (9>6)　(2) 7898 < 8460 (7<8)

(3) 6529 < 6561 (2<6)　(4) 9146 > 9145 (6>5)

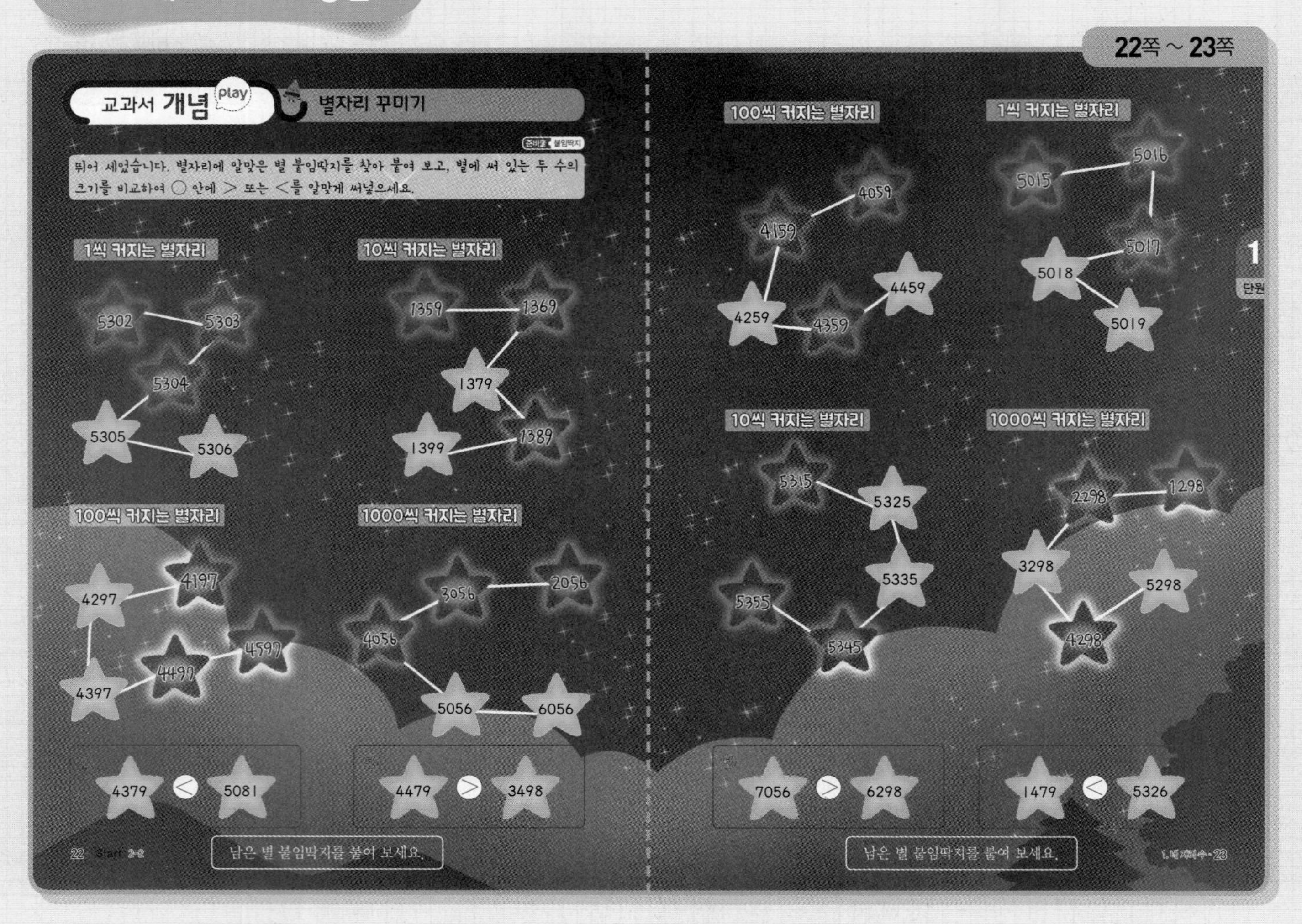
22쪽 ~ 23쪽
교과서 개념 play 별자리 꾸미기
뛰어 세었습니다. 별자리에 알맞은 별 붙임딱지를 찾아 붙여 보고, 별에 써 있는 두 수의 크기를 비교하여 ○ 안에 > 또는 <를 알맞게 써넣으세요.
1씩 커지는 별자리
5302 5303 5304 5305 5306
10씩 커지는 별자리
1359 1369 1379 1389 1399
100씩 커지는 별자리
4197 4297 4397 4497 4597
1000씩 커지는 별자리
2056 3056 4056 5056 6056
4379 < 5081
4479 > 3498
남은 별 붙임딱지를 붙여 보세요.
100씩 커지는 별자리
4059 4159 4259 4359 4459
1씩 커지는 별자리
5015 5016 5017 5018 5019
10씩 커지는 별자리
5315 5325 5335 5345 5355
1000씩 커지는 별자리
1298 2298 3298 4298 5298
7056 > 6298
1479 < 5326
남은 별 붙임딱지를 붙여 보세요.

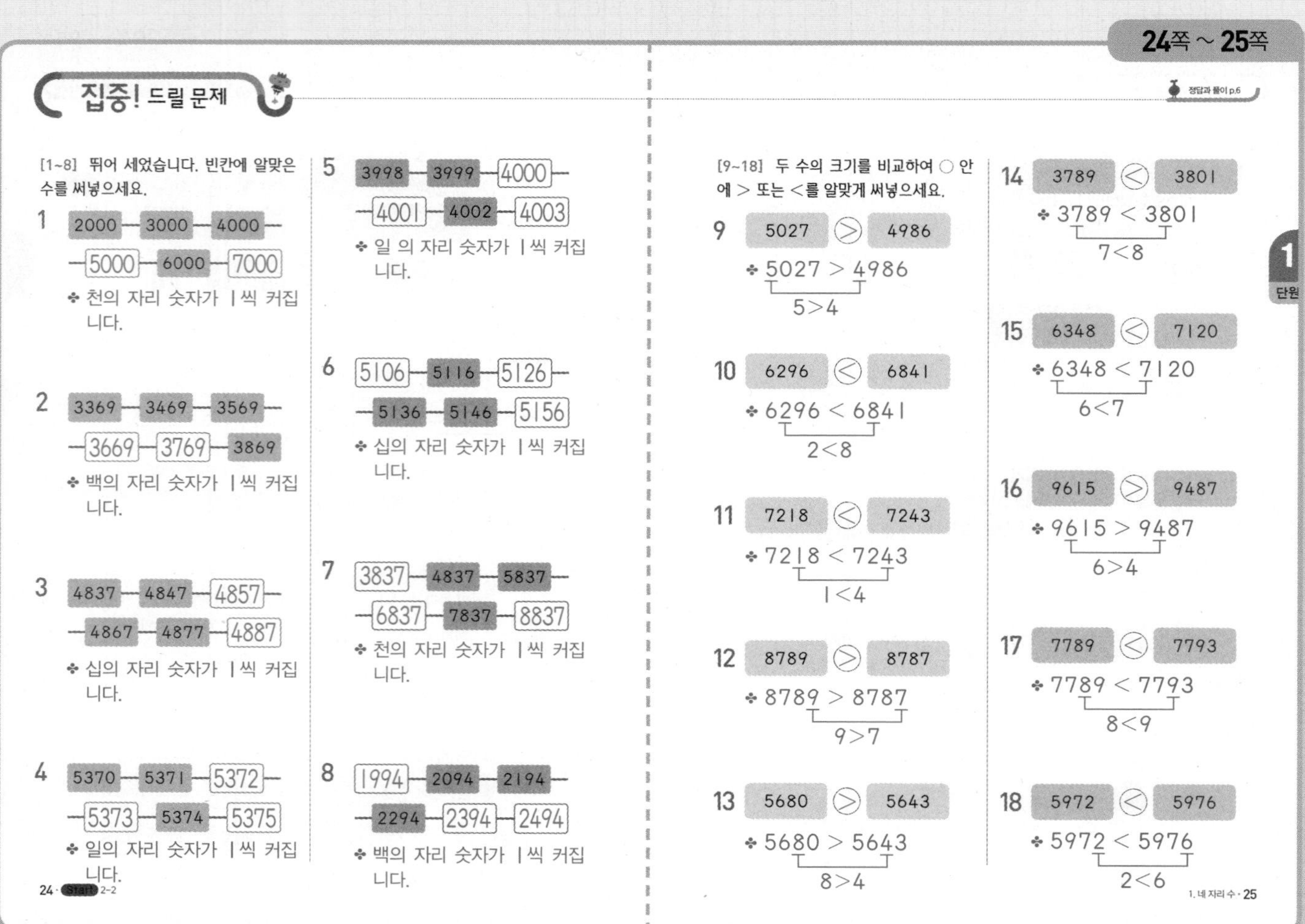
24쪽 ~ 25쪽
집중! 드릴 문제
[1~8] 뛰어 세었습니다. 빈칸에 알맞은 수를 써넣으세요.
1 2000 — 3000 — 4000 — 5000 — 6000 — 7000
천의 자리 숫자가 1씩 커집니다.
2 3369 — 3469 — 3569 — 3669 — 3769 — 3869
백의 자리 숫자가 1씩 커집니다.
3 4837 — 4847 — 4857 — 4867 — 4877 — 4887
십의 자리 숫자가 1씩 커집니다.
4 5370 — 5371 — 5372 — 5373 — 5374 — 5375
일의 자리 숫자가 1씩 커집니다.
5 3998 — 3999 — 4000 — 4001 — 4002 — 4003
일의 자리 숫자가 1씩 커집니다.
6 5106 — 5116 — 5126 — 5136 — 5146 — 5156
십의 자리 숫자가 1씩 커집니다.
7 3837 — 4837 — 5837 — 6837 — 7837 — 8837
천의 자리 숫자가 1씩 커집니다.
8 1994 — 2094 — 2194 — 2294 — 2394 — 2494
백의 자리 숫자가 1씩 커집니다.
[9~18] 두 수의 크기를 비교하여 ○ 안에 > 또는 <를 알맞게 써넣으세요.
9 5027 > 4986 / 5>4
10 6296 < 6841 / 2<8
11 7218 < 7243 / 1<4
12 8789 > 8787 / 9>7
13 5680 > 5643 / 8>4
14 3789 < 3801 / 7<8
15 6348 < 7120 / 6<7
16 9615 > 9487 / 6>4
17 7789 < 7793 / 8<9
18 5972 < 5976 / 2<6

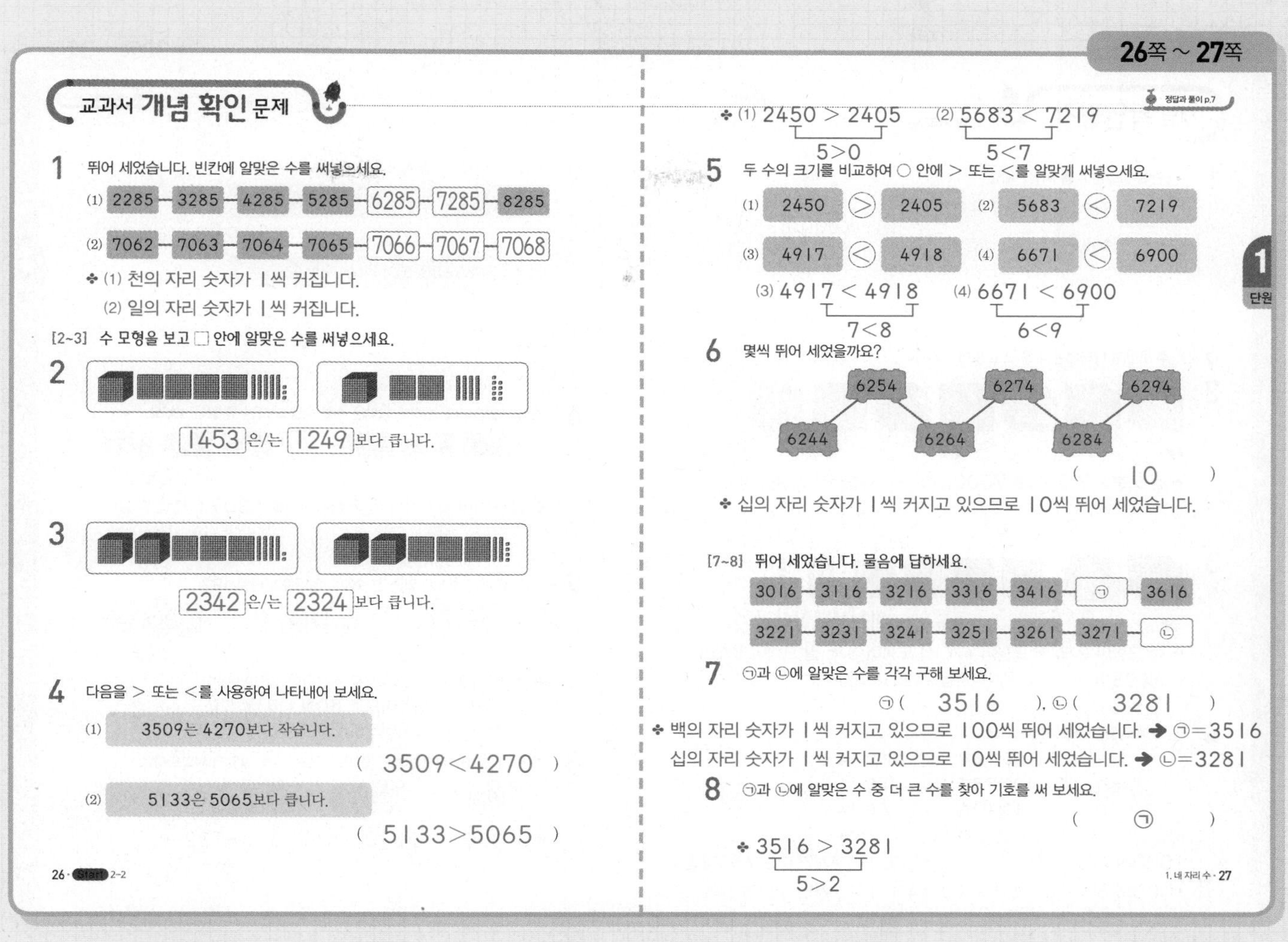

26쪽 ~ 27쪽

교과서 개념 확인 문제

정답과 풀이 p.7

1 뛰어 세었습니다. 빈칸에 알맞은 수를 써넣으세요.

(1) 2285 — 3285 — 4285 — 5285 — [6285] — [7285] — 8285

(2) 7062 — 7063 — 7064 — 7065 — [7066] — [7067] — [7068]

✤ (1) 천의 자리 숫자가 1씩 커집니다.
(2) 일의 자리 숫자가 1씩 커집니다.

[2~3] 수 모형을 보고 □ 안에 알맞은 수를 써넣으세요.

2

[1453]은/는 [1249]보다 큽니다.

3

[2342]은/는 [2324]보다 큽니다.

4 다음을 > 또는 <를 사용하여 나타내어 보세요.

(1) 3509는 4270보다 작습니다.

(3509<4270)

(2) 5133은 5065보다 큽니다.

(5133>5065)

26 · Start 2-2

✤ (1) 2450 > 2405 (5>0) (2) 5683 < 7219 (5<7)

5 두 수의 크기를 비교하여 ○ 안에 > 또는 <를 알맞게 써넣으세요.

(1) 2450 (>) 2405 (2) 5683 (<) 7219

(3) 4917 (<) 4918 (4) 6671 (<) 6900

✤ (3) 4917 < 4918 (7<8) (4) 6671 < 6900 (6<9)

6 몇씩 뛰어 세었을까요?

6244 — 6254 — 6264 — 6274 — 6284 — 6294

(10)

✤ 십의 자리 숫자가 1씩 커지고 있으므로 10씩 뛰어 세었습니다.

[7~8] 뛰어 세었습니다. 물음에 답하세요.

3016 — 3116 — 3216 — 3316 — 3416 — ㉠ — 3616

3221 — 3231 — 3241 — 3251 — 3261 — 3271 — ㉡

7 ㉠과 ㉡에 알맞은 수를 각각 구해 보세요.

㉠ (3516), ㉡ (3281)

✤ 백의 자리 숫자가 1씩 커지고 있으므로 100씩 뛰어 세었습니다. ➜ ㉠=3516
십의 자리 숫자가 1씩 커지고 있으므로 10씩 뛰어 세었습니다. ➜ ㉡=3281

8 ㉠과 ㉡에 알맞은 수 중 더 큰 수를 찾아 기호를 써 보세요.

(㉠)

✤ 3516 > 3281 (5>2)

1. 네 자리 수 · 27

1 단원

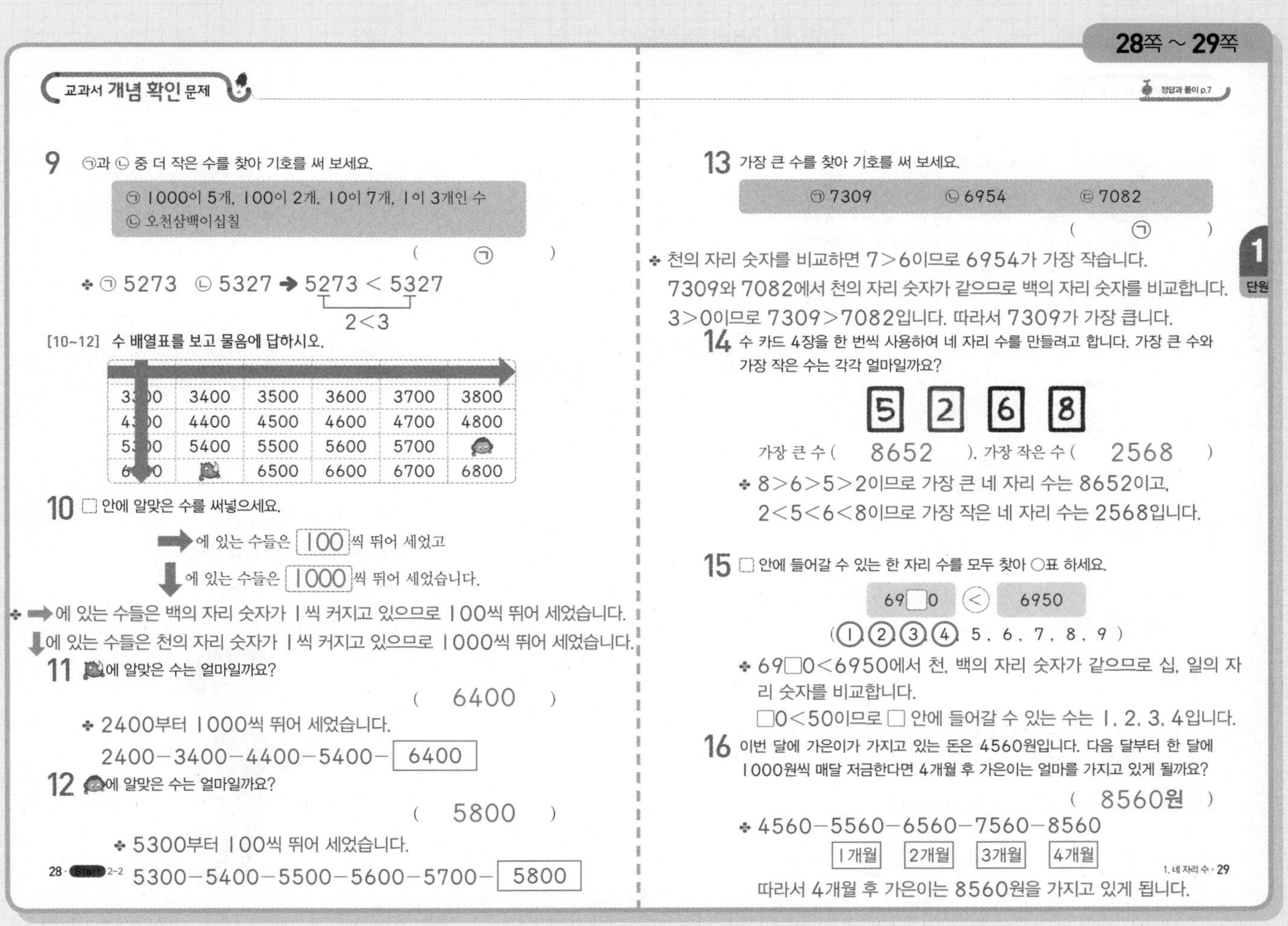

28쪽 ~ 29쪽

교과서 개념 확인 문제

정답과 풀이 p.7

9 ㉠과 ㉡ 중 더 작은 수를 찾아 기호를 써 보세요.

㉠ 1000이 5개, 100이 2개, 10이 7개, 1이 3개인 수
㉡ 오천삼백이십칠

(㉠)

✤ ㉠ 5273 ㉡ 5327 ➜ 5273 < 5327 (2<3)

[10~12] 수 배열표를 보고 물음에 답하시오.

3[illegible]00	3400	3500	3600	3700	3800
4[illegible]00	4400	4500	4600	4700	4800
5[illegible]00	5400	5500	5600	5700	
6[illegible]0		6500	6600	6700	6800

10 □ 안에 알맞은 수를 써넣으세요.

➡에 있는 수들은 [100]씩 뛰어 세었고
⬇에 있는 수들은 [1000]씩 뛰어 세었습니다.

✤ ➡에 있는 수들은 백의 자리 숫자가 1씩 커지고 있으므로 100씩 뛰어 세었습니다.
⬇에 있는 수들은 천의 자리 숫자가 1씩 커지고 있으므로 1000씩 뛰어 세었습니다.

11 에 알맞은 수는 얼마일까요?

(6400)

✤ 2400부터 1000씩 뛰어 세었습니다.
2400—3400—4400—5400—[6400]

12 에 알맞은 수는 얼마일까요?

(5800)

✤ 5300부터 100씩 뛰어 세었습니다.
5300—5400—5500—5600—5700—[5800]

28 · Start 2-2

13 가장 큰 수를 찾아 기호를 써 보세요.

㉠ 7309 ㉡ 6954 ㉢ 7082

(㉠)

✤ 천의 자리 숫자를 비교하면 7>6이므로 6954가 가장 작습니다.
7309와 7082에서 천의 자리 숫자가 같으므로 백의 자리 숫자를 비교합니다.
3>0이므로 7309>7082입니다. 따라서 7309가 가장 큽니다.

14 수 카드 4장을 한 번씩 사용하여 네 자리 수를 만들려고 합니다. 가장 큰 수와 가장 작은 수는 각각 얼마일까요?

5 2 6 8

가장 큰 수 (8652), 가장 작은 수 (2568)

✤ 8>6>5>2이므로 가장 큰 네 자리 수는 8652이고,
2<5<6<8이므로 가장 작은 네 자리 수는 2568입니다.

15 □ 안에 들어갈 수 있는 한 자리 수를 모두 찾아 ○표 하세요.

69□0 (<) 6950

(①, ②, ③, ④, 5, 6, 7, 8, 9)

✤ 69□0<6950에서 천, 백의 자리 숫자가 같으므로 십, 일의 자리 숫자를 비교합니다.
□0<50이므로 □ 안에 들어갈 수 있는 수는 1, 2, 3, 4입니다.

16 이번 달에 가은이가 가지고 있는 돈은 4560원입니다. 다음 달부터 한 달에 1000원씩 매달 저금한다면 4개월 후 가은이는 얼마를 가지고 있게 될까요?

(8560원)

✤ 4560—5560—6560—7560—8560
(1개월, 2개월, 3개월, 4개월)
따라서 4개월 후 가은이는 8560원을 가지고 있게 됩니다.

1. 네 자리 수 · 29

1 단원

30쪽 ~ 31쪽

개념 확인평가

1. 네 자리 수

맞은 개수

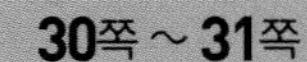

정답과 풀이 p.8

1 □ 안에 알맞은 수를 써넣으세요.

999보다 [1]만큼 더 큰 수
900보다 [100]만큼 더 큰 수
는 1000입니다.

[2~3] 수 모형이 나타내는 수를 쓰고 읽어 보세요.

2

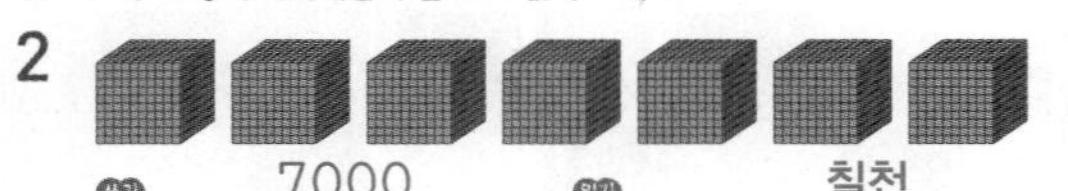

쓰기 7000 읽기 칠천

✤ 천 모형이 7개이므로 7000이라 쓰고 칠천이라고 읽습니다.

3

쓰기 2438 읽기 이천사백삼십팔

✤ 천 모형이 2개, 백 모형이 4개, 십 모형이 3개, 일 모형이 8개이므로 2438이라 쓰고 이천사백삼십팔이라고 읽습니다.

4 □ 안에 알맞은 수를 써넣으세요.

(1) [6972]은/는 1000이 6개, 100이 9개, 10이 7개, 1이 2개

(2) 1000이 8개, 100이 0개, 10이 4개, 1이 1개이면 [8041]

✤ (1) 1000이 6개, 100이 9개, 10이 7개, 1이 2개인 수는 6972입니다.
(2) 1000이 8개, 100이 0개, 10이 4개, 1이 1개인 수는 8041입니다.

5 다음을 > 또는 <를 사용하여 나타내어 보세요.

(1) 4937은 4898보다 큽니다.
(4937>4898)

(2) 8263은 8281보다 작습니다.
(8263<8281)

1 단원

6 뛰어 세었습니다. 빈칸에 알맞은 수를 써넣고 그 수를 읽어 보세요.

4277 – 4287 – 4297 – [4307] – 4317 – 4327 – 4337

(사천삼백칠)

✤ 십의 자리 숫자가 1씩 커집니다. ➔ 4307 (사천삼백칠)

7 다음 네 자리 수에서 밑줄 친 숫자는 얼마를 나타낼까요?

(1) 1<u>6</u>45 (2) 67<u>8</u>2 (3) <u>3</u>059

(600) (80) (3000)

✤ (1) 백의 자리 숫자이므로 600을 나타냅니다.
(2) 십의 자리 숫자이므로 80을 나타냅니다.
(3) 천의 자리 숫자이므로 3000을 나타냅니다.

8 두 수의 크기를 비교하여 ○ 안에 > 또는 <를 알맞게 써넣으세요.

(1) 3004 (>) 2890 (2) 6718 (<) 6732

✤ (1) 3004 > 2890 (3>2) (2) 6718 < 6732 (1<3)

32쪽

개념 확인평가

1. 네 자리 수

정답과 풀이 p.8

[9~11] 수 배열표를 보고 물음에 답하세요.

3841	3851	3861	3871	3881	3891
4841	4851	4861	4871	4881	4891
6841	6851	6861	6871	6881	6891
7841	7851	7861	7871	7881	
8841	[illegible]		8871	8881	8891

9 □ 안에 알맞은 수를 써넣으세요.

➡에 있는 수들은 [10]씩 뛰어 세었고
⬇에 있는 수들은 [1000]씩 뛰어 세었습니다.

✤ ➡에 있는 수들은 십의 자리 숫자가 1씩 커지고 있으므로 10씩 뛰어 세었습니다.
⬇에 있는 수들은 천의 자리 숫자가 1씩 커지고 있으므로 1000씩 뛰어 세었습니다.

10 에 알맞은 수는 얼마일까요?

(8861)

✤ 3861–4861–5861–6861–7861–[8861]
➔ =8861

11 에 알맞은 수는 얼마일까요?

(7891)

✤ 7841–7851–7861–7871–7881–[7891]
➔ =7891

12 5625부터 10씩 5번 뛰어 센 수는 얼마일까요?

(5675)

✤ 5625–5635–5645–5655–5665–5675
(1번) (2번) (3번) (4번) (5번)

[GO! 매쓰]
여기까지 1단원 내용입니다.
다음부터는 2단원 내용이
시작합니다.

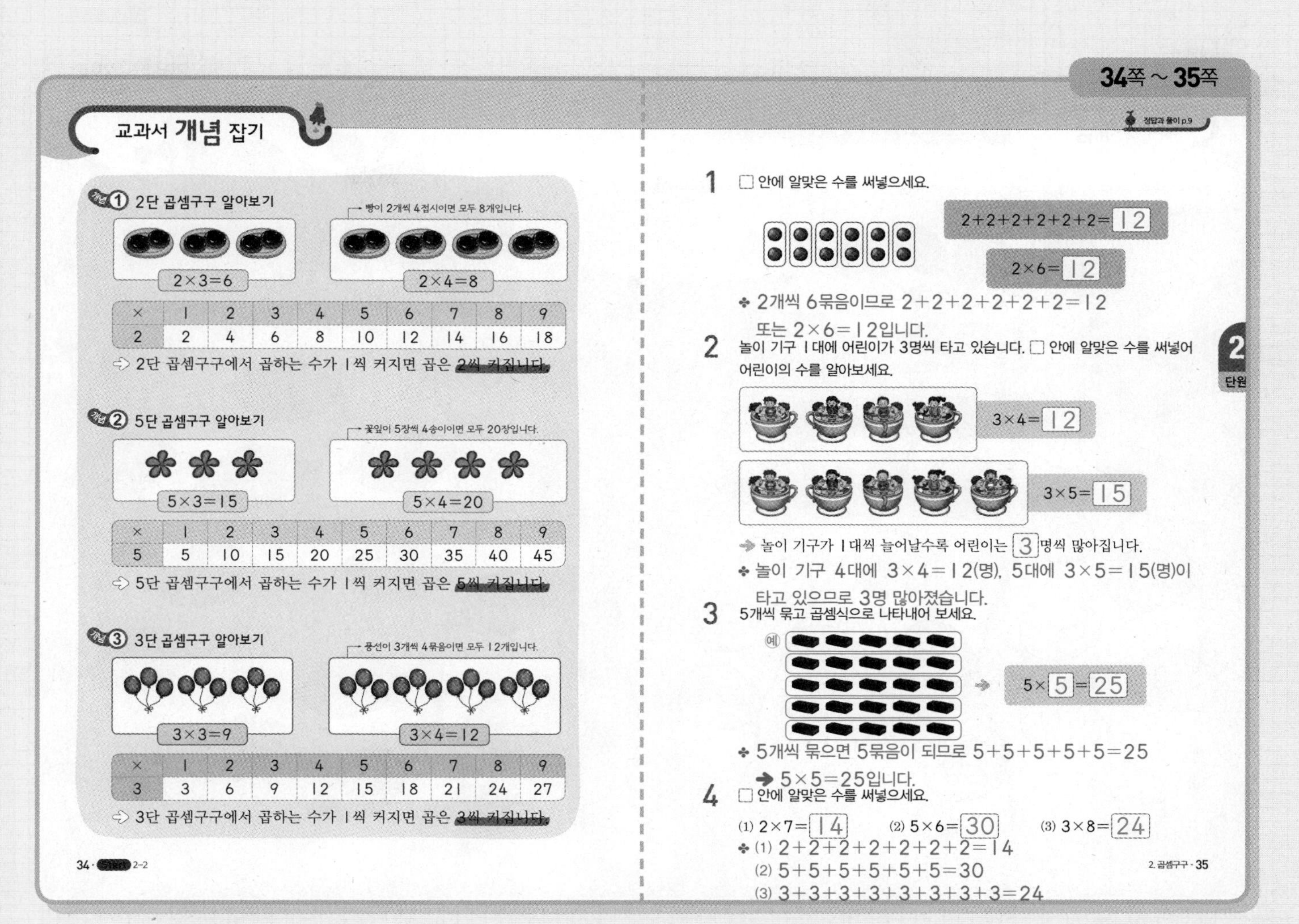

34쪽 ~ 35쪽

교과서 개념 잡기

개념 ① 2단 곱셈구구 알아보기

빵이 2개씩 4접시이면 모두 8개입니다.

2×3=6　　2×4=8

×	1	2	3	4	5	6	7	8	9
2	2	4	6	8	10	12	14	16	18

⇨ 2단 곱셈구구에서 곱하는 수가 1씩 커지면 곱은 2씩 커집니다.

개념 ② 5단 곱셈구구 알아보기

꽃잎이 5장씩 4송이이면 모두 20장입니다.

5×3=15　　5×4=20

×	1	2	3	4	5	6	7	8	9
5	5	10	15	20	25	30	35	40	45

⇨ 5단 곱셈구구에서 곱하는 수가 1씩 커지면 곱은 5씩 커집니다.

개념 ③ 3단 곱셈구구 알아보기

풍선이 3개씩 4묶음이면 모두 12개입니다.

3×3=9　　3×4=12

×	1	2	3	4	5	6	7	8	9
3	3	6	9	12	15	18	21	24	27

⇨ 3단 곱셈구구에서 곱하는 수가 1씩 커지면 곱은 3씩 커집니다.

34 · 2-2

정답과 풀이 p.9

1 □ 안에 알맞은 수를 써넣으세요.

2+2+2+2+2+2=[12]

2×6=[12]

✤ 2개씩 6묶음이므로 2+2+2+2+2+2=12 또는 2×6=12입니다.

2 놀이 기구 1대에 어린이가 3명씩 타고 있습니다. □ 안에 알맞은 수를 써넣어 어린이의 수를 알아보세요.

3×4=[12]

3×5=[15]

➔ 놀이 기구가 1대씩 늘어날수록 어린이는 [3]명씩 많아집니다.

✤ 놀이 기구 4대에 3×4=12(명), 5대에 3×5=15(명)이 타고 있으므로 3명 많아졌습니다.

3 5개씩 묶고 곱셈식으로 나타내어 보세요.

예 ➔ 5×[5]=[25]

✤ 5개씩 묶으면 5묶음이 되므로 5+5+5+5+5=25 ➔ 5×5=25입니다.

4 □ 안에 알맞은 수를 써넣으세요.

(1) 2×7=[14]　(2) 5×6=[30]　(3) 3×8=[24]

✤ (1) 2+2+2+2+2+2+2=14

(2) 5+5+5+5+5+5=30

(3) 3+3+3+3+3+3+3+3=24

2. 곱셈구구 · 35

2 단원

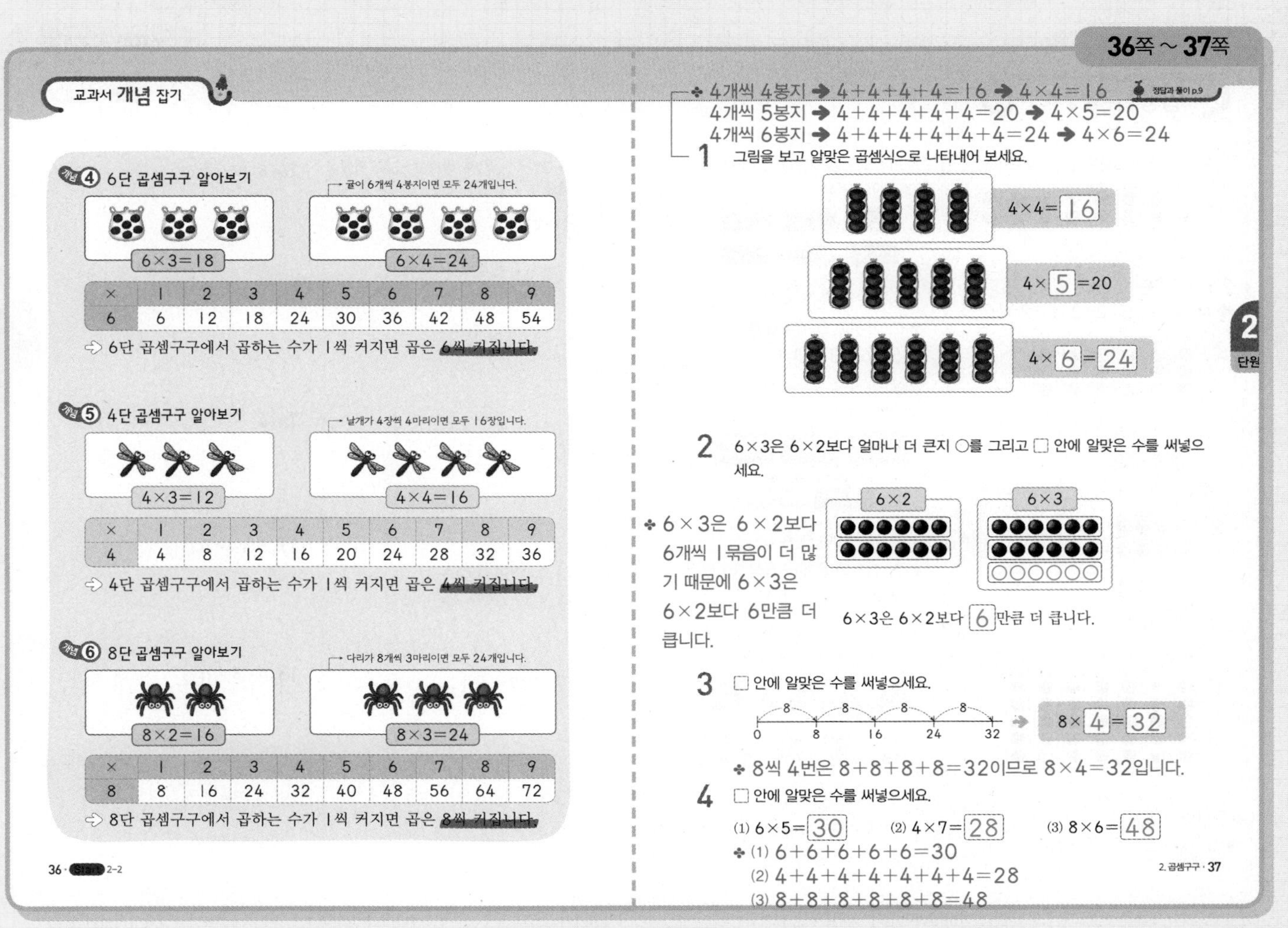

36쪽 ~ 37쪽

교과서 개념 잡기

개념 ④ 6단 곱셈구구 알아보기

귤이 6개씩 4봉지이면 모두 24개입니다.

6×3=18　　6×4=24

×	1	2	3	4	5	6	7	8	9
6	6	12	18	24	30	36	42	48	54

⇨ 6단 곱셈구구에서 곱하는 수가 1씩 커지면 곱은 6씩 커집니다.

개념 ⑤ 4단 곱셈구구 알아보기

날개가 4장씩 4마리이면 모두 16장입니다.

4×3=12　　4×4=16

×	1	2	3	4	5	6	7	8	9
4	4	8	12	16	20	24	28	32	36

⇨ 4단 곱셈구구에서 곱하는 수가 1씩 커지면 곱은 4씩 커집니다.

개념 ⑥ 8단 곱셈구구 알아보기

다리가 8개씩 3마리이면 모두 24개입니다.

8×2=16　　8×3=24

×	1	2	3	4	5	6	7	8	9
8	8	16	24	32	40	48	56	64	72

⇨ 8단 곱셈구구에서 곱하는 수가 1씩 커지면 곱은 8씩 커집니다.

36 · 2-2

정답과 풀이 p.9

✤ 4개씩 4봉지 ➔ 4+4+4+4=16 ➔ 4×4=16

4개씩 5봉지 ➔ 4+4+4+4+4=20 ➔ 4×5=20

4개씩 6봉지 ➔ 4+4+4+4+4+4=24 ➔ 4×6=24

1 그림을 보고 알맞은 곱셈식으로 나타내어 보세요.

4×4=[16]

4×[5]=20

4×[6]=[24]

2 6×3은 6×2보다 얼마나 더 큰지 ○를 그리고 □ 안에 알맞은 수를 써넣으세요.

6×2　6×3

6×3은 6×2보다 [6]만큼 더 큽니다.

✤ 6×3은 6×2보다 6개씩 1묶음이 더 많기 때문에 6×3은 6×2보다 6만큼 더 큽니다.

3 □ 안에 알맞은 수를 써넣으세요.

➔ 8×[4]=[32]

✤ 8씩 4번은 8+8+8+8=32이므로 8×4=32입니다.

4 □ 안에 알맞은 수를 써넣으세요.

(1) 6×5=[30]　(2) 4×7=[28]　(3) 8×6=[48]

✤ (1) 6+6+6+6+6=30

(2) 4+4+4+4+4+4+4=28

(3) 8+8+8+8+8+8=48

2. 곱셈구구 · 37

2 단원

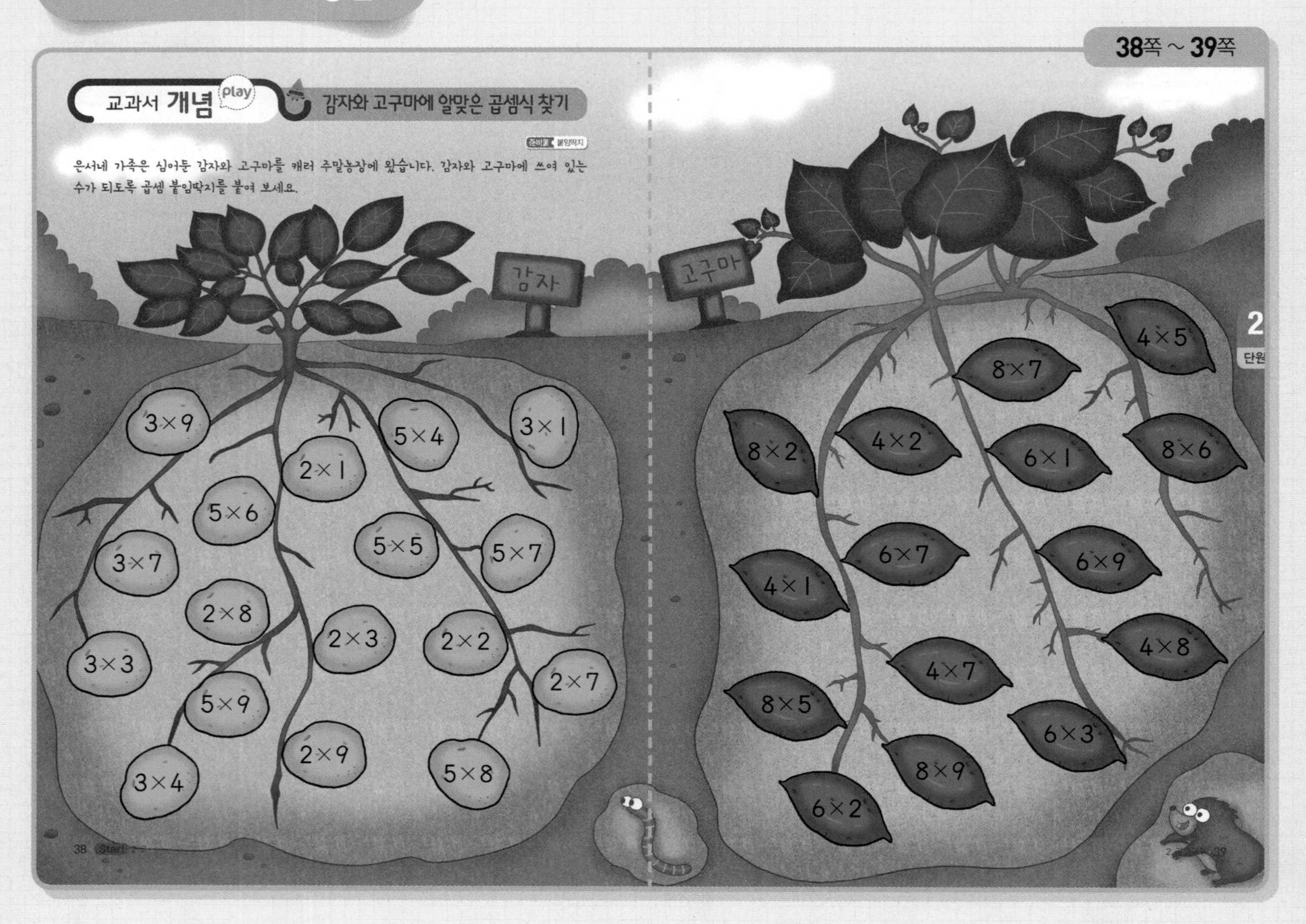
38쪽 ~ 39쪽

교과서 개념 play

감자와 고구마에 알맞은 곱셈식 찾기

준비물 붙임딱지

은서네 가족은 심어둔 감자와 고구마를 캐러 주말농장에 왔습니다. 감자와 고구마에 쓰여 있는 수가 되도록 곱셈 붙임딱지를 붙여 보세요.

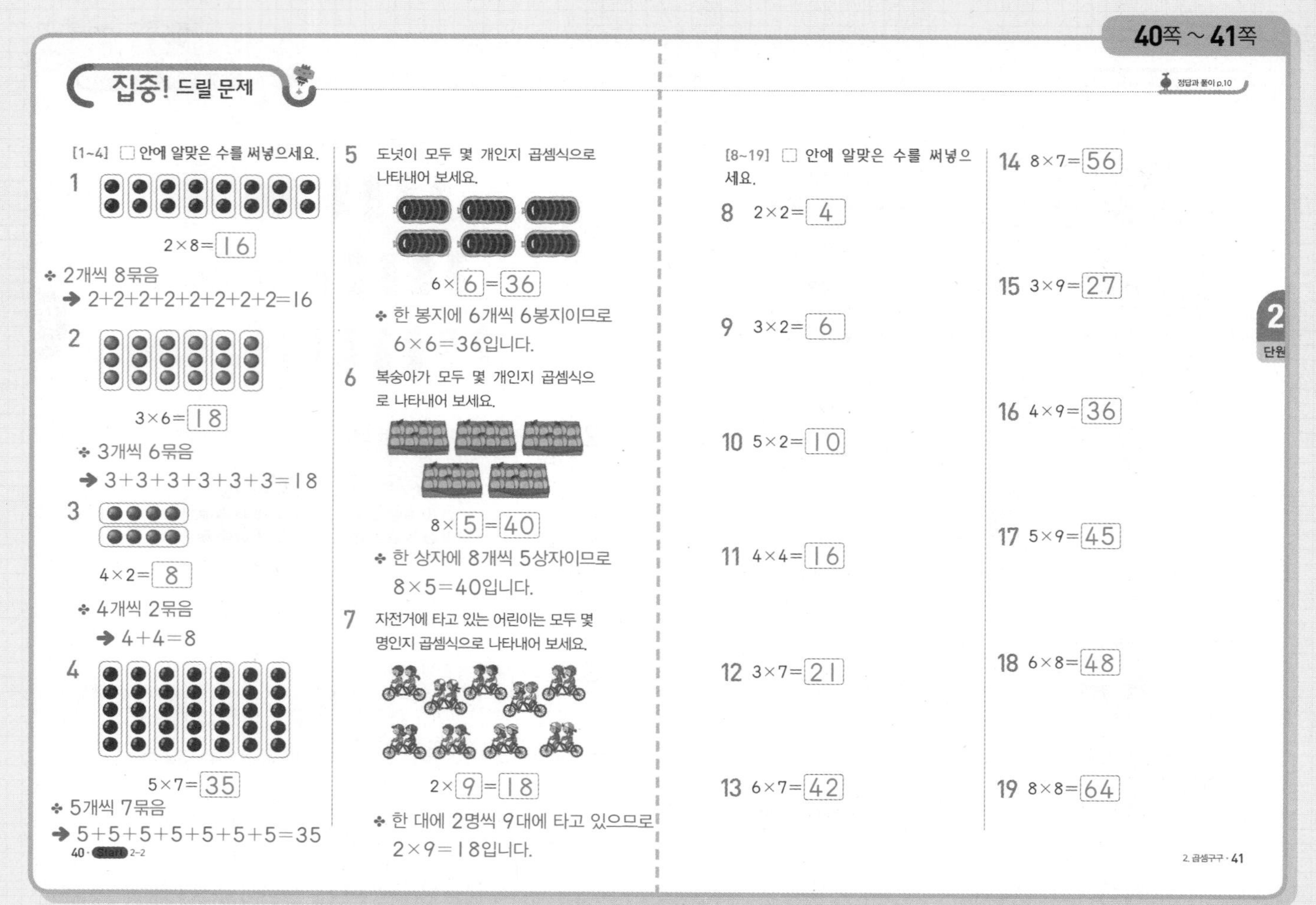
40쪽 ~ 41쪽

집중! 드릴 문제

정답과 풀이 p.10

[1~4] □ 안에 알맞은 수를 써넣으세요.

1 2×8=[16]

✤ 2개씩 8묶음
→ 2+2+2+2+2+2+2+2=16

2 3×6=[18]

✤ 3개씩 6묶음
→ 3+3+3+3+3+3=18

3 4×2=[8]

✤ 4개씩 2묶음
→ 4+4=8

4 5×7=[35]

✤ 5개씩 7묶음
→ 5+5+5+5+5+5+5=35

5 도넛이 모두 몇 개인지 곱셈식으로 나타내어 보세요.

6×[6]=[36]

✤ 한 봉지에 6개씩 6봉지이므로 6×6=36입니다.

6 복숭아가 모두 몇 개인지 곱셈식으로 나타내어 보세요.

8×[5]=[40]

✤ 한 상자에 8개씩 5상자이므로 8×5=40입니다.

7 자전거에 타고 있는 어린이는 모두 몇 명인지 곱셈식으로 나타내어 보세요.

2×[9]=[18]

✤ 한 대에 2명씩 9대에 타고 있으므로 2×9=18입니다.

[8~19] □ 안에 알맞은 수를 써넣으세요.

8 2×2=[4]

9 3×2=[6]

10 5×2=[10]

11 4×4=[16]

12 3×7=[21]

13 6×7=[42]

14 8×7=[56]

15 3×9=[27]

16 4×9=[36]

17 5×9=[45]

18 6×8=[48]

19 8×8=[64]

40 · Start 2-2

2. 곱셈구구 · 41

교과서 개념 확인 문제

정답과 풀이 p.11

1 □ 안에 알맞은 수를 써넣으세요.

(1) 6+6+6=18 → 6×3=18

(2) 4+4+4+4+4=20 → 4×5=20

(3) 8+8+8+8=32 → 8×4=32

✤ (1) 6을 3번 더하면 18입니다. → 6×3=18
(2) 4를 5번 더하면 20입니다. → 4×5=20
(3) 8을 4번 더하면 32입니다. → 8×4=32

2 곱셈식을 수직선에 나타내고 □ 안에 알맞은 수를 써넣으세요.

5×4=20

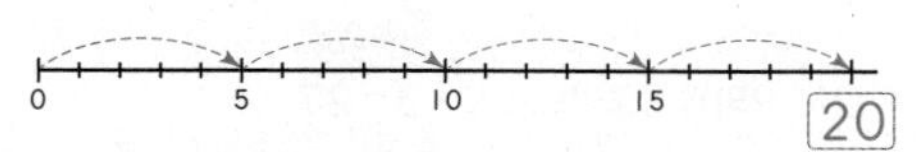

✤ 5×4는 5씩 4번이므로 20에 도착합니다.
→ 5×4=20

3 곱셈식에 맞게 ○를 그리고 □ 안에 알맞은 수를 써넣으세요.

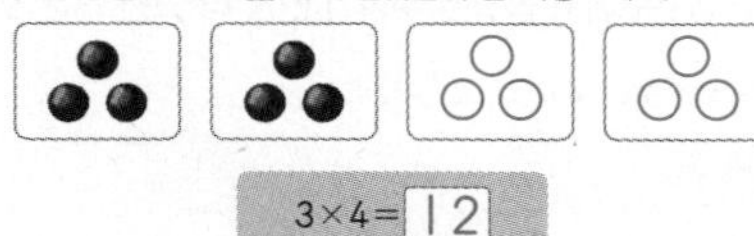

3×4=12

✤ 3×4는 3개씩 4묶음이므로 빈칸 하나에 ○를 3개씩 그립니다.

4 사탕이 모두 몇 개인지 곱셈식으로 나타내어 보세요.

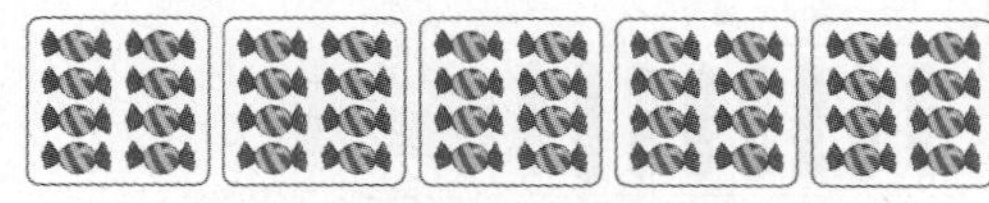

8×5=40

✤ 사탕이 한 묶음에 8개씩 5묶음 있습니다. → 8×5=40

5 2×7은 2×6보다 얼마나 더 클까요?

(2)

✤ 2단 곱셈구구에서 곱하는 수가 6에서 7로 1 커지면 곱은 2 커집니다.

6 □ 안에 알맞은 수를 써넣으세요.

(1) 2×4=8 (2) 2×7=14 (3) 5×6=30
(4) 5×9=45 (5) 3×5=15 (6) 3×7=21

7 빈 곳에 알맞은 수를 써넣으세요.

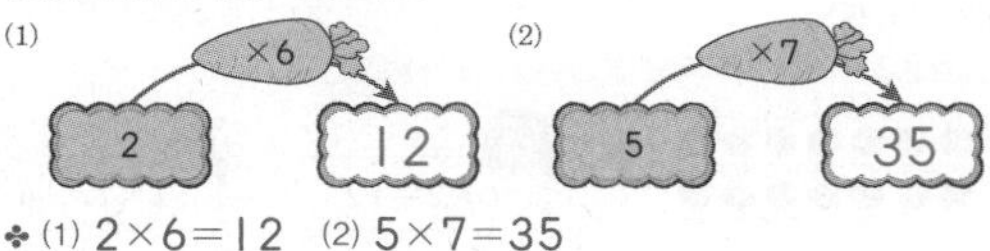

✤ (1) 2×6=12 (2) 5×7=35

교과서 개념 확인 문제

정답과 풀이 p.11

8 2단 곱셈구구의 값을 찾아 선으로 이어 보세요.

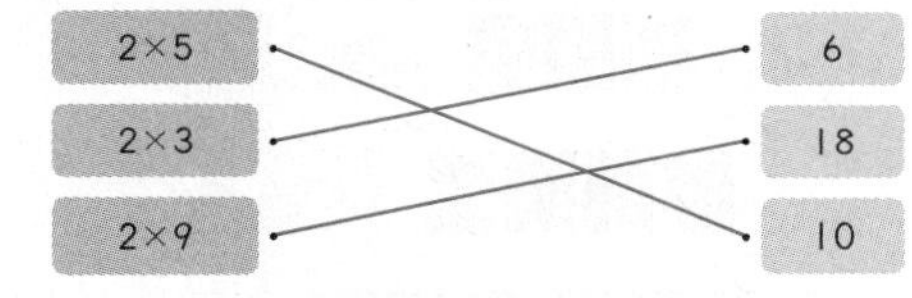

✤ 2×5=10, 2×3=6, 2×9=18

9 나무 도막의 전체 길이를 구해 보세요.

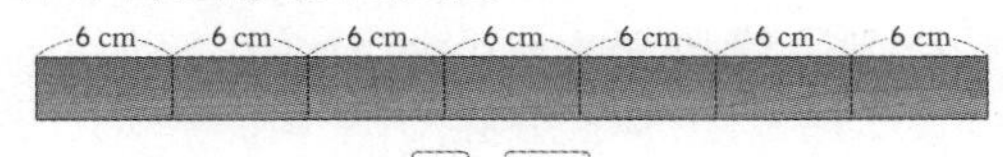

6×7=42 (cm)

✤ 6 cm씩 7개가 이어 붙어 있으므로 나무 도막의 전체 길이는 6×7=42 (cm)입니다.

10 빈칸에 알맞은 수를 써넣으세요.

×	2	3	4	5	6
3	6	9	12	15	18
4	8	12	16	20	24

✤ • 3×2=6, 3×3=9, 3×4=12, 3×5=15, 3×6=18
• 4×2=8, 4×3=12, 4×4=16, 4×5=20, 4×6=24

11 곱이 큰 것부터 순서대로 기호를 써 보세요.

㉠ 4×7 ㉡ 3×9 ㉢ 6×4

(㉠, ㉡, ㉢)

✤ ㉠ 28 ㉡ 27 ㉢ 24
→ 28>27>24

12 □ 안에 알맞은 수를 써넣으세요.

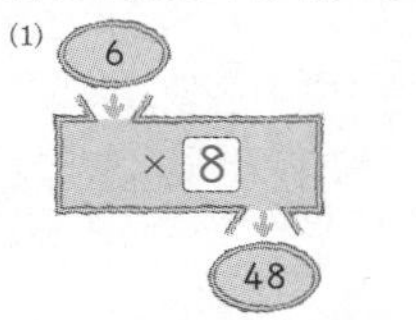

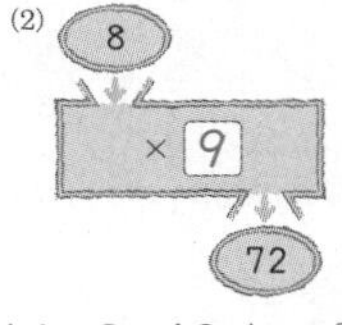

✤ (1) 6×□=48이고 6단 곱셈구구에서 6×8=48이므로 □=8입니다.
(2) 8×□=72이고 8단 곱셈구구에서 8×9=72이므로 □=9입니다.

13 귤이 모두 몇 개인지 2가지 곱셈식으로 나타내어 보세요.

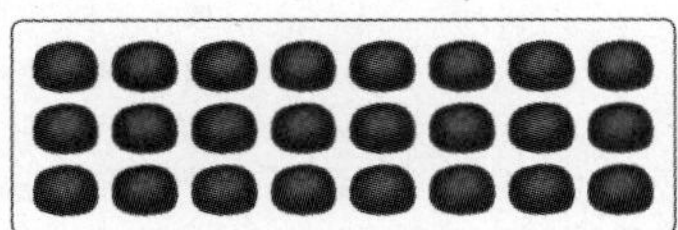

4×6=24 8×3=24

✤ • 귤을 4개씩 묶으면 6묶음입니다. → 4×6=24
• 귤을 8개씩 묶으면 3묶음입니다. → 8×3=24

14 모형의 개수를 옳게 나타낸 것을 찾아 ○표 하세요.

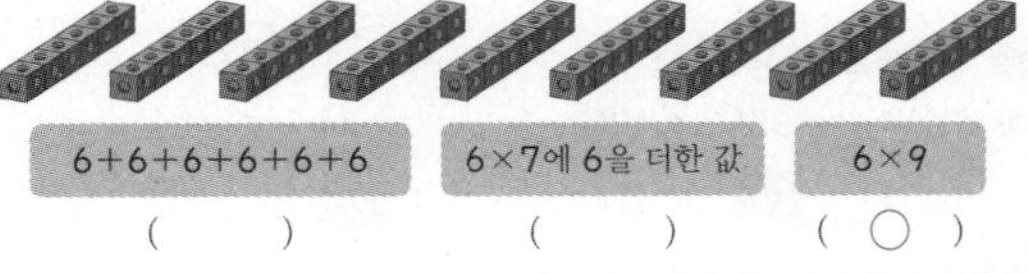

6+6+6+6+6+6	6×7에 6을 더한 값	6×9
( )	( )	(○)

✤ 모형이 6개씩 9묶음입니다. — 6+6+6+6+6+6+6+6+6 / 6×8에 6을 더한 값 / 6×9

46쪽 ~ 47쪽

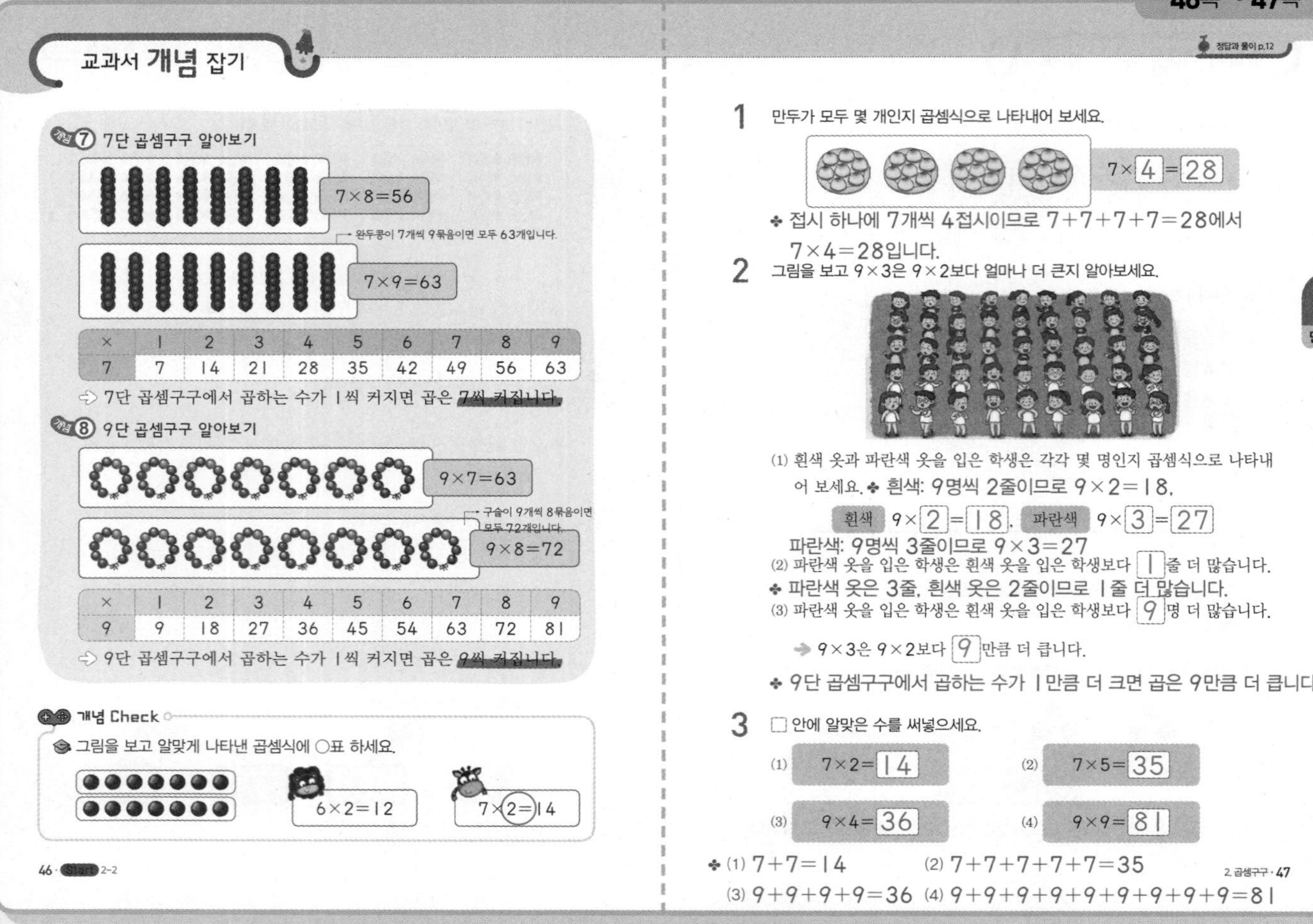

교과서 개념 잡기

개념 7 7단 곱셈구구 알아보기

$7\times8=56$

완두콩이 7개씩 9묶음이면 모두 63개입니다.

$7\times9=63$

×	1	2	3	4	5	6	7	8	9
7	7	14	21	28	35	42	49	56	63

⇨ 7단 곱셈구구에서 곱하는 수가 1씩 커지면 곱은 7씩 커집니다.

개념 8 9단 곱셈구구 알아보기

$9\times7=63$

구슬이 9개씩 8묶음이면 모두 72개입니다.

$9\times8=72$

×	1	2	3	4	5	6	7	8	9
9	9	18	27	36	45	54	63	72	81

⇨ 9단 곱셈구구에서 곱하는 수가 1씩 커지면 곱은 9씩 커집니다.

개념 Check

그림을 보고 알맞게 나타낸 곱셈식에 ○표 하세요.

$6\times2=12$ / $7\times2=14$ (○)

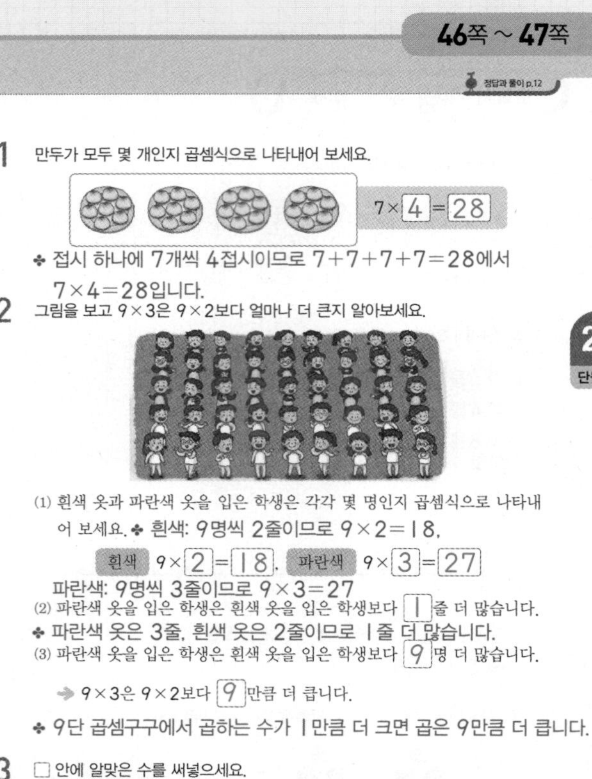

정답과 풀이 p.12

1 만두가 모두 몇 개인지 곱셈식으로 나타내어 보세요.

$7\times$ [4] $=$ [28]

✤ 접시 하나에 7개씩 4접시이므로 $7+7+7+7=28$에서 $7\times4=28$입니다.

2 그림을 보고 9×3은 9×2보다 얼마나 더 큰지 알아보세요.

(1) 흰색 옷과 파란색 옷을 입은 학생은 각각 몇 명인지 곱셈식으로 나타내어 보세요. ✤ 흰색: 9명씩 2줄이므로 $9\times2=18$,

흰색 $9\times$ [2] $=$ [18], 파란색 $9\times$ [3] $=$ [27]

파란색: 9명씩 3줄이므로 $9\times3=27$

(2) 파란색 옷을 입은 학생은 흰색 옷을 입은 학생보다 [1] 줄 더 많습니다.

✤ 파란색 옷은 3줄, 흰색 옷은 2줄이므로 1줄 더 많습니다.

(3) 파란색 옷을 입은 학생은 흰색 옷을 입은 학생보다 [9] 명 더 많습니다.

→ 9×3은 9×2보다 [9] 만큼 더 큽니다.

✤ 9단 곱셈구구에서 곱하는 수가 1만큼 더 크면 곱은 9만큼 더 큽니다.

3 □ 안에 알맞은 수를 써넣으세요.

(1) $7\times2=$ [14] (2) $7\times5=$ [35]

(3) $9\times4=$ [36] (4) $9\times9=$ [81]

✤ (1) $7+7=14$ (2) $7+7+7+7+7=35$

(3) $9+9+9+9=36$ (4) $9+9+9+9+9+9+9+9+9=81$

2 단원

48쪽 ~ 49쪽

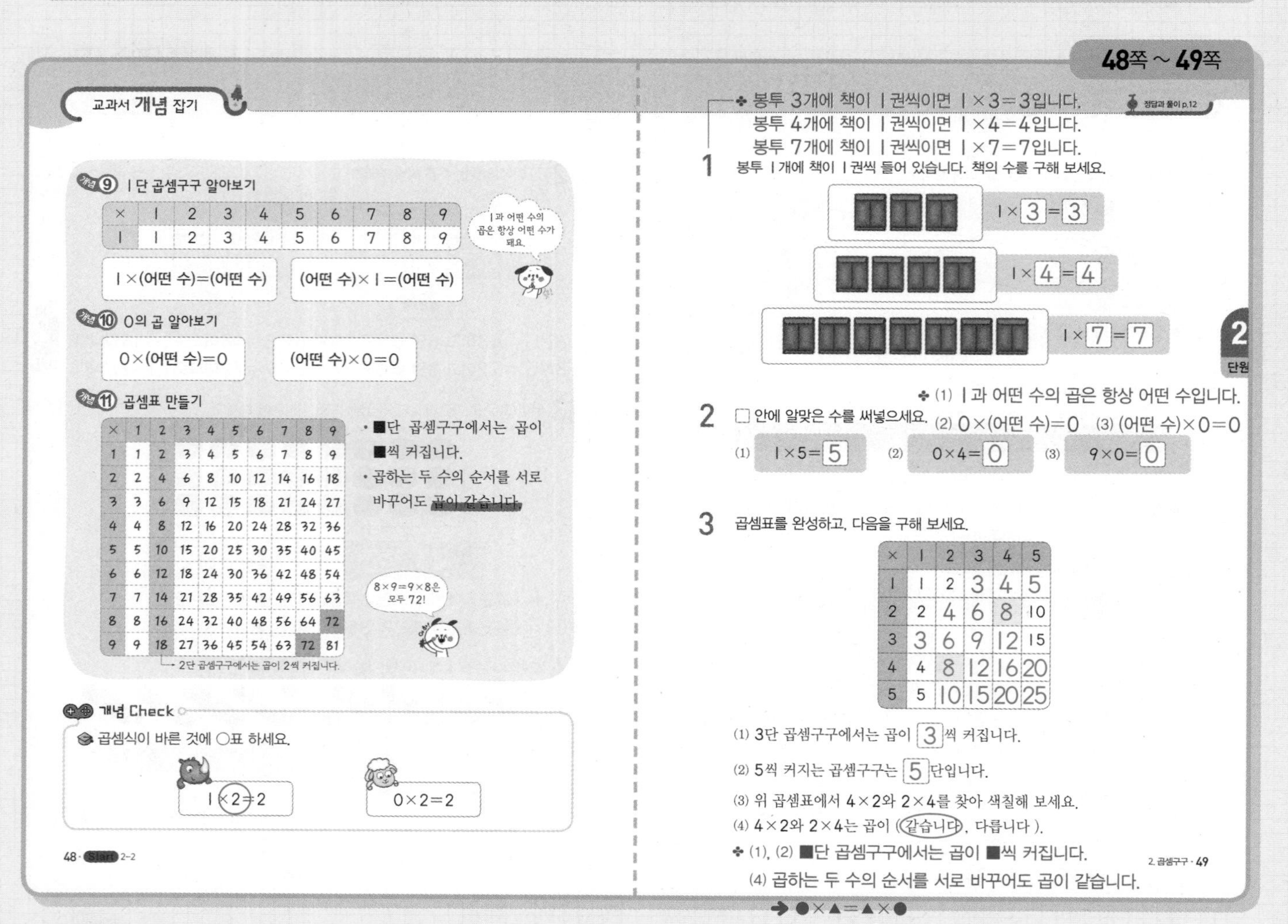

교과서 개념 잡기

개념 9 1단 곱셈구구 알아보기

×	1	2	3	4	5	6	7	8	9
1	1	2	3	4	5	6	7	8	9

1과 어떤 수의 곱은 항상 어떤 수가 돼요.

1×(어떤 수)=(어떤 수) (어떤 수)×1=(어떤 수)

개념 10 0의 곱 알아보기

0×(어떤 수)=0 (어떤 수)×0=0

개념 11 곱셈표 만들기

×	1	2	3	4	5	6	7	8	9
1	1	2	3	4	5	6	7	8	9
2	2	4	6	8	10	12	14	16	18
3	3	6	9	12	15	18	21	24	27
4	4	8	12	16	20	24	28	32	36
5	5	10	15	20	25	30	35	40	45
6	6	12	18	24	30	36	42	48	54
7	7	14	21	28	35	42	49	56	63
8	8	16	24	32	40	48	56	64	72
9	9	18	27	36	45	54	63	72	81

2단 곱셈구구에서는 곱이 2씩 커집니다.

• ■단 곱셈구구에서는 곱이 ■씩 커집니다.

• 곱하는 두 수의 순서를 서로 바꾸어도 곱이 같습니다.

8×9=9×8은 모두 72!

개념 Check

곱셈식이 바른 것에 ○표 하세요.

$1\times2=2$ (○) / $0\times2=2$

정답과 풀이 p.12

✤ 봉투 3개에 책이 1권씩이면 $1\times3=3$입니다.
봉투 4개에 책이 1권씩이면 $1\times4=4$입니다.
봉투 7개에 책이 1권씩이면 $1\times7=7$입니다.

1 봉투 1개에 책이 1권씩 들어 있습니다. 책의 수를 구해 보세요.

$1\times$ [3] $=$ [3]

$1\times$ [4] $=$ [4]

$1\times$ [7] $=$ [7]

✤ (1) 1과 어떤 수의 곱은 항상 어떤 수입니다.
(2) 0×(어떤 수)=0 (3) (어떤 수)×0=0

2 □ 안에 알맞은 수를 써넣으세요.

(1) $1\times5=$ [5] (2) $0\times4=$ [0] (3) $9\times0=$ [0]

3 곱셈표를 완성하고, 다음을 구해 보세요.

×	1	2	3	4	5
1	1	2	3	4	5
2	2	4	6	8	10
3	3	6	9	12	15
4	4	8	12	16	20
5	5	10	15	20	25

(1) 3단 곱셈구구에서는 곱이 [3] 씩 커집니다.

(2) 5씩 커지는 곱셈구구는 [5] 단입니다.

(3) 위 곱셈표에서 4×2와 2×4를 찾아 색칠해 보세요.

(4) 4×2와 2×4는 곱이 (같습니다(○), 다릅니다).

✤ (1), (2) ■단 곱셈구구에서는 곱이 ■씩 커집니다.
(4) 곱하는 두 수의 순서를 서로 바꾸어도 곱이 같습니다.
→ ●×▲=▲×●

2 단원

×	1	2	3	4	5	6
1	1	2	3	4	5	6
2	2	4	6	8	10	12
3	3	6	9	12	15	18
4	4	8	12	16	20	24
5	5	10	15	20	25	30
6	6	12	18	24	30	36
7	7	14	21	28	35	42

집중! 드릴 문제

정답과 풀이 p.13

[1~4] □ 안에 알맞은 수를 써넣으세요.

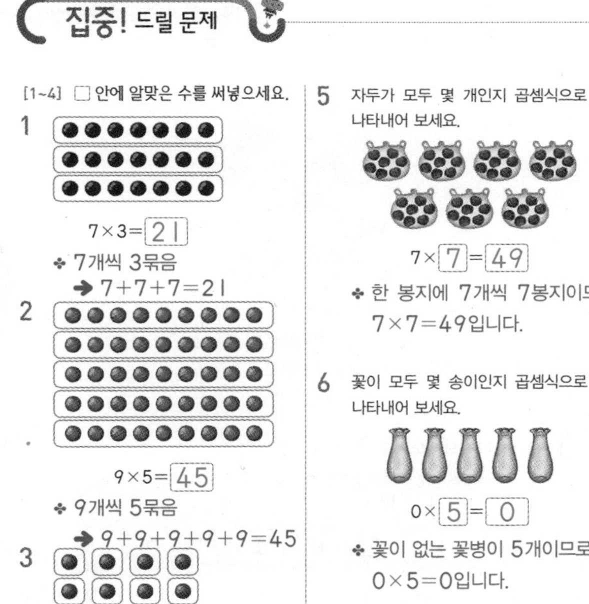

1 $7\times3=21$

✤ 7개씩 3묶음 ➔ $7+7+7=21$

2 $9\times5=45$

✤ 9개씩 5묶음 ➔ $9+9+9+9+9=45$

3 $1\times8=8$

✤ 1개씩 8묶음 ➔ $1+1+1+1+1+1+1+1=8$

4 $9\times2=18$

✤ 9개씩 2묶음 ➔ $9+9=18$

5 자두가 모두 몇 개인지 곱셈식으로 나타내어 보세요.

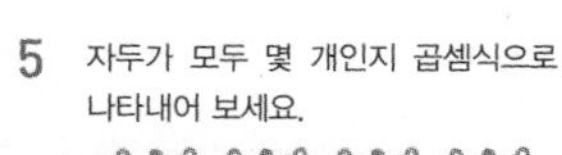

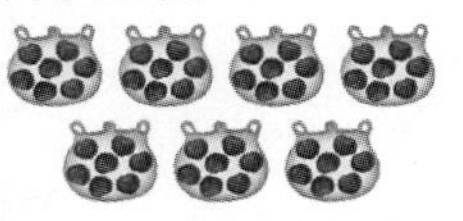

$7\times7=49$

✤ 한 봉지에 7개씩 7봉지이므로 $7\times7=49$입니다.

6 꽃이 모두 몇 송이인지 곱셈식으로 나타내어 보세요.

$0\times5=0$

✤ 꽃이 없는 꽃병이 5개이므로 $0\times5=0$입니다.

7 사과가 모두 몇 개인지 곱셈식으로 나타내어 보세요.

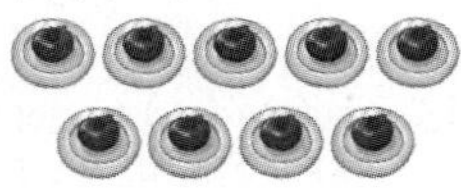

$1\times9=9$

✤ 한 접시에 1개씩 9접시이므로 $1\times9=9$입니다.

[8~14] □ 안에 알맞은 수를 써넣으세요.

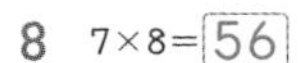

8 $7\times8=56$

9 $9\times8=72$

10 $1\times7=7$

✤ 1과 어떤 수의 곱은 항상 어떤 수가 됩니다.

11 $0\times7=0$

✤ 0과 어떤 수의 곱은 항상 0입니다.

12 $2\times0=0$

✤ 어떤 수와 0의 곱은 항상 0입니다.

13 $7\times9=63$

14 $9\times9=81$

[15~18] 빈칸에 알맞은 수를 써넣어 곱셈표를 완성해 보세요.

15

×	1	2
3	3	6
4	4	8

16

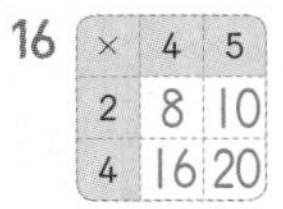

×	4	5
2	8	10
4	16	20

17

×	1	4	5
1	1	4	5
3	3	12	15
6	6	24	30

18

×	7	9
8	56	72
9	63	81

정답과 풀이 p.14

1 붕어빵이 모두 몇 개인지 곱셈식으로 나타내어 보세요.

$1\times 6=6$

✤ 붕어빵이 접시에 한 개씩 6접시이므로 $1\times 6=6$입니다.

2 어항에 있는 금붕어가 모두 몇 마리인지 곱셈식으로 나타내어 보세요.

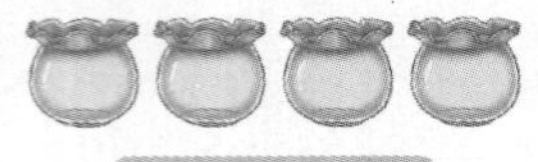

$0\times 4=0$

✤ 금붕어가 한 마리도 없는 어항이 4개이므로 금붕어의 수를 곱셈식으로 나타내면 $0\times 4=0$입니다.

3 7단 곱셈구구로 뛴 전체 거리를 구해 보세요.

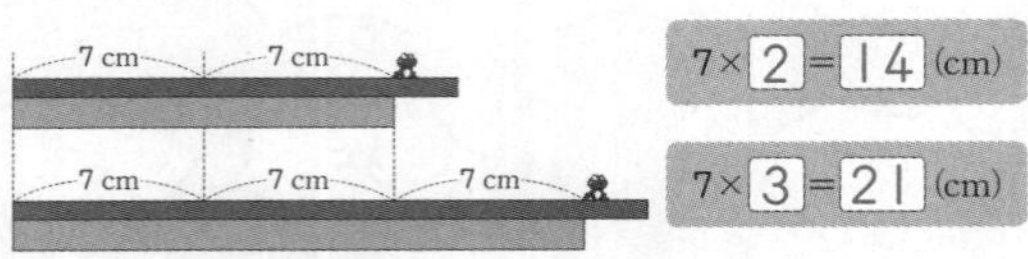

$7\times 2=14$ (cm)

$7\times 3=21$ (cm)

✤ 7 cm씩 2번 뛰면 $7\times 2=14$ (cm)
7 cm씩 3번 뛰면 $7\times 3=21$ (cm)

4 빈칸에 알맞은 수를 써넣어 곱셈표를 완성해 보세요.

(1)

×	0	1	2
1	0	1	2
2	0	2	4
3	0	3	6

(2)

×	3	4	5
3	9	12	15
4	12	16	20
5	15	20	25

5 □ 안에 알맞은 수를 써넣으세요.

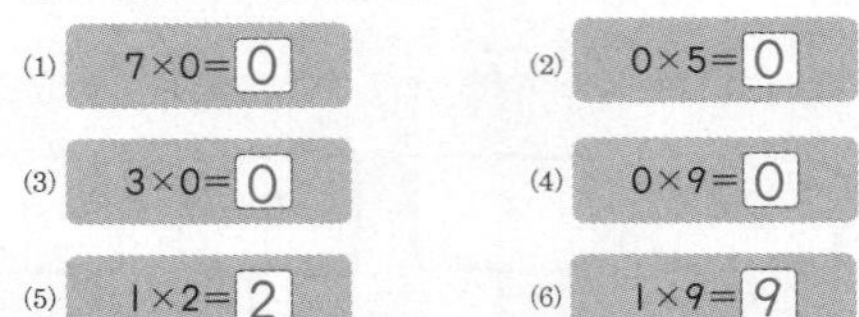

(1) $7\times 0=0$ (2) $0\times 5=0$

(3) $3\times 0=0$ (4) $0\times 9=0$

(5) $1\times 2=2$ (6) $1\times 9=9$

✤ (1)~(4) (어떤 수)$\times 0=0$, $0\times$(어떤 수)$=0$
(5), (6) $1\times$(어떤 수)=(어떤 수)

6 빈칸에 알맞은 수를 써넣으세요.

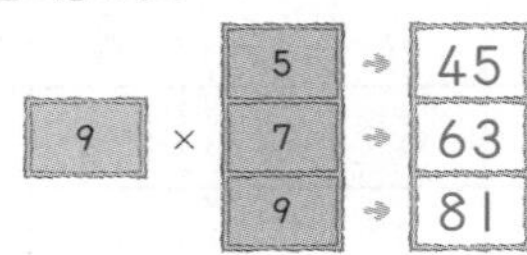

✤ $9\times 5=45$, $9\times 7=63$, $9\times 9=81$

7 7단 곱셈구구의 값을 찾아 선으로 이어 보세요.

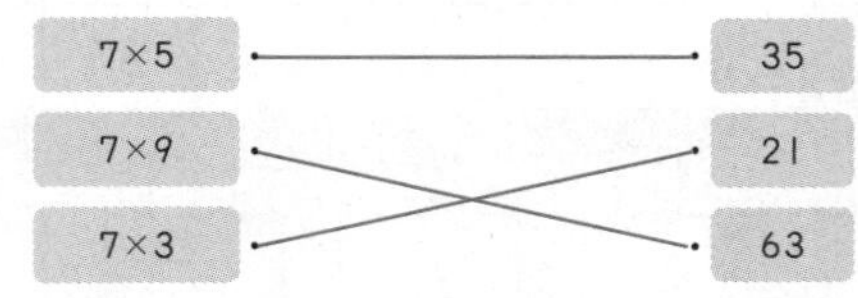

✤ $7\times 5=35$, $7\times 9=63$, $7\times 3=21$

교과서 **개념 확인** 문제

정답과 풀이 p.14

8 빈 곳에 알맞은 수를 써넣으세요.

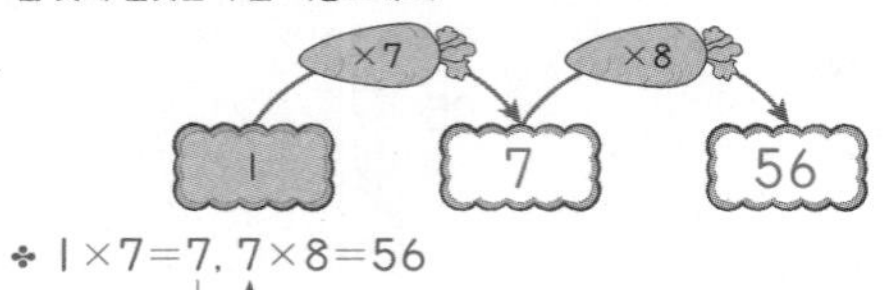

✤ $1\times 7=7$, $7\times 8=56$

[9~10] 곱셈표를 보고 물음에 답하세요.

×	5	6	7	8	9
5	25	30	35	40	45
6	30	36	42	48	54
7	35	42	49	56	63
8	40	48	56	64	72
9	45	54	63	72	81

9 빈칸에 알맞은 수를 써넣어 곱셈표를 완성하세요.

10 곱셈표에서 7×8과 곱이 같은 곱셈구구를 써 보세요.

(8×7)

✤ 곱하는 두 수의 순서를 서로 바꾸어도 곱이 같으므로 7×8과 곱이 같은 곱셈구구는 8×7입니다.

11 곱의 크기를 비교하여 ○ 안에 >, =, <를 알맞게 써넣으세요.

(1) 6×0 (=) 0×8 (2) 7×7 (>) 9×5

✤ (1) $6\times 0=0$, $0\times 8=0$ ➔ $0=0$
(2) $7\times 7=49$, $9\times 5=45$ ➔ $49>45$

12 곱셈을 이용하여 빈칸에 알맞은 수를 써넣으세요.

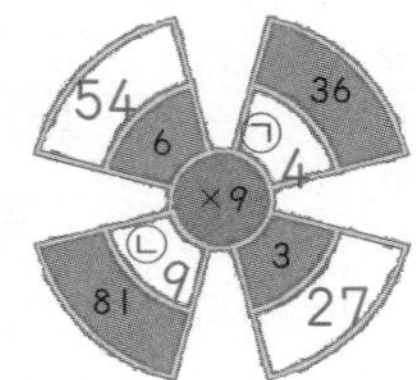

✤ $9\times 6=54$, $9\times 3=27$
$9\times$㉠$=36$ ➔ $9\times 4=36$이므로 ㉠$=4$
$9\times$㉡$=81$ ➔ $9\times 9=81$이므로 ㉡$=9$

13 9단 곱셈구구의 값에 모두 색칠해 보세요.

✤ $9\times 8=72$, $9\times 9=81$, $9\times 2=18$, $9\times 5=45$, $9\times 7=63$, $9\times 1=9$, $9\times 4=36$, $9\times 6=54$, $9\times 3=27$

14 영주네 학교 2학년 학생들이 한 줄에 9명씩 8줄로 운동장에 서 있습니다. 영주네 학교 2학년 학생은 모두 몇 명일까요?

(72명)

✤ 한 줄에 9명씩 8줄은 $9\times 8=72$입니다.
따라서 영주네 학교 2학년 학생은 모두 72명입니다.

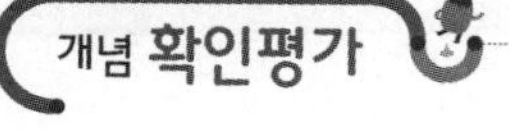

2. 곱셈구구

맞은 개수

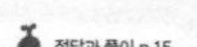

1 □ 안에 알맞은 수를 써넣으세요.

3+3+3+3= 12　　3×4= 12

✣ 연필꽂이 하나에 3자루씩이고 연필꽂이가 4개입니다.

2 5개씩 묶고 곱셈식으로 나타내어 보세요.

5× 4 = 20

✣ 딱지를 5개씩 묶으면 4묶음이므로 5×4=20입니다.

3 곱셈식을 수직선에 나타내고 □ 안에 알맞은 수를 써넣으세요.

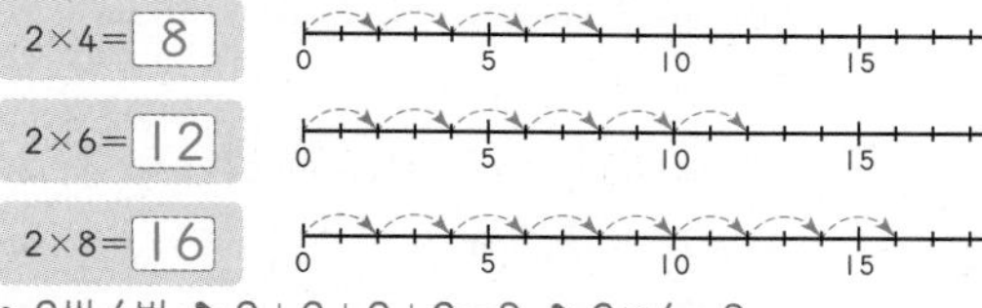

2×4= 8

2×6= 12

2×8= 16

✣ 2씩 4번 ➔ 2+2+2+2=8 ➔ 2×4=8
2씩 6번 ➔ 2+2+2+2+2+2=12 ➔ 2×6=12
2씩 8번 ➔ 2+2+2+2+2+2+2+2=16 ➔ 2×8=16

4 빈 곳에 알맞은 수를 써넣으세요.

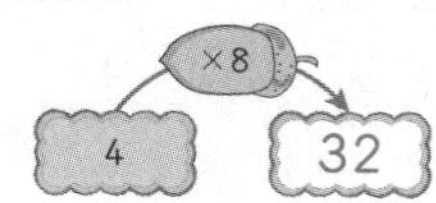

✣ 4×8=32

5 빈칸에 알맞은 수를 써넣으세요.

×	1	2	5	7
7	7	14	35	49
8	8	16	40	56

✣ 7×1=7, 7×2=14, 7×5=35, 7×7=49
8×1=8, 8×2=16, 8×5=40, 8×7=56

6 □ 안에 알맞은 수를 써넣으세요.

(1) 7× 8 =56　　(2) 9× 4 =36

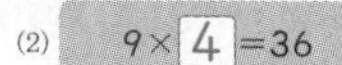

✣ (1) 7단 곱셈구구에서 곱이 56인 것은 7×8=56입니다.
(2) 9단 곱셈구구에서 곱이 36인 것은 9×4=36입니다.

7 곱셈표를 완성하고 곱이 15보다 큰 칸에 모두 색칠해 보세요.

×	1	2	3	4	5	6	7	8	9
2	2	4	6	8	10	12	14	16	18
3	3	6	9	12	15	18	21	24	27
4	4	8	12	16	20	24	28	32	36

✣ 2단, 3단, 4단 곱셈표를 완성합니다.

2 단원

개념 확인평가 2. 곱셈구구 정답과 풀이 p.15

8 곱이 같은 것끼리 선으로 이어 보세요.

4×9　　7×8

8×7　　9×4

5×3　　3×5

✣ 곱하는 두 수의 순서를 서로 바꾸어도 곱이 같습니다.

9 쿠키가 한 접시에 8개씩 있습니다. 접시 4개에 있는 쿠키는 모두 몇 개일까요?

(32개)

✣ 한 접시에 8개씩 4접시는 8×4=32(개)입니다.

10 원판을 돌려서 화살을 던졌을 때 화살이 꽂힌 수만큼 점수를 얻는 놀이를 하였습니다. □ 안에 알맞은 수를 써넣고, 얻은 점수가 몇 점인지 구해 보세요.

원판의 수	0	1	2	3
꽂힌 횟수(번)	2	3	1	0
점수(점)	0×2=0	1×3=3	2×1=2	3×0=0

(5점)

✣ 숫자 0에 2번 꽂히면 0×2=0(점)
숫자 1에 3번 꽂히면 1×3=3(점)
숫자 3에 0번 꽂히면 3×0=0(점)
따라서 얻은 점수는 0+3+2+0=5(점)입니다.

[GO! 매쓰]
여기까지 2단원 내용입니다.
다음부터는 3단원 내용이
시작합니다.

62쪽 ~ 63쪽

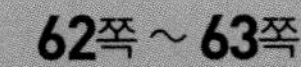

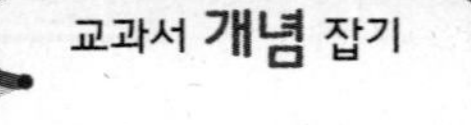

개념① cm보다 더 큰 단위 알아보기

- I m 알아보기

I 00 cm는 I m와 같습니다.
I m는 I 미터라고 읽습니다.

100 cm=1 m

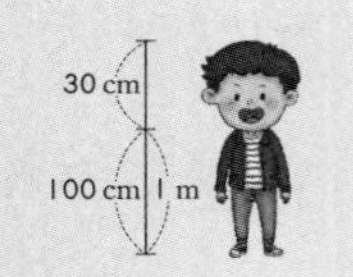

- '몇 cm'와 '몇 m 몇 cm' 알아보기

I 30 cm는 I m보다 30 cm 더 깁니다.
I 30 cm를 I m 30 cm라고도 씁니다.
I m 30 cm를 I 미터 30 센티미터라고 읽습니다.

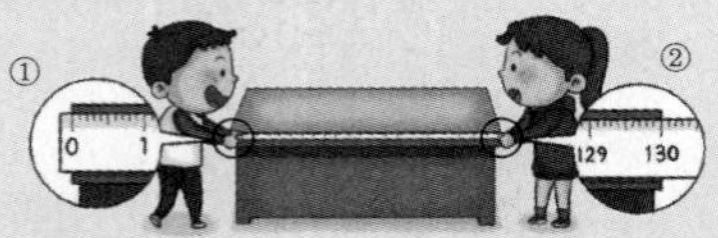

130 cm=1 m 30 cm

개념② 자로 길이 재기

- 줄자를 사용하여 길이를 재는 방법

① 책상의 한끝을 줄자의 눈금 0에 맞춥니다.
② 책상의 다른 쪽 끝에 있는 줄자의 눈금을 읽습니다.
눈금이 I 30이므로 책상의 길이는 I m 30 cm입니다.

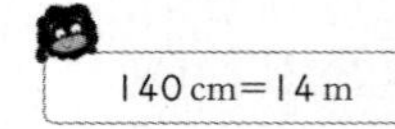

개념 Check

다음 중 옳은 것에 ○표 하세요.

140 cm=14 m　　140 cm=1 m 40 cm (○)

1 I m를 바르게 쓴 것에 ○표 하세요.

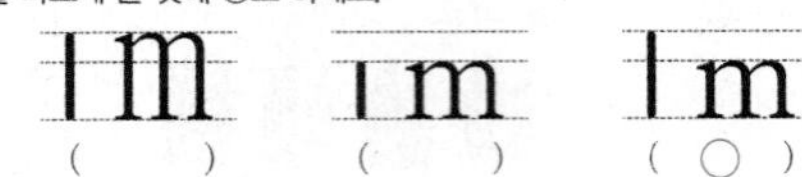

(　) (　) (○)

2 길이를 바르게 읽어 보세요.

(1) 5 m (5 미터)　(2) 4 m 30 cm (4 미터 30 센티미터)

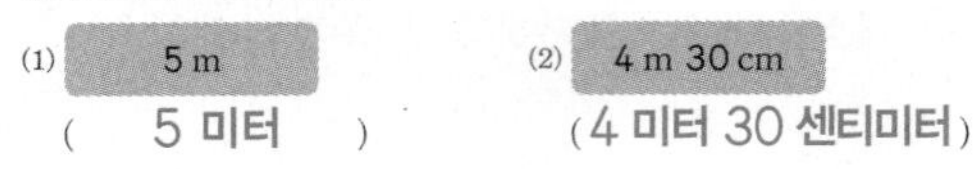

3 □ 안에 알맞은 수를 써넣으세요.

(1) 3 m=300 cm　(2) 700 cm=7 m

✤ I m=100 cm임을 이용합니다.

4 자에서 화살표가 가리키는 눈금을 읽어 보세요.

102 cm　　1 m 9 cm

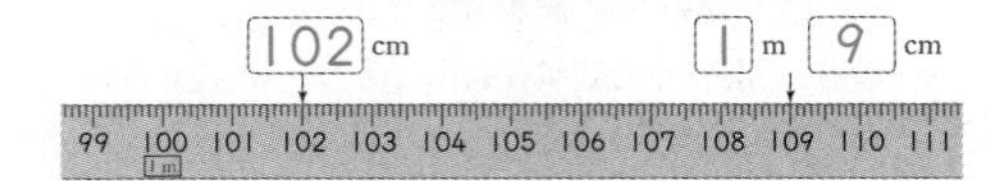

✤ 109 cm=1 m 9 cm

5 □ 안에 알맞은 수를 써넣으세요.

(1) 3 m 70 cm=3 m+70 cm=300 cm+70 cm
=370 cm

(2) 420 cm=400 cm+20 cm=4 m+20 cm
=4 m 20 cm

✤ I m=100 cm임을 이용합니다.

64쪽 ~ 65쪽

교과서 개념 잡기

개념③ 길이의 합 구하기

- I m 20 cm+I m 30 cm를 계산하는 방법

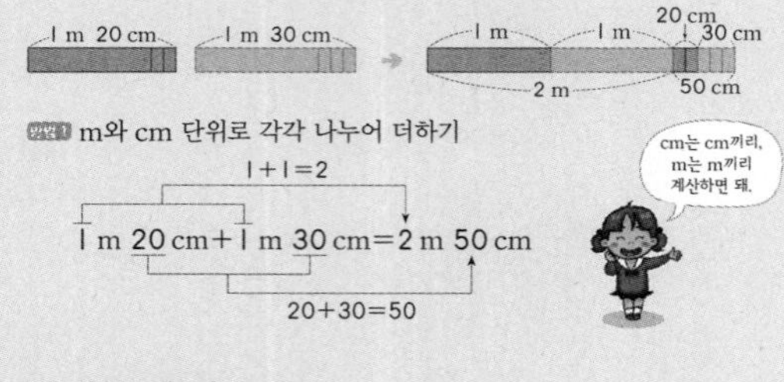

방법1 m와 cm 단위로 각각 나누어 더하기

1+1=2

1 m 20 cm+1 m 30 cm=2 m 50 cm

20+30=50

cm는 cm끼리, m는 m끼리 계산하면 돼.

방법2 세로로 계산하기

$\begin{array}{r} 1\text{ m }20\text{ cm} \\ +\ 1\text{ m }30\text{ cm} \\ \hline \end{array}$ → $\begin{array}{r} 1\text{ m }20\text{ cm} \\ +\ 1\text{ m }30\text{ cm} \\ \hline 50\text{ cm} \end{array}$ → $\begin{array}{r} 1\text{ m }20\text{ cm} \\ +\ 1\text{ m }30\text{ cm} \\ \hline 2\text{ m }50\text{ cm} \end{array}$

받아올림이 없는 길이의 합은 cm는 cm끼리, m는 m끼리 계산합니다.
받아올림이 있는 길이의 합은 cm끼리의 합이 100 cm이거나 100 cm보다 크면 100 cm=1 m를 이용하여 계산합니다.

개념 Check

I m 10 cm+2 m 30 cm를 바르게 계산한 곳에 ○표 하세요.

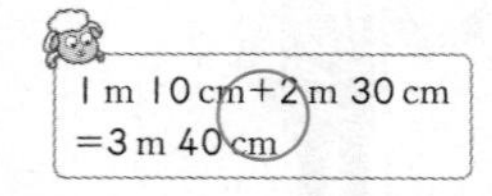

1 m 10 cm+2 m 30 cm =3 m 40 cm (○)　　1 m 10 cm+2 m 30 cm =4 m 40 cm

1 그림을 보고 □ 안에 알맞은 수를 써넣으세요.

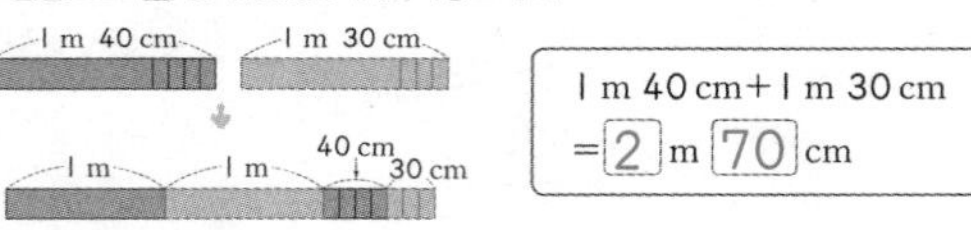

1 m 40 cm+1 m 30 cm
=2 m 70 cm

2 □ 안에 알맞은 수를 써넣으세요.

3 m 15 cm+5 m 32 cm=8 m 47 cm

3 길이의 합을 구해 보세요.

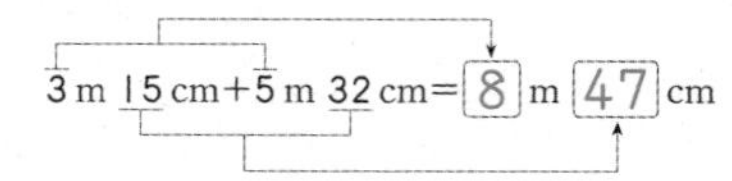

(1) $\begin{array}{r} 2\text{ m }20\text{ cm} \\ +\ 3\text{ m }50\text{ cm} \\ \hline 5\text{ m }70\text{ cm} \end{array}$　(2) $\begin{array}{r} 4\text{ m }30\text{ cm} \\ +\ 1\text{ m }43\text{ cm} \\ \hline 5\text{ m }73\text{ cm} \end{array}$

✤ cm는 cm끼리, m는 m끼리 계산합니다.

4 길이의 합을 구하려고 합니다. □ 안에 알맞은 수를 써넣으세요.

5 m 37 cm+1 m 40 cm
=(5 m+1 m)+(37 cm+40 cm)
=6 m 77 cm

66쪽 ~ 67쪽

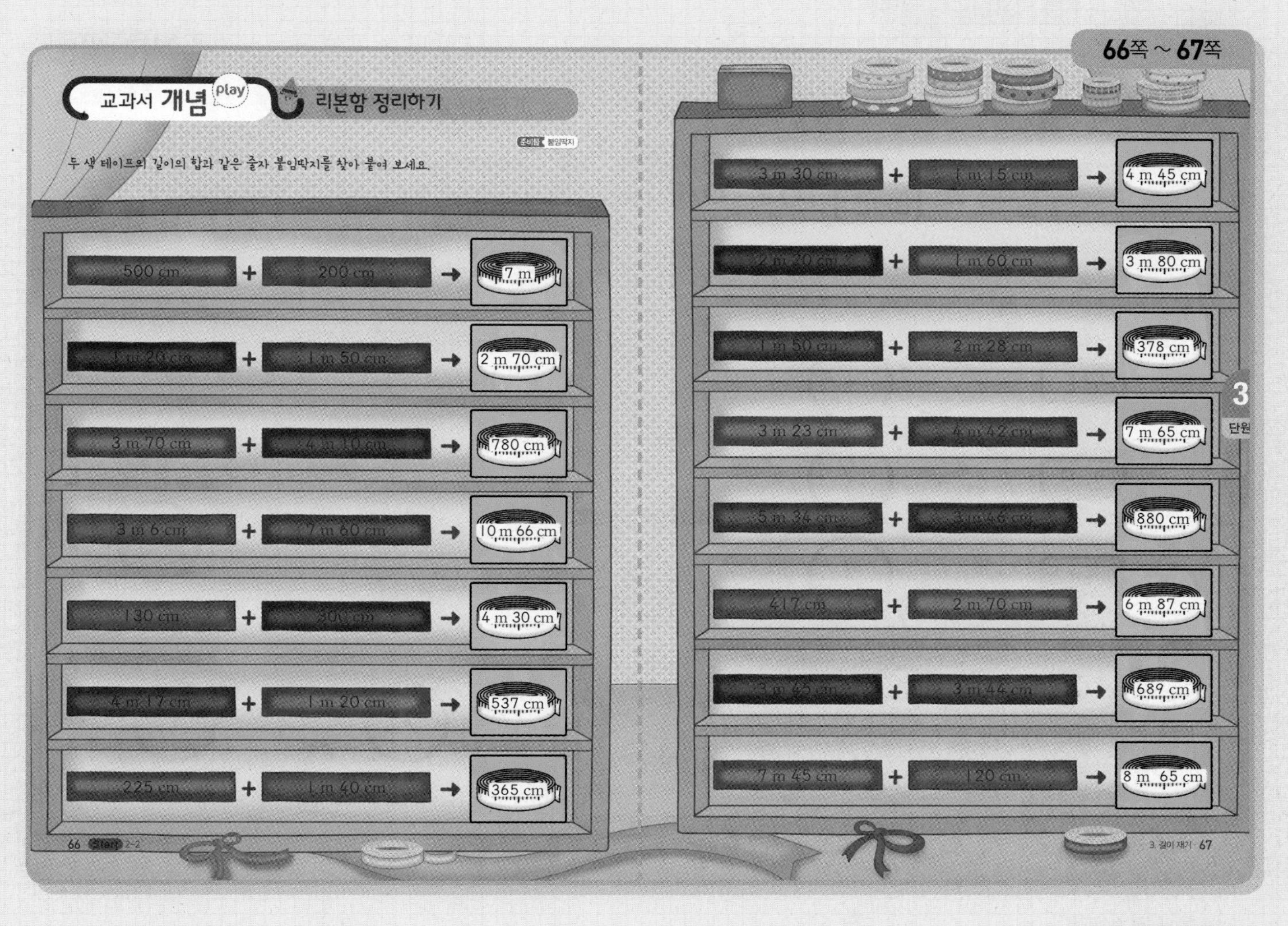

교과서 개념 play 리본함 정리하기

준비물 붙임딱지

두 색 테이프의 길이의 합과 같은 줄자 붙임딱지를 찾아 붙여 보세요.

500 cm + 200 cm → 7 m

1 m 20 cm + 1 m 50 cm → 2 m 70 cm

3 m 70 cm + 4 m 10 cm → 780 cm

3 m 6 cm + 7 m 60 cm → 10 m 66 cm

130 cm + 300 cm → 4 m 30 cm

4 m 17 cm + 1 m 20 cm → 537 cm

225 cm + 1 m 40 cm → 365 cm

3 m 30 cm + 1 m 15 cm → 4 m 45 cm

2 m 20 cm + 1 m 60 cm → 3 m 80 cm

1 m 50 cm + 2 m 28 cm → 378 cm

3 m 23 cm + 4 m 42 cm → 7 m 65 cm

5 m 34 cm + 3 m 46 cm → 880 cm

417 cm + 2 m 70 cm → 6 m 87 cm

3 m 45 cm + 3 m 44 cm → 689 cm

7 m 45 cm + 120 cm → 8 m 65 cm

66 Start 2-2 · 3. 길이 재기 · 67

68쪽 ~ 69쪽

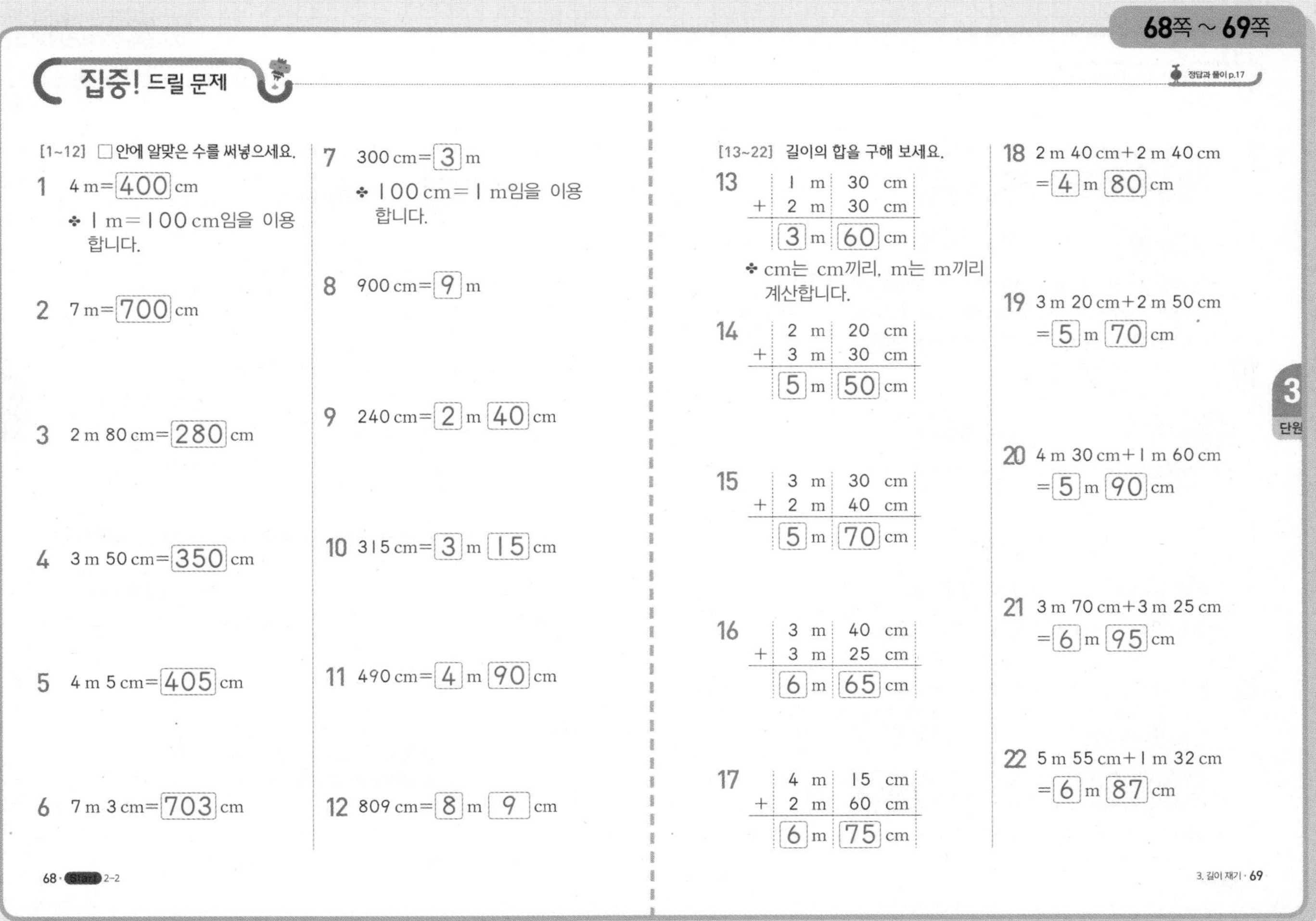

집중! 드릴 문제

정답과 풀이 p.17

[1~12] □ 안에 알맞은 수를 써넣으세요.

1 4 m=400 cm

✤ 1 m=100 cm임을 이용합니다.

2 7 m=700 cm

3 2 m 80 cm=280 cm

4 3 m 50 cm=350 cm

5 4 m 5 cm=405 cm

6 7 m 3 cm=703 cm

7 300 cm=3 m

✤ 100 cm=1 m임을 이용합니다.

8 900 cm=9 m

9 240 cm=2 m 40 cm

10 315 cm=3 m 15 cm

11 490 cm=4 m 90 cm

12 809 cm=8 m 9 cm

[13~22] 길이의 합을 구해 보세요.

13 1 m 30 cm + 2 m 30 cm = 3 m 60 cm

✤ cm는 cm끼리, m는 m끼리 계산합니다.

14 2 m 20 cm + 3 m 30 cm = 5 m 50 cm

15 3 m 30 cm + 2 m 40 cm = 5 m 70 cm

16 3 m 40 cm + 3 m 25 cm = 6 m 65 cm

17 4 m 15 cm + 2 m 60 cm = 6 m 75 cm

18 2 m 40 cm+2 m 40 cm =4 m 80 cm

19 3 m 20 cm+2 m 50 cm =5 m 70 cm

20 4 m 30 cm+1 m 60 cm =5 m 90 cm

21 3 m 70 cm+3 m 25 cm =6 m 95 cm

22 5 m 55 cm+1 m 32 cm =6 m 87 cm

68 · Start 2-2 · 3. 길이 재기 · 69

70쪽 ~ 71쪽

교과서 개념 확인 문제

정답과 풀이 p.18

1 길이를 바르게 읽어 보세요.

(1) 7 m (7 미터)

(2) 5 m 81 cm (5 미터 81 센티미터)

2 길이가 같은 것을 찾아 선으로 이어 보세요.

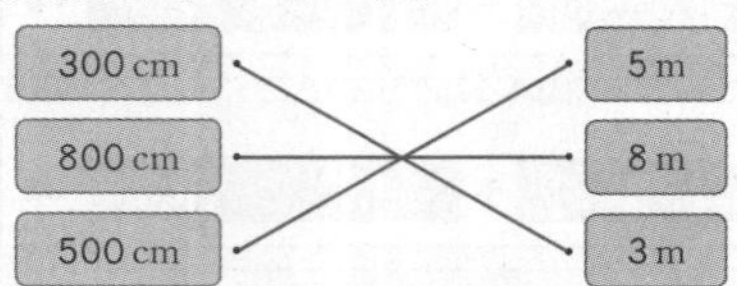

✤ 100 cm=1 m이므로 300 cm=3 m, 800 cm=8 m, 500 cm=5 m입니다.

3 길이를 m 단위로 나타내기에 알맞은 것에 ○표 하세요.

색연필의 길이 ( ) 냉장고의 높이 (○) 빨대의 길이 ( )

✤ 길이가 긴 것은 m, 길이가 짧은 것은 cm를 단위로 사용합니다.

4 민재의 키를 두 가지 방법으로 나타내어 보세요.

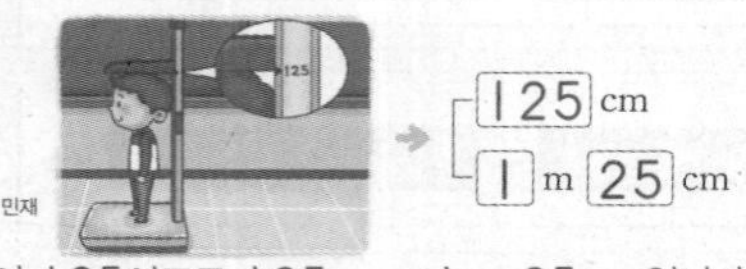

→ 125 cm / 1 m 25 cm

✤ 눈금이 125이므로 125 cm=1 m 25 cm입니다.

5 □ 안에 알맞은 수를 써넣으세요.

(1) 360 cm=300 cm+60 cm=3 m+60 cm
=3 m 60 cm

(2) 5 m 72 cm=5 m+72 cm=500 cm+72 cm
=572 cm

✤ 1 m=100 cm임을 이용합니다.

6 길이의 합을 구해 보세요.

(1) 5 m 42 cm + 2 m 37 cm = 7 m 79 cm

(2) 3 m 50 cm + 1 m 19 cm = 4 m 69 cm

7 길이가 같은 것을 찾아 선으로 이어 보세요.

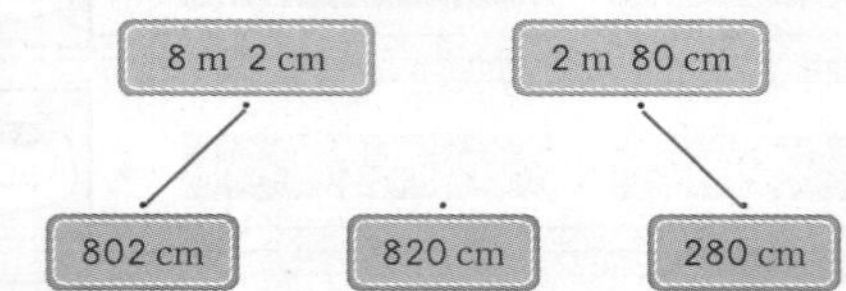

✤ 8 m 2 cm=8 m+2 cm=800 cm+2 cm=802 cm
2 m 80 cm=2 m+80 cm=200 cm+80 cm=280 cm

8 길이의 합은 몇 m 몇 cm일까요?

(1) 4 m 9 cm+3 m 65 cm=7 m 74 cm

(2) 1 m 20 cm+2 m 40 cm=3 m 60 cm

✤ cm는 cm끼리, m는 m끼리 계산합니다.

3 단원

72쪽 ~ 73쪽

교과서 개념 확인 문제

정답과 풀이 p.18

9 두 길이를 비교하여 ○ 안에 >, =, <를 알맞게 써넣으세요.

(1) 605 cm < 6 m 20 cm

(2) 999 cm > 9 m 90 cm

✤ (1) 605 cm=6 m 5 cm → 6 m 5 cm<6 m 20 cm
(2) 999 cm=9 m 99 cm → 9 m 99 cm>9 m 90 cm

[10~11] 빈칸에 알맞은 길이는 몇 m 몇 cm인지 써넣으세요.

10

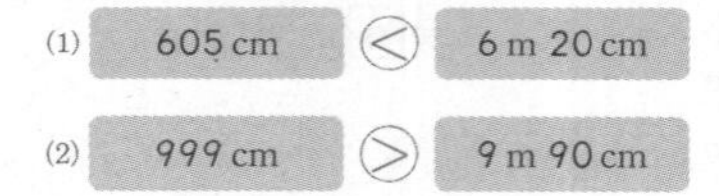

3 m 25 cm —(+2 m 60 cm)→ 5 m 85 cm

✤ 3 m 25 cm+2 m 60 cm=5 m 85 cm

11

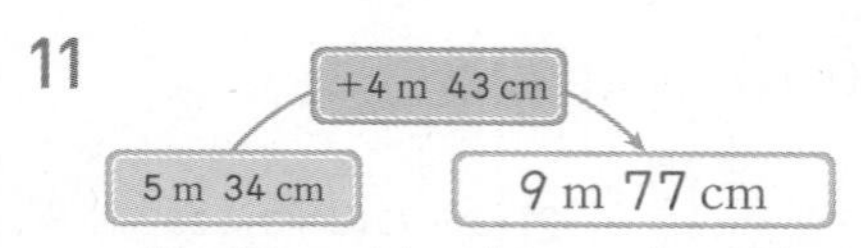

5 m 34 cm —(+4 m 43 cm)→ 9 m 77 cm

✤ 5 m 34 cm+4 m 43 cm=9 m 77 cm

12 다음의 길이를 나타낼 때 알맞은 단위는 cm와 m 중 어느 것인지 써 보세요.

(1) 가위의 길이 cm (2) 학교 건물의 높이 m

(3) 기린의 키 m (4) 신발의 길이 cm

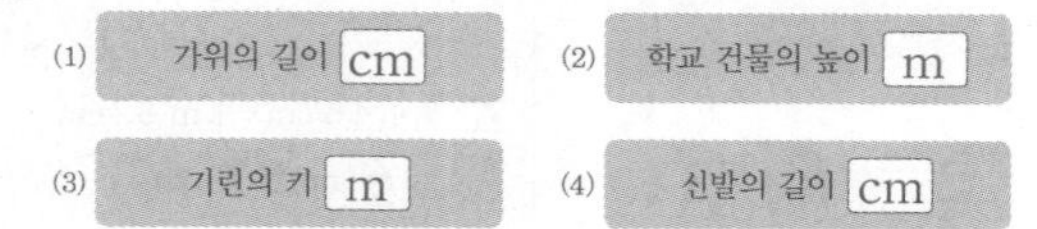

✤ 길이가 긴 것은 m, 길이가 짧은 것은 cm를 단위로 사용합니다.

[13~14] 두 길이의 합은 몇 m 몇 cm일까요?

13 415 cm 3 m 50 cm

(7 m 65 cm)

✤ 415 cm=4 m 15 cm
→ 4 m 15 cm+3 m 50 cm=7 m 65 cm

14 3 m 24 cm 324 cm

(6 m 48 cm)

✤ 324 cm=3 m 24 cm
→ 3 m 24 cm+3 m 24 cm=6 m 48 cm

15 전봇대의 높이는 4 m보다 19 cm 더 길다고 합니다. 전봇대의 높이는 몇 cm일까요?

(419 cm)

✤ 4 m 19 cm=4 m+19 cm=400 cm+19 cm=419 cm

16 두 색 테이프의 길이의 합은 몇 m 몇 cm일까요?

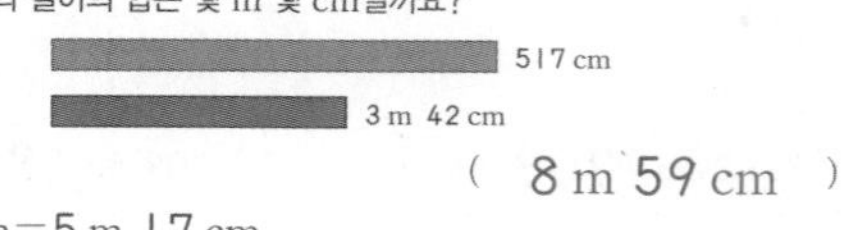

(8 m 59 cm)

✤ 517 cm=5 m 17 cm
→ 5 m 17 cm+3 m 42 cm=8 m 59 cm

3 단원

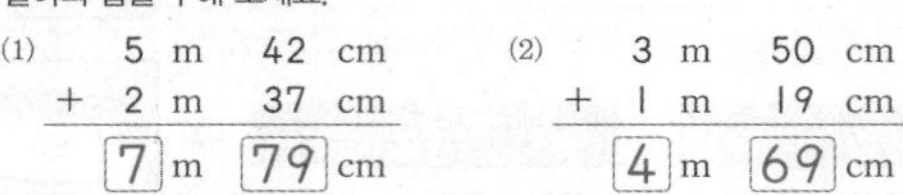
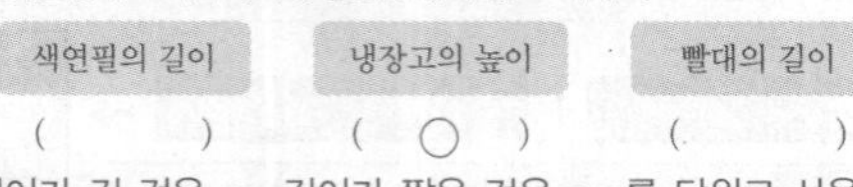

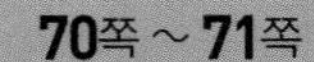

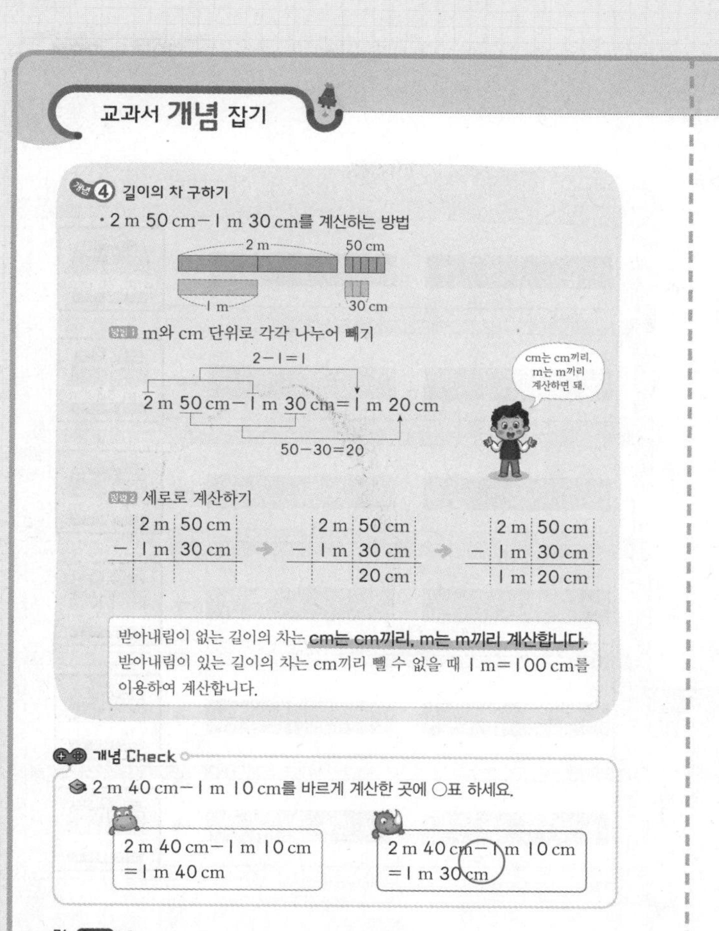
교과서 개념 잡기

개념 4 길이의 차 구하기

• 2 m 50 cm − 1 m 30 cm를 계산하는 방법

방법 1 m와 cm 단위로 각각 나누어 빼기

2−1=1

2 m 50 cm − 1 m 30 cm = 1 m 20 cm

50−30=20

방법 2 세로로 계산하기

	2 m	50 cm
−	1 m	30 cm
		20 cm

→

	2 m	50 cm
−	1 m	30 cm
	1 m	20 cm

받아내림이 없는 길이의 차는 cm는 cm끼리, m는 m끼리 계산합니다.
받아내림이 있는 길이의 차는 cm끼리 뺄 수 없을 때 1 m=100 cm를 이용하여 계산합니다.

개념 Check

2 m 40 cm − 1 m 10 cm를 바르게 계산한 곳에 ○표 하세요.

2 m 40 cm − 1 m 10 cm = 1 m 40 cm

2 m 40 cm − 1 m 10 cm = 1 m 30 cm

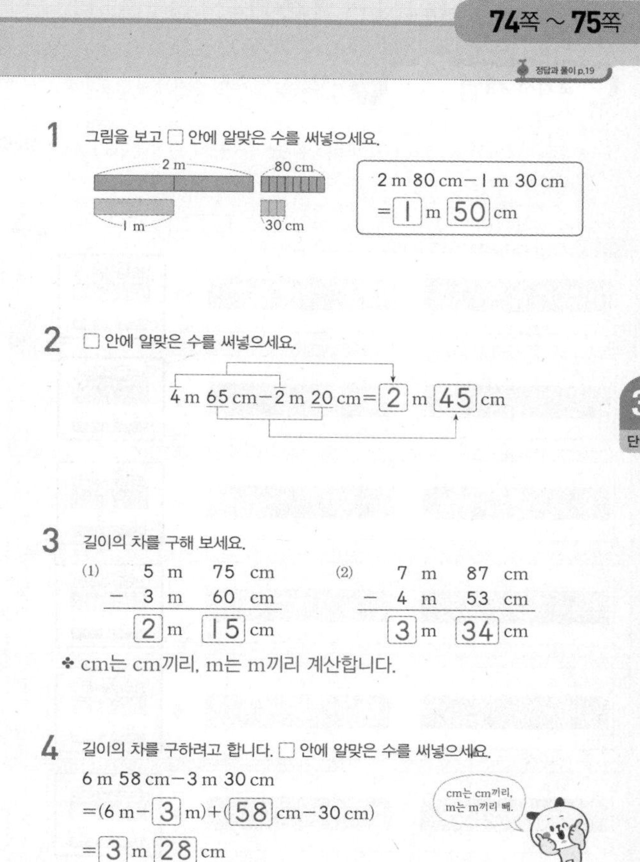
정답과 풀이 p.19

1 그림을 보고 □ 안에 알맞은 수를 써넣으세요.

2 m 80 cm − 1 m 30 cm = [1] m [50] cm

2 □ 안에 알맞은 수를 써넣으세요.

4 m 65 cm − 2 m 20 cm = [2] m [45] cm

3 길이의 차를 구해 보세요.

(1) 5 m 75 cm − 3 m 60 cm = [2] m [15] cm

(2) 7 m 87 cm − 4 m 53 cm = [3] m [34] cm

✤ cm는 cm끼리, m는 m끼리 계산합니다.

4 길이의 차를 구하려고 합니다. □ 안에 알맞은 수를 써넣으세요.

6 m 58 cm − 3 m 30 cm
=(6 m − [3] m) + ([58] cm − 30 cm)
= [3] m [28] cm

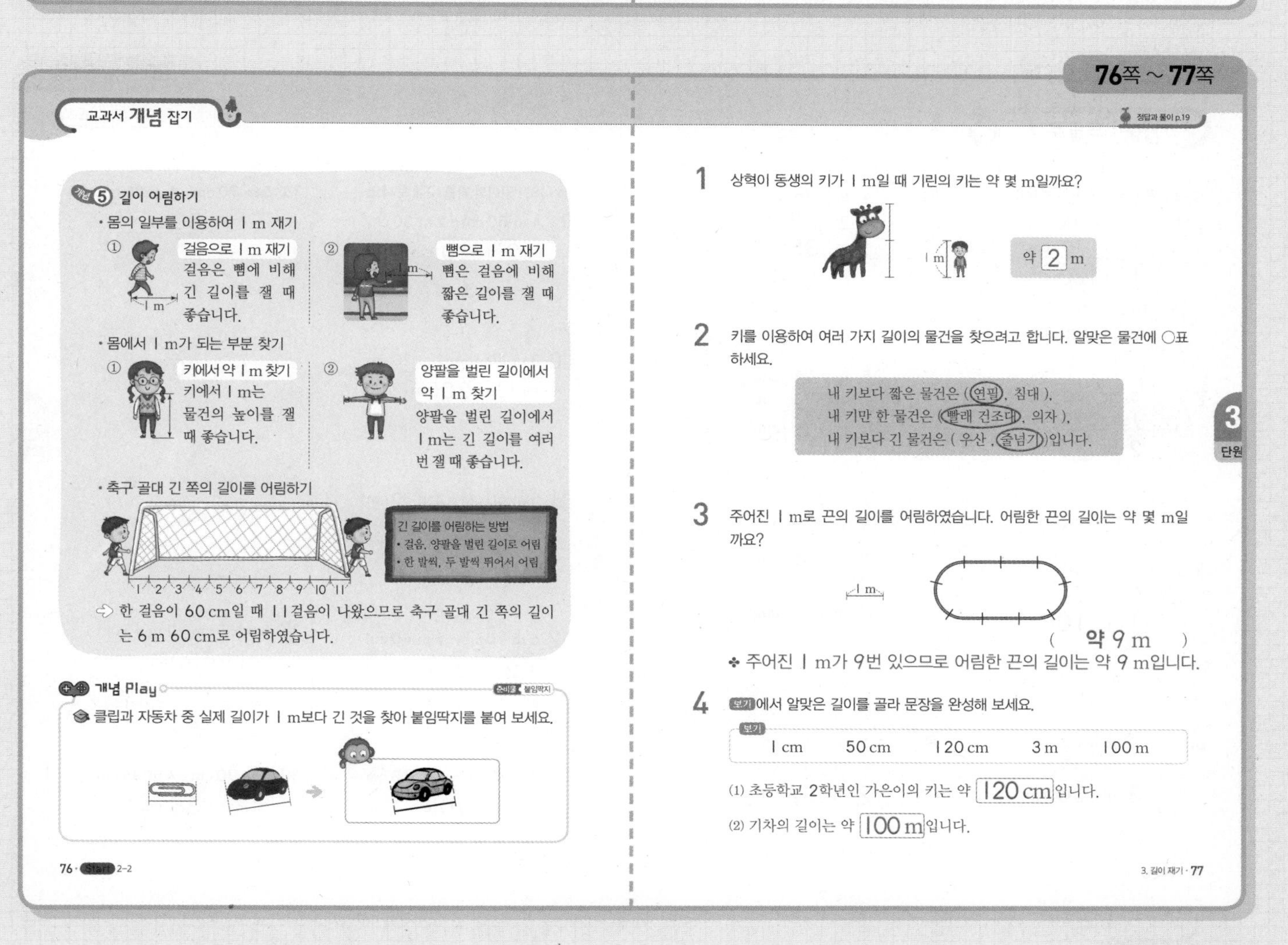
교과서 개념 잡기

개념 5 길이 어림하기

• 몸의 일부를 이용하여 1 m 재기

① 걸음으로 1 m 재기
걸음은 뼘에 비해 긴 길이를 잴 때 좋습니다.

② 뼘으로 1 m 재기
뼘은 걸음에 비해 짧은 길이를 잴 때 좋습니다.

• 몸에서 1 m가 되는 부분 찾기

① 키에서 약 1 m 찾기
키에서 1 m는 물건의 높이를 잴 때 좋습니다.

② 양팔을 벌린 길이에서 약 1 m 찾기
양팔을 벌린 길이에서 1 m는 긴 길이를 여러 번 잴 때 좋습니다.

• 축구 골대 긴 쪽의 길이를 어림하기

긴 길이를 어림하는 방법
• 걸음, 양팔을 벌린 길이로 어림
• 한 발씩, 두 발씩 뛰어서 어림

⇨ 한 걸음이 60 cm일 때 11걸음이 나왔으므로 축구 골대 긴 쪽의 길이는 6 m 60 cm로 어림하였습니다.

개념 Play

클립과 자동차 중 실제 길이가 1 m보다 긴 것을 찾아 붙임딱지를 붙여 보세요.

정답과 풀이 p.19

1 상혁이 동생의 키가 1 m일 때 기린의 키는 약 몇 m일까요?

약 [2] m

2 키를 이용하여 여러 가지 길이의 물건을 찾으려고 합니다. 알맞은 물건에 ○표 하세요.

내 키보다 짧은 물건은 ((연필), 침대).
내 키만 한 물건은 ((빨래 건조대), 의자).
내 키보다 긴 물건은 (우산, (줄넘기))입니다.

3 주어진 1 m로 끈의 길이를 어림하였습니다. 어림한 끈의 길이는 약 몇 m일까요?

(약 9 m)

✤ 주어진 1 m가 9번 있으므로 어림한 끈의 길이는 약 9 m입니다.

4 보기에서 알맞은 길이를 골라 문장을 완성해 보세요.

보기: 1 cm 50 cm 120 cm 3 m 100 m

(1) 초등학교 2학년인 가은이의 키는 약 [120 cm]입니다.

(2) 기차의 길이는 약 [100 m]입니다.

78쪽 ~ 79쪽

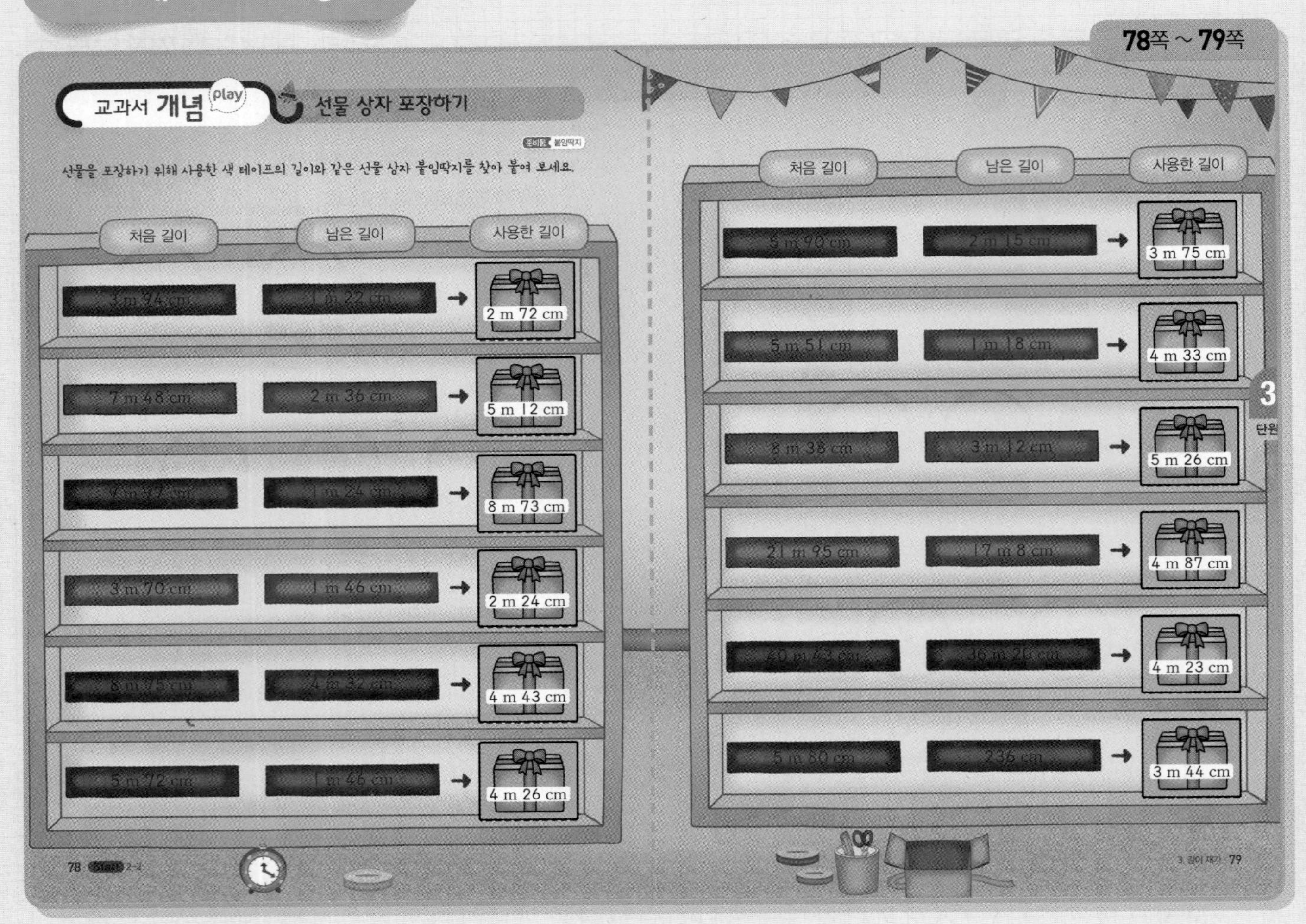

교과서 개념 play 선물 상자 포장하기

준비물 붙임딱지

선물을 포장하기 위해 사용한 색 테이프의 길이와 같은 선물 상자 붙임딱지를 찾아 붙여 보세요.

처음 길이	남은 길이	사용한 길이
3 m 94 cm	1 m 22 cm	2 m 72 cm
7 m 48 cm	2 m 36 cm	5 m 12 cm
9 m 97 cm	1 m 24 cm	8 m 73 cm
3 m 70 cm	1 m 46 cm	2 m 24 cm
8 m 75 cm	4 m 32 cm	4 m 43 cm
5 m 72 cm	1 m 46 cm	4 m 26 cm
5 m 90 cm	2 m 15 cm	3 m 75 cm
5 m 51 cm	1 m 18 cm	4 m 33 cm
8 m 38 cm	3 m 12 cm	5 m 26 cm
21 m 95 cm	17 m 8 cm	4 m 87 cm
40 m 43 cm	36 m 20 cm	4 m 23 cm
5 m 80 cm	236 cm	3 m 44 cm

78 Start 2-2

3. 길이 재기 79

3 단원

80쪽 ~ 81쪽

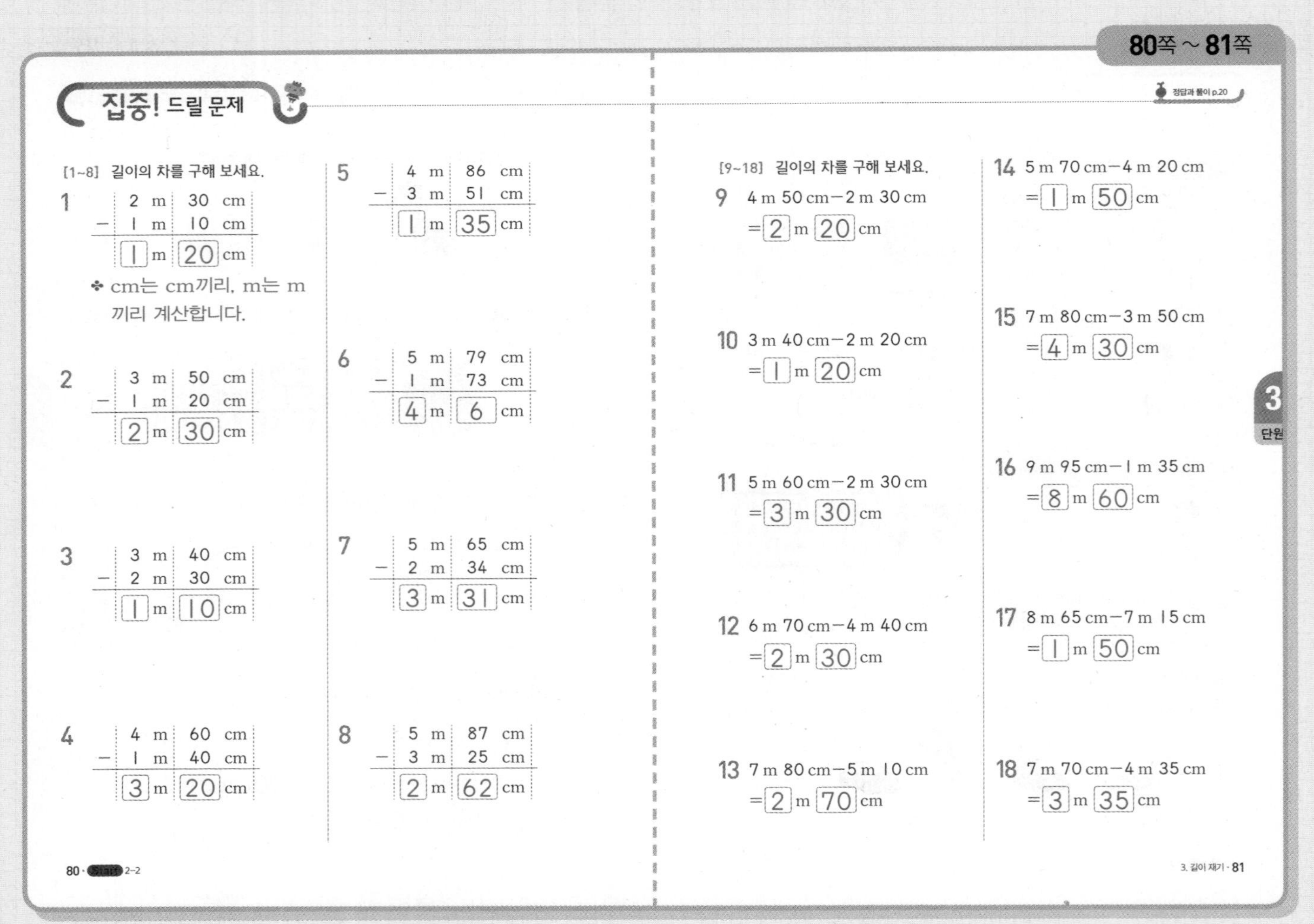

집중! 드릴 문제

정답과 풀이 p.20

[1~8] 길이의 차를 구해 보세요.

1. 2 m 30 cm − 1 m 10 cm = 1 m 20 cm
   ✤ cm는 cm끼리, m는 m끼리 계산합니다.
2. 3 m 50 cm − 1 m 20 cm = 2 m 30 cm
3. 3 m 40 cm − 2 m 30 cm = 1 m 10 cm
4. 4 m 60 cm − 1 m 40 cm = 3 m 20 cm
5. 4 m 86 cm − 3 m 51 cm = 1 m 35 cm
6. 5 m 79 cm − 1 m 73 cm = 4 m 6 cm
7. 5 m 65 cm − 2 m 34 cm = 3 m 31 cm
8. 5 m 87 cm − 3 m 25 cm = 2 m 62 cm

[9~18] 길이의 차를 구해 보세요.

9. 4 m 50 cm − 2 m 30 cm = 2 m 20 cm
10. 3 m 40 cm − 2 m 20 cm = 1 m 20 cm
11. 5 m 60 cm − 2 m 30 cm = 3 m 30 cm
12. 6 m 70 cm − 4 m 40 cm = 2 m 30 cm
13. 7 m 80 cm − 5 m 10 cm = 2 m 70 cm
14. 5 m 70 cm − 4 m 20 cm = 1 m 50 cm
15. 7 m 80 cm − 3 m 50 cm = 4 m 30 cm
16. 9 m 95 cm − 1 m 35 cm = 8 m 60 cm
17. 8 m 65 cm − 7 m 15 cm = 1 m 50 cm
18. 7 m 70 cm − 4 m 35 cm = 3 m 35 cm

80 · Start 2-2

3. 길이 재기 · 81

3 단원

교과서 개념 확인 문제

정답과 풀이 p.21

1 지후 동생의 키가 1 m일 때 코끼리의 키는 약 몇 m일까요?

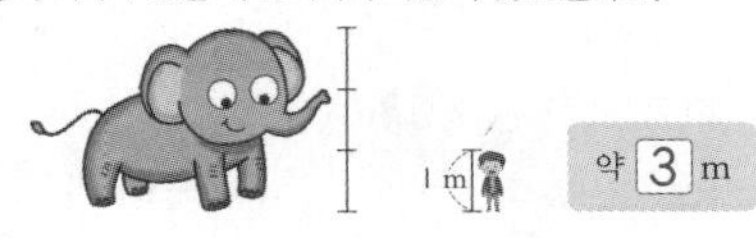

약 3 m

2 길이의 차를 구해 보세요.

(1) 6 m 89 cm − 4 m 45 cm = 2 m 44 cm

(2) 7 m 70 cm − 3 m 36 cm = 4 m 34 cm

3 실제 길이에 가까운 것을 찾아 선으로 이어 보세요.

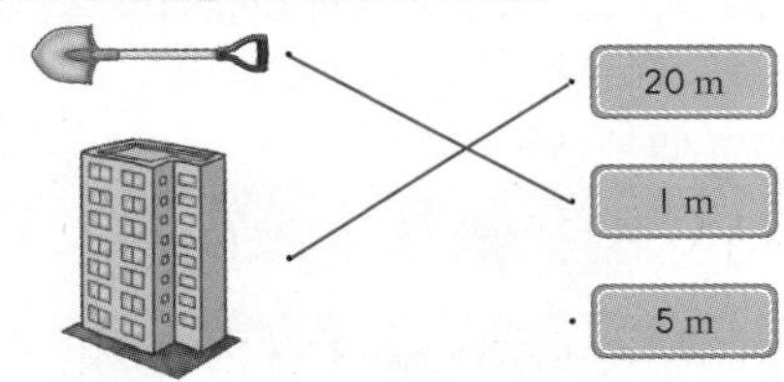

✣ • 삽의 길이는 약 1 m입니다.
• 아파트의 높이는 약 20 m입니다.

4 길이의 차는 몇 m 몇 cm일까요?

(1) 6 m 30 cm − 2 m 20 cm = 4 m 10 cm

(2) 7 m 55 cm − 4 m 40 cm = 3 m 15 cm

✣ cm는 cm끼리, m는 m끼리 계산합니다.

5 □ 안에 알맞은 길이를 찾아 ○표 하세요.

(1) 버스의 길이는 약 □입니다. ➔ (10 cm , (10 m))

(2) 초등학생인 영아의 키는 약 □입니다. ➔ ((125 cm), 125 m)

✣ (1) 버스의 길이는 약 10 m입니다.
(2) 초등학생인 영아의 키는 약 120 cm입니다.

[6~7] 빈칸에 알맞은 길이는 몇 m 몇 cm인지 써넣으세요.

6

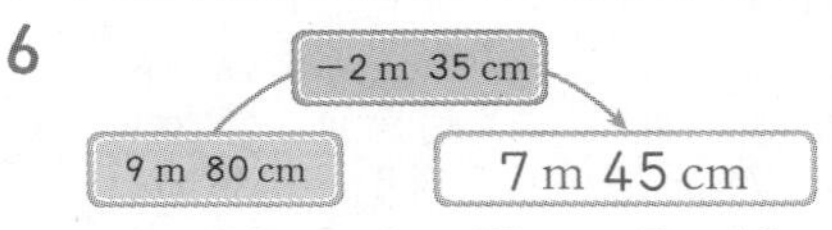

✣ 9 m 80 cm − 2 m 35 cm = 7 m 45 cm

7

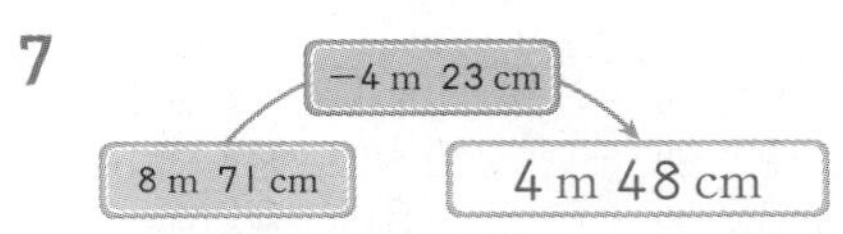

✣ 8 m 71 cm − 4 m 23 cm = 4 m 48 cm

교과서 개념 확인 문제

정답과 풀이 p.21

8 주어진 1 m로 끈의 길이를 어림하려고 합니다. 어림한 끈의 길이는 약 몇 m일까요?

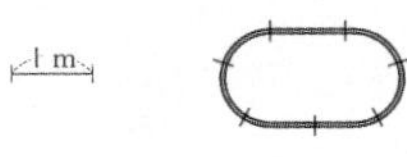

(약 7 m)

✣ 주어진 1 m가 7번 있으므로 어림한 끈의 길이는 약 7 m입니다.

9 □ 안에 알맞은 수를 써넣으세요.

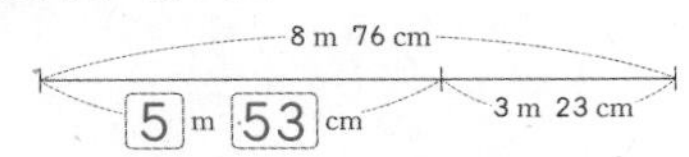

✣ 8 m 76 cm − 3 m 23 cm = 5 m 53 cm

[10~11] 두 길이의 차는 몇 m 몇 cm일까요?

10 660 cm　2 m 40 cm

(4 m 20 cm)

✣ 660 cm = 6 m 60 cm
➔ 6 m 60 cm − 2 m 40 cm = 4 m 20 cm

11 9 m 81 cm　436 cm

(5 m 45 cm)

✣ 436 cm = 4 m 36 cm
➔ 9 m 81 cm − 4 m 36 cm = 5 m 45 cm

[12~13] ○ 안에 >, =, <를 알맞게 써넣으세요.

12 8 m 76 cm − 3 m 23 cm (>) 5 m

✣ 8 m 76 cm − 3 m 23 cm = 5 m 53 cm
➔ 5 m 53 cm > 5 m

13 9 m 82 cm − 3 m 37 cm (>) 4 m 17 cm + 2 m 26 cm

✣ 9 m 82 cm − 3 m 37 cm = 6 m 45 cm,
4 m 17 cm + 2 m 26 cm = 6 m 43 cm
➔ 6 m 45 cm > 6 m 43 cm

14 교실 칠판의 긴 쪽의 길이를 몸의 일부를 이용하여 재려고 합니다. 재는 횟수가 많은 것부터 차례로 기호를 써 보세요.

㉠ 

㉡ 

㉢ 

(㉡, ㉠, ㉢)

✣ 몸의 일부의 길이가 짧을수록 재는 횟수가 많습니다.

15 삼각형의 가장 긴 변의 길이와 가장 짧은 변의 길이의 차는 몇 m 몇 cm일까요?

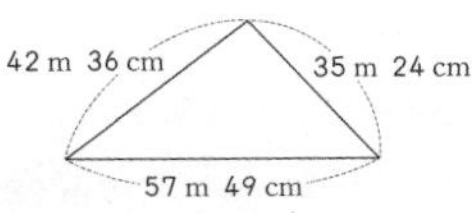

(22 m 25 cm)

✣ 57 m 49 cm > 42 m 36 cm > 35 m 24 cm이므로
57 m 49 cm − 35 m 24 cm = 22 m 25 cm입니다.

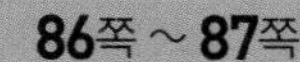

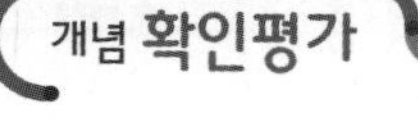

3. 길이 재기

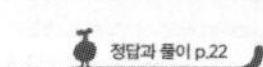

1 길이를 바르게 읽어 보세요.

(1) 7 m (7 미터)　(2) 6 m 40 cm (6 미터 40 센티미터)

2 □ 안에 알맞은 수를 써넣으세요.

(1) 9 m=[900] cm　(2) 400 cm=[4] m

(3) 5 m 80 cm=[580] cm　(4) 805 cm=[8] m [5] cm

✤ 1 m=100 cm임을 이용합니다.

3 길이의 합을 구해 보세요.

(1) 5 m 35 cm + 3 m 40 cm = [8] m [75] cm　(2) 4 m 26 cm + 4 m 53 cm = [8] m [79] cm

✤ cm는 cm끼리, m는 m끼리 더합니다.

4 길이의 차를 구해 보세요.

(1) 6 m 85 cm − 2 m 50 cm = [4] m [35] cm　(2) 9 m 78 cm − 4 m 36 cm = [5] m [42] cm

✤ cm는 cm끼리, m는 m끼리 뺍니다.

5 냉장고의 바닥을 줄자의 눈금 0에 맞추었습니다. 냉장고의 높이를 두 가지 방법으로 나타내어 보세요.

→ [180] cm, [1] m [80] cm

✤ 눈금이 180이므로 냉장고의 높이는 180 cm=1 m 80 cm입니다.

6 실제 길이가 1 m보다 긴 것은 모두 몇 개일까요?

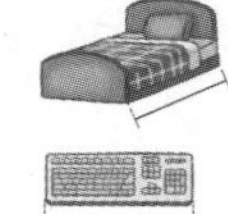

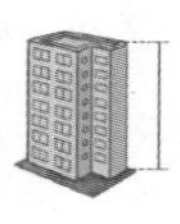

(3개)

✤ 침대의 길이, 배의 길이, 아파트의 높이는 1 m보다 길고 옷핀의 길이, 키보드의 길이는 1 m보다 짧습니다.

7 길이의 합과 차를 각각 구해 보세요.

(1) 5 m 37 cm+1 m 40 cm=[6] m [77] cm

(2) 8 m 59 cm−5 m 37 cm=[3] m [22] cm

✤ (1) cm: 37+40=77, m: 5+1=6
(2) cm: 59−37=22, m: 8−5=3

88쪽

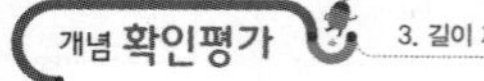

3. 길이 재기 　정답과 풀이 p.22

8 다음의 길이를 나타낼 때 알맞은 단위는 cm와 m 중 어느 것인지 써 보세요.

(1) 지우개의 길이 [cm]　(2) 축구 경기장의 길이 [m]

(3) 비행기의 길이 [m]　(4) 손가락의 길이 [cm]

✤ 길이가 긴 것은 m, 길이가 짧은 것은 cm를 단위로 사용합니다.

[9~10] 교실의 앞부터 뒤까지의 길이를 몸의 일부를 이용하여 재려고 합니다. 물음에 답하세요.

㉠ 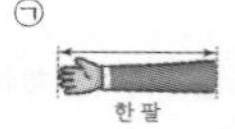

㉡ 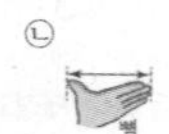

㉢ 

㉣ 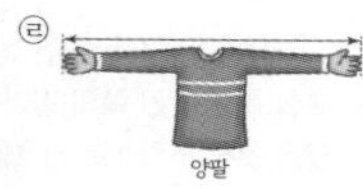

9 재는 횟수가 가장 적은 것을 찾아 기호를 써 보세요.

(㉣)

✤ 몸의 일부의 길이가 가장 긴 것으로 재면 재는 횟수가 가장 적습니다.

10 재는 횟수가 가장 많은 것을 찾아 기호를 써 보세요.

(㉡)

✤ 몸의 일부의 길이가 가장 짧은 것으로 재면 재는 횟수가 가장 많습니다.

11 계산 결과가 더 긴 것을 찾아 기호를 써 보세요.

㉠ 3 m 42 cm+2 m 24 cm　㉡ 9 m 98 cm−4 m 31 cm

(㉡)

✤ ㉠ 3 m 42 cm+2 m 24 cm=5 m 66 cm
㉡ 9 m 98 cm−4 m 31 cm=5 m 67 cm
➔ 5 m 66 cm<5 m 67 cm이므로 ㉡이 더 깁니다.

[GO! 매쓰]
여기까지 3단원 내용입니다.
다음부터는 4단원 내용이 시작합니다.

교과서 개념 잡기

정답과 풀이 p.23

개념 ① 몇 시 몇 분 알아보기 (1)

시계의 긴바늘이 가리키는 숫자가 1이면 5분, 2이면 10분, 3이면 15분……을 나타냅니다.
오른쪽 그림의 시계가 나타내는 시각은 6시 5분입니다.

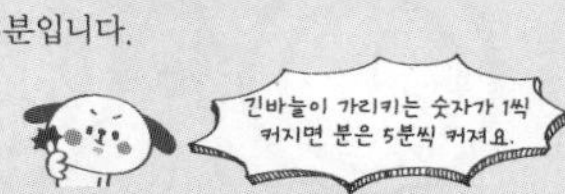

긴바늘이 가리키는 숫자가 1씩 커지면 분은 5분씩 커져요.

짧은바늘은 6과 7 사이를 가리키고, 긴바늘은 1을 가리키므로 6시 5분입니다.

개념 ② 몇 시 몇 분 알아보기 (2)

시계에서 긴바늘이 가리키는 작은 눈금 한 칸은 1분을 나타냅니다.
오른쪽 그림의 시계가 나타내는 시각은 9시 7분입니다.

짧은바늘은 9와 10 사이를 가리키고, 긴바늘이 1에서 작은 눈금으로 2칸 더 간 곳을 가리키므로 9시 7분입니다.

개념 Check

왼쪽 시계가 나타내는 시각으로 바른 것에 ○표 하세요.

4시 10분

3시 50분 (○)

1 오른쪽 시계에서 각각의 숫자가 몇 분을 나타내는지 써넣으세요.

✤ 숫자 3은 15분, 5는 25분, 6은 30분, 8은 40분, 9는 45분, 10은 50분을 나타냅니다.

2 시계에 대한 설명입니다. 알맞은 말에 ○표 하세요.

시계에서 긴바늘이 가리키는 작은 눈금 한 칸은 1(시간 , 분(○))을 나타냅니다.

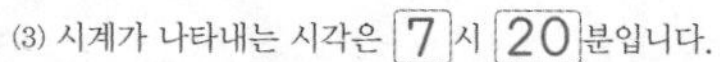

3 오른쪽 시계를 보고 □ 안에 알맞은 수를 써넣으세요.

(1) 짧은바늘은 7과 8 사이에 있습니다.

(2) 긴바늘은 4를 가리키고 있습니다.

(3) 시계가 나타내는 시각은 7시 20분입니다.

✤ (3) 짧은바늘이 7과 8 사이에 있으면 7시 몇 분입니다. 긴바늘이 4를 가리키면 20분을 나타냅니다.
→ 7시 20분

4 시각을 써 보세요.

(1)

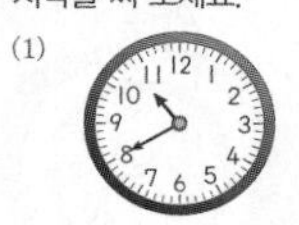

10시 40분

(2)

2시 22분

✤ (1) 짧은바늘은 10과 11 사이를 가리키고, 긴바늘은 8을 가리키므로 10시 40분입니다.
(2) 짧은바늘은 2와 3 사이를 가리키고, 긴바늘이 4에서 작은 눈금으로 2칸 더 간 곳을 가리키므로 2시 22분입니다.

교과서 개념 잡기

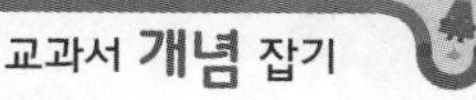

정답과 풀이 p.23

개념 ③ 여러 가지 방법으로 시각 읽기

- 왼쪽 시계의 시각은 3시 55분입니다.
- 3시 55분은 4시가 되기 5분 전의 시각과 같습니다.
- 3시 55분을 4시 5분 전이라고도 합니다.

6시 50분
7시 10분 전
→ 7시가 되기 10분 전의 시각

12시 45분
1시 15분 전
→ 1시가 되기 15분 전의 시각

주의
몇 시 몇 분 전이라는 표현은 5분 전, 10분 전, 15분 전 등과 같이 실생활에서 자주 사용되는 경우만 다루며 그 외의 억지스럽거나 복잡한 경우는 다루지 않도록 주의합니다.

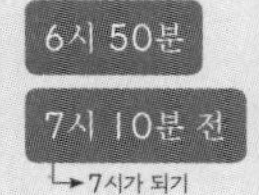
6시 40분 전

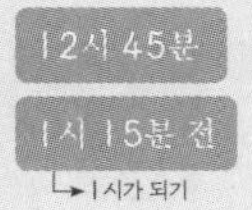
7시 14분 전

6시보다 5시에 가까우니까 5시 20분이라고 하는 게 더 좋겠어요.

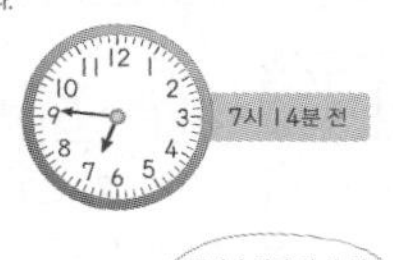

7시가 되기 몇 분 전인지 알아보는 것보다 6시 46분이라고 하는 게 더 간편하겠어요.

개념 Check

시각을 바르게 읽은 것에 ○표 하세요.

2시 5분 전 (○)

1시 5분 전

1 여러 가지 방법으로 오른쪽 시계의 시각을 읽어 보세요.

(1) 시계가 나타내는 시각은 9시 50분입니다.

(2) 10시가 되려면 10분이 더 지나야 합니다.

(3) 이 시각은 10시 10분 전입니다.

✤ (1) 짧은바늘은 9와 10 사이를 가리키고, 긴바늘은 10을 가리키므로 9시 50분입니다.
(3) 10시가 되기 10분 전의 시각과 같으므로 10시 10분 전입니다.

2 시각을 읽어 보세요.

(1)

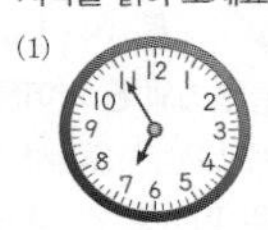

6시 55분
7시 5분 전

(2)

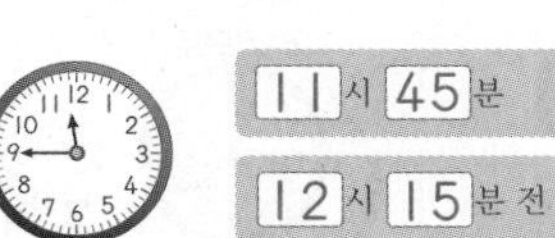

11시 45분
12시 15분 전

5시 10분 전
→ 10분이 더 지나면 5시가 되는 시각
→ 5시가 되기 10분 전의 시각

✤ (1) 6시 55분은 7시가 되기 5분 전의 시각과 같으므로 7시 5분 전으로 나타낼 수 있습니다.
(2) 11시 45분은 12시가 되기 15분 전의 시각과 같으므로 12시 15분 전으로 나타낼 수 있습니다.

3 □ 안에 알맞은 수를 써넣으세요.

(1) 10시 50분은 11시 10분 전입니다.

(2) 12시 55분은 1시 5분 전입니다.

✤ (1) 10시 50분은 11시가 되기 10분 전의 시각과 같으므로 11시 10분 전으로 나타낼 수 있습니다.
(2) 12시 55분은 1시가 되기 5분 전의 시각과 같으므로 1시 5분 전으로 나타낼 수 있습니다.

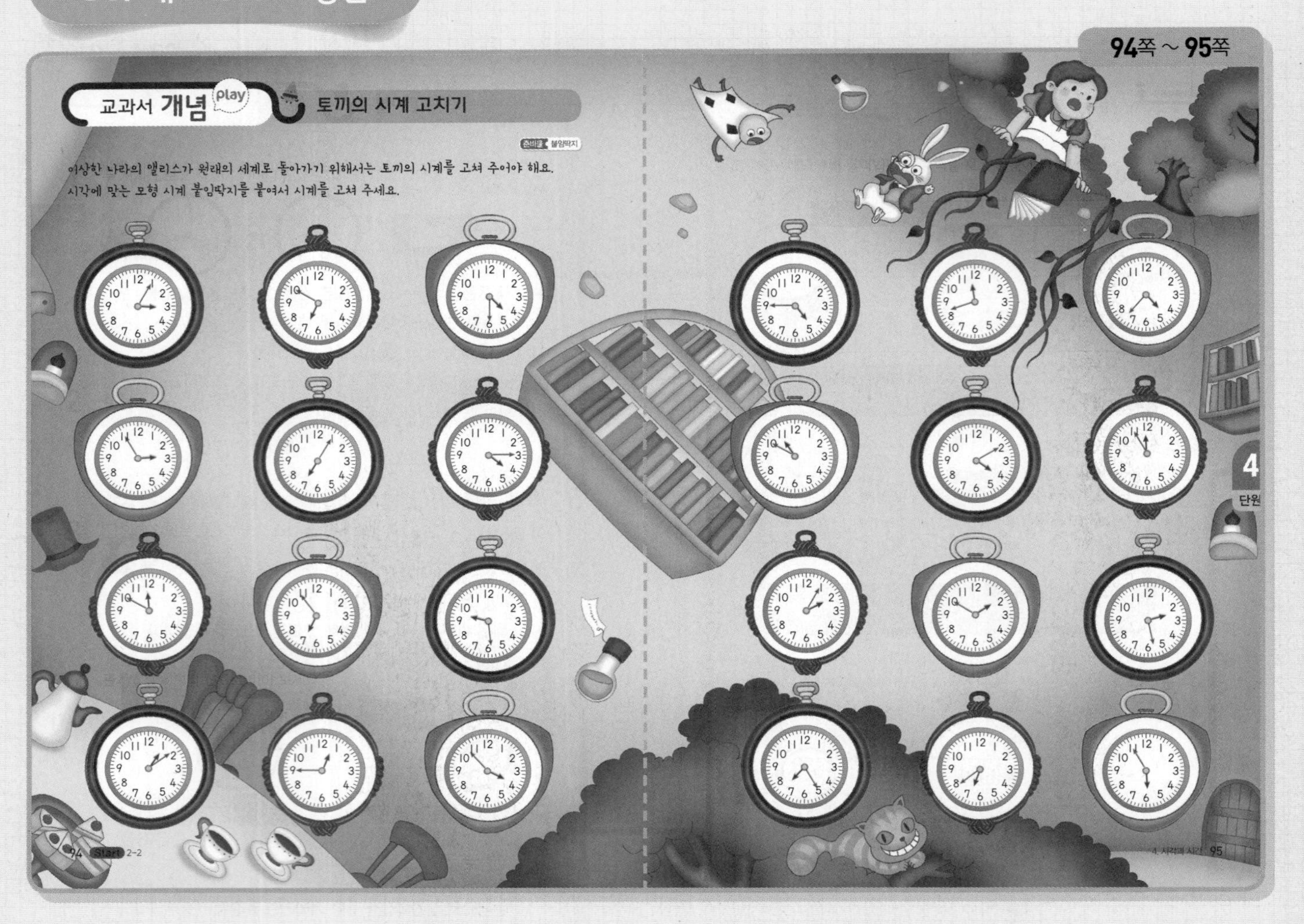

94쪽 ~ 95쪽
교과서 개념 play
토끼의 시계 고치기
준비물 붙임딱지
이상한 나라의 앨리스가 원래의 세계로 돌아가기 위해서는 토끼의 시계를 고쳐 주어야 해요.
시각에 맞는 모형 시계 붙임딱지를 붙여서 시계를 고쳐 주세요.
4 단원

96쪽 ~ 97쪽

집중! 드릴 문제

정답과 풀이 p.24

[1~13] 시각을 써 보세요.

1

11 시 45 분

❖ 짧은바늘은 11과 12 사이를 가리키고, 긴바늘은 9를 가리키므로 11시 45분입니다.

2

12 시 15 분

❖ 짧은바늘은 12와 1 사이를 가리키고, 긴바늘은 3을 가리키므로 12시 15분입니다.

3

1 시 20 분

❖ 짧은바늘은 1과 2 사이를 가리키고, 긴바늘은 4를 가리키므로 1시 20분입니다.

4

8 시 30 분

❖ 짧은바늘은 8과 9 사이를 가리키고, 긴바늘은 6을 가리키므로 8시 30분입니다.

5

4 시 41 분

❖ 짧은바늘은 4와 5 사이를 가리키고, 긴바늘은 8에서 작은 눈금으로 1칸 더 간 곳을 가리키므로 4시 41분입니다.

6

5 시 14 분

❖ 짧은바늘은 5와 6 사이를 가리키고, 긴바늘은 3에서 작은 눈금으로 1칸 덜 간 곳을 가리키므로 5시 14분입니다.

7

7 시 22 분

❖ 짧은바늘은 7과 8 사이를 가리키고, 긴바늘은 4에서 작은 눈금으로 2칸 더 간 곳을 가리키므로 7시 22분입니다.

8

9 시 48 분

❖ 짧은바늘은 9와 10 사이를 가리키고, 긴바늘은 10에서 작은 눈금으로 2칸 덜 간 곳을 가리키므로 9시 48분입니다.

9 2:23 → 2 시 23 분

❖ 왼쪽의 2는 2시를 나타내고 오른쪽의 23은 23분을 나타내므로 2시 23분입니다.

10 4:58 → 4 시 58 분

❖ 왼쪽의 4는 4시를 나타내고 오른쪽의 58은 58분을 나타내므로 4시 58분입니다.

11 11:05 → 11 시 5 분

❖ 왼쪽의 11은 11시를 나타내고 오른쪽의 05는 5분을 나타내므로 11시 5분입니다.

12 3:44 → 3 시 44 분

❖ 왼쪽의 3은 3시를 나타내고 오른쪽의 44는 44분을 나타내므로 3시 44분입니다.

13 11:11 → 11 시 11 분

❖ 왼쪽의 11은 11시를 나타내고 오른쪽의 11은 11분을 나타내므로 11시 11분입니다.

[14~16] 두 가지 방법으로 시각을 읽어 보세요.

14

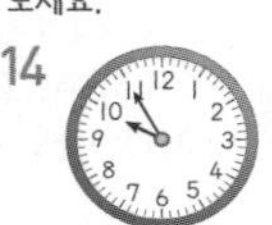

9 시 55 분
10 시 5 분 전

❖ 9시 55분은 10시가 되기 5분 전의 시각과 같습니다.
➔ 10시 5분 전

15

5 시 50 분
6 시 10 분 전

❖ 5시 50분은 6시가 되기 10분 전의 시각과 같습니다.
➔ 6시 10분 전

16

5 시 45 분
6 시 15 분 전

❖ 5시 45분은 6시가 되기 15분 전의 시각과 같습니다.
➔ 6시 15분 전

교과서 개념 확인 문제

정답과 풀이 p.25

1 시계의 긴바늘이 가리키는 숫자가 각각 몇 분을 나타내는지 빈칸에 알맞게 써넣으세요.

숫자	1	2	3	4	5	6	7	8	9	10	11	12
분	5	10	15	20	25	30	35	40	45	50	55	0

✤ 시계의 긴바늘이 가리키는 숫자가 1씩 커질 때마다 분은 5분씩 커집니다.

2 □ 안에 알맞은 수를 써넣으세요.

시계에서 긴바늘이 가리키는 작은 눈금 한 칸은 1분을 나타냅니다.

3 시계를 보고 □ 안에 알맞은 수를 써넣으세요.

짧은바늘은 7과 8 사이를 가리키고, 긴바늘은 3에서 작은 눈금으로 2칸 더 간 곳을 가리키고 있습니다.

4 시각을 써 보세요.

(1)
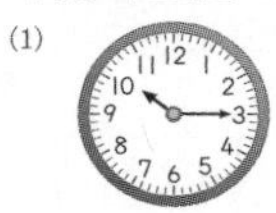
10시 15분

(2)
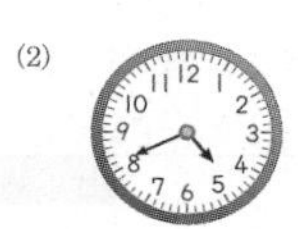
4시 41분

✤ (1) 짧은바늘은 10과 11 사이를 가리키고, 긴바늘은 3을 가리키므로 10시 15분입니다.
(2) 짧은바늘은 4와 5 사이를 가리키고, 긴바늘은 8에서 작은 눈금으로 1칸 더 간 곳을 가리키므로 4시 41분입니다.

5 전자시계가 나타내는 시각을 써 보세요.

5:46 → 5시 46분

✤ 왼쪽의 5는 5시를 나타내고 오른쪽의 46은 46분을 나타냅니다.
→ 5시 46분

6 같은 시각을 나타내는 것끼리 선으로 이어 보세요.

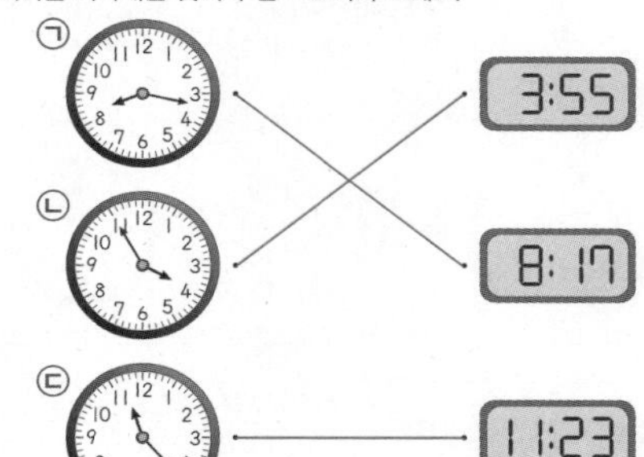

✤ ㉠ 8시 17분
㉡ 3시 55분
㉢ 11시 23분

7 □ 안에 알맞은 수를 써넣으세요.

(1) 2시 50분은 3시 10분 전입니다.

(2) 5시 15분 전은 4시 45분입니다.

✤ (1) 2시 50분은 3시가 되기 10분 전의 시각과 같으므로 3시 10분 전으로 나타낼 수 있습니다.
(2) 5시 15분 전은 5시가 되기 15분 전의 시각이므로 4시 45분입니다.

교과서 개념 확인 문제

정답과 풀이 p.25

8 시각에 맞게 긴바늘을 그려 넣으세요.

(1) 5:20

(2) 9:48

✤ (1) 20분이므로 긴바늘이 4를 가리키도록 그립니다.
(2) 48분이므로 긴바늘이 10에서 작은 눈금으로 2칸 덜 간 곳을 가리키도록 그립니다.

9 시각을 두 가지 방법으로 읽어 보세요.

6시 45분

7시 15분 전

✤ 짧은바늘이 6과 7 사이를 가리키고, 긴바늘이 9를 가리키므로 6시 45분입니다.
6시 45분은 7시가 되기 15분 전이므로 7시 15분 전입니다.

10 다음 시각에 알맞은 시계를 찾아 ○표 하세요.

4시 10분 전

(   ) (○)

✤ 4시가 되기 10분 전은 3시 50분입니다.

11 시각에 맞게 시곗바늘을 그려 넣으세요.

(1) 2시 10분 전

(2) 6시 15분 전

✤ (1) 2시 10분 전은 2시가 되기 10분 전의 시각이므로 1시 50분입니다. 따라서 긴바늘이 10을 가리키도록 그립니다.
(2) 6시 15분 전은 6시가 되기 15분 전의 시각이므로 5시 45분입니다. 따라서 짧은바늘은 5와 6 사이를 가리키고, 긴바늘은 9를 가리키도록 그립니다.

12 같은 시각을 나타내는 것끼리 선으로 이어 보세요.

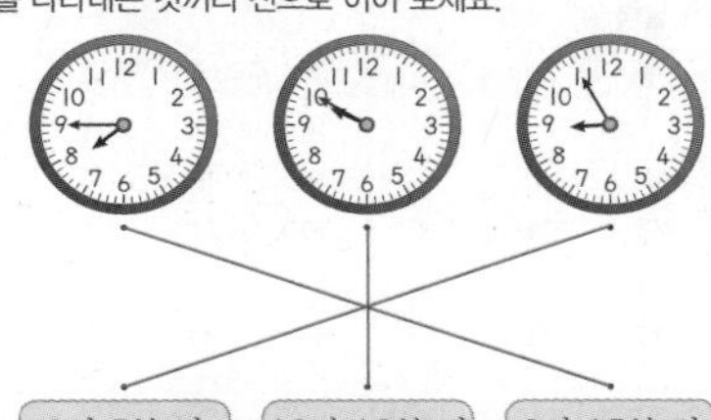

9시 5분 전 | 10시 10분 전 | 8시 15분 전

✤ 왼쪽 시계: 7시 45분은 8시가 되기 15분 전의 시각과 같으므로 8시 15분 전입니다.
가운데 시계: 9시 50분은 10시가 되기 10분 전의 시각과 같으므로 10시 10분 전입니다.
오른쪽 시계: 8시 55분은 9시가 되기 5분 전의 시각과 같으므로 9시 5분 전입니다.

13 거울에 비친 시계의 모습이 오른쪽과 같습니다. 이 시계가 나타내는 시각은 몇 시 몇 분일까요?

(2시 25분)

✤ 짧은바늘은 2와 3 사이를 가리키고, 긴바늘은 5를 가리키므로 2시 25분입니다.

14 대화를 읽고 어제 더 늦게 잔 사람의 이름을 써 보세요.

(다은)

✤ 다은이가 잔 시각: 10시 5분 전 → 9시 55분
9시 55분이 9시 45분보다 더 늦은 시각이므로 다은이가 우진이보다 더 늦게 잤습니다.

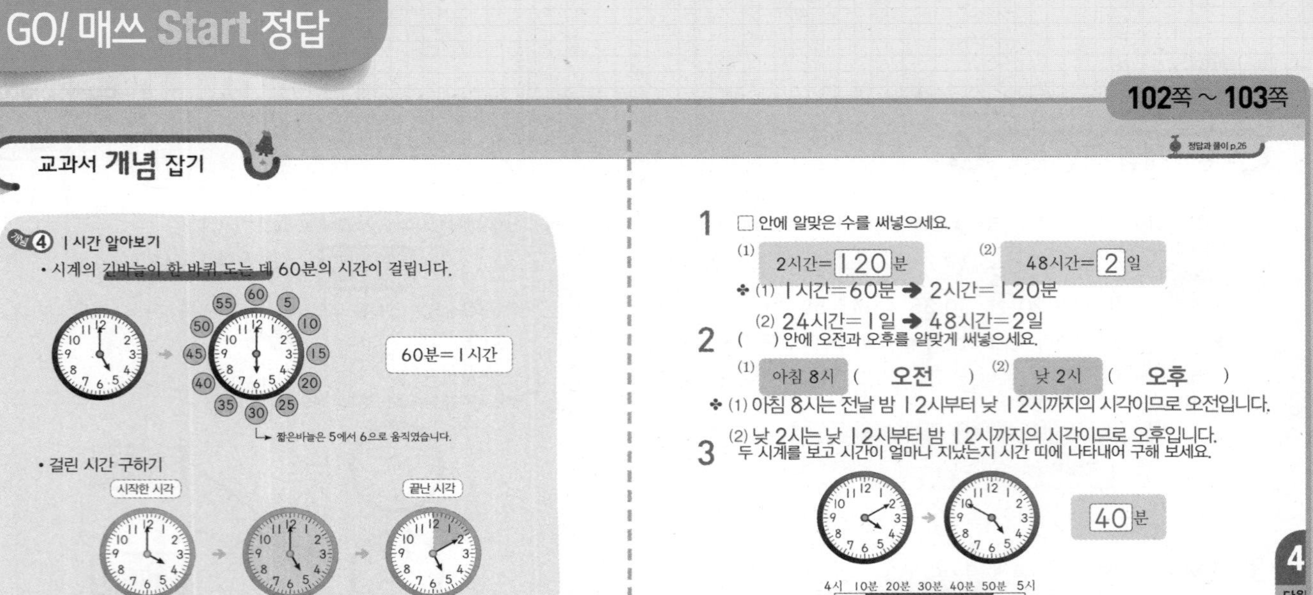

102쪽 ~ 103쪽

교과서 개념 잡기

개념④ 1시간 알아보기

• 시계의 긴바늘이 한 바퀴 도는 데 60분의 시간이 걸립니다.

60분=1시간

↳ 짧은바늘은 5에서 6으로 움직였습니다.

• 걸린 시간 구하기

시작한 시각 / 끝난 시각

4시 10분 20분 30분 40분 50분 5시 10분 20분 30분 40분 50분 6시

→ 60분+10분

→ 걸린 시간: 1시간 10분=70분

개념⑤ 하루의 시간 알아보기

• 하루는 24시간입니다.

• 전날 밤 12시부터 낮 12시까지를 오전이라 하고 낮 12시부터 밤 12시까지를 오후라고 합니다.

12 1 2 3 4 5 6 7 8 9 10 11 12 1 2 3 4 5 6 7 8 9 10 11 12

12시간(오전) 12시간(오후)

24시간(1일)

오후 오전

정답과 풀이 p.25

1 □ 안에 알맞은 수를 써넣으세요.

(1) 2시간=120분 (2) 48시간=2일

✤ (1) 1시간=60분 → 2시간=120분

(2) 24시간=1일 → 48시간=2일

2 ( ) 안에 오전과 오후를 알맞게 써넣으세요.

(1) 아침 8시 (오전) (2) 낮 2시 (오후)

✤ (1) 아침 8시는 전날 밤 12시부터 낮 12시까지의 시각이므로 오전입니다.

(2) 낮 2시는 낮 12시부터 밤 12시까지의 시각이므로 오후입니다.

3 두 시계를 보고 시간이 얼마나 지났는지 시간 띠에 나타내어 구해 보세요.

40분

4시 10분 20분 30분 40분 50분 5시

✤ 시간 띠에 나타낸 부분은 4칸이고 한 칸이 10분을 나타내므로 40분 지났습니다.

4 민수가 학교에 있었던 시간을 구해 보세요.

오전 오후 등교 시각 하교 시각

(1) 민수가 학교에 있었던 시간을 시간 띠에 나타내어 보세요.

오전 12 1 2 3 4 5 6 7 8 9 10 11 12 1 2 3 4 5 6 7 8 9 10 11 12 오후

(2) 민수가 학교에 있었던 시간은 6시간입니다.

✤ (2) 시간 띠에 나타낸 부분은 6칸이고 한 칸이 1시간을 나타내므로 학교에 있었던 시간은 6시간입니다.

4 단원

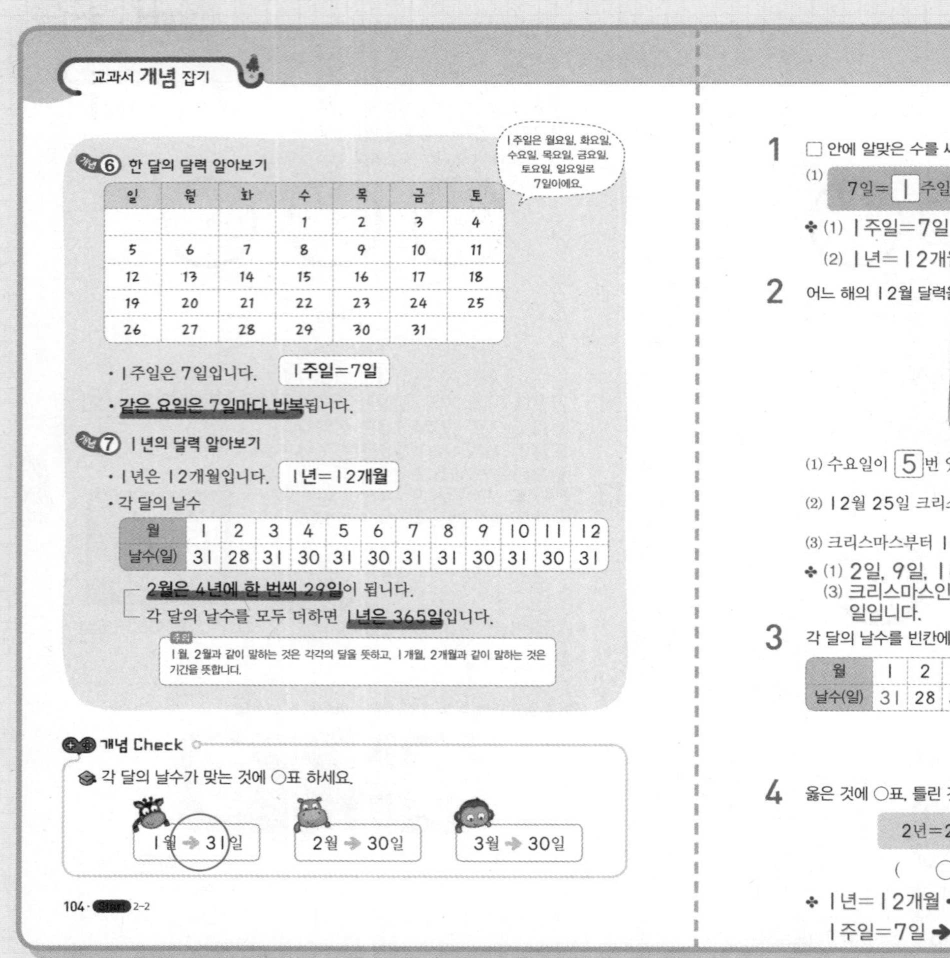

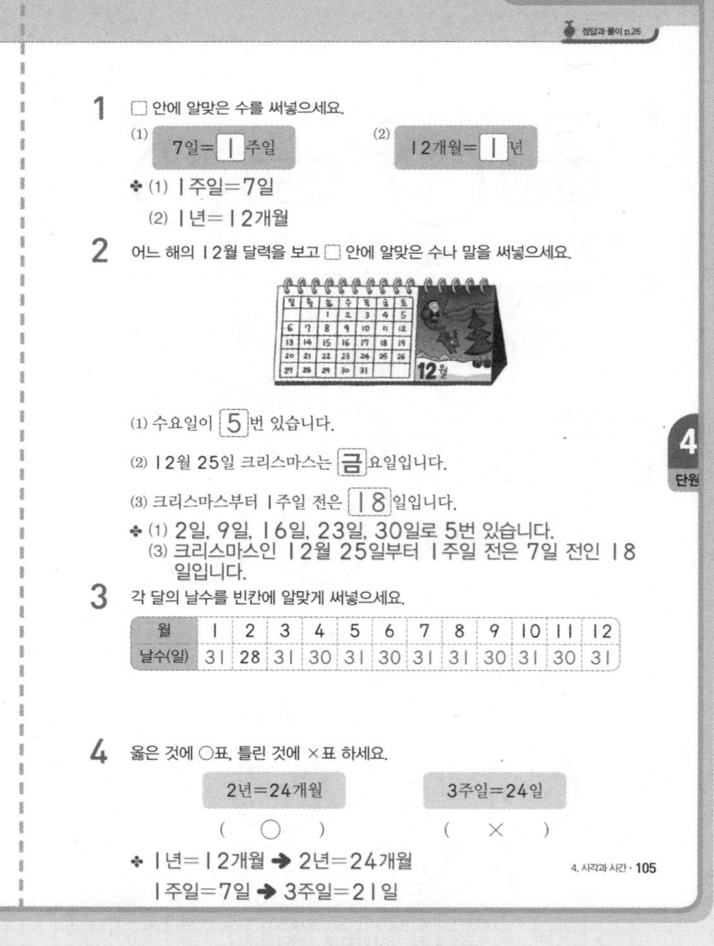

104쪽 ~ 105쪽

교과서 개념 잡기

개념⑥ 한 달의 달력 알아보기

1주일은 월요일, 화요일, 수요일, 목요일, 금요일, 토요일, 일요일로 7일이에요.

일	월	화	수	목	금	토
			1	2	3	4
5	6	7	8	9	10	11
12	13	14	15	16	17	18
19	20	21	22	23	24	25
26	27	28	29	30	31	

• 1주일은 7일입니다. 1주일=7일

• 같은 요일은 7일마다 반복됩니다.

개념⑦ 1년의 달력 알아보기

• 1년은 12개월입니다. 1년=12개월

• 각 달의 날수

월	1	2	3	4	5	6	7	8	9	10	11	12
날수(일)	31	28	31	30	31	30	31	31	30	31	30	31

2월은 4년에 한 번씩 29일이 됩니다.

각 달의 날수를 모두 더하면 1년은 365일입니다.

주의: 1월, 2월과 같이 말하는 것은 각각의 달을 뜻하고, 1개월, 2개월과 같이 말하는 것은 기간을 뜻합니다.

개념 Check

각 달의 날수가 맞는 것에 ○표 하세요.

1월 → 31일 (○) 2월 → 30일 3월 → 30일

정답과 풀이 p.26

1 □ 안에 알맞은 수를 써넣으세요.

(1) 7일=1주일 (2) 12개월=1년

✤ (1) 1주일=7일

(2) 1년=12개월

2 어느 해의 12월 달력을 보고 □ 안에 알맞은 수나 말을 써넣으세요.

(1) 수요일이 5번 있습니다.

(2) 12월 25일 크리스마스는 금요일입니다.

(3) 크리스마스부터 1주일 전은 18일입니다.

✤ (1) 2일, 9일, 16일, 23일, 30일로 5번 있습니다.

(3) 크리스마스인 12월 25일부터 1주일 전은 7일 전인 18일입니다.

3 각 달의 날수를 빈칸에 알맞게 써넣으세요.

월	1	2	3	4	5	6	7	8	9	10	11	12
날수(일)	31	28	31	30	31	30	31	31	30	31	30	31

4 옳은 것에 ○표, 틀린 것에 ×표 하세요.

2년=24개월 (○) 3주일=24일 (×)

✤ 1년=12개월 → 2년=24개월

1주일=7일 → 3주일=21일

4 단원

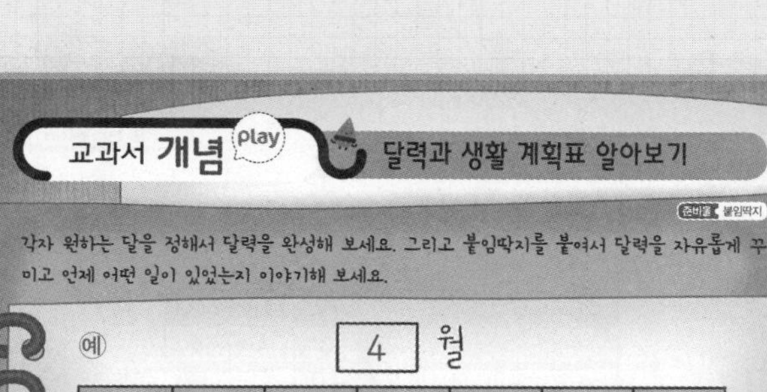

교과서 개념 play — 달력과 생활 계획표 알아보기

각자 원하는 달을 정해서 달력을 완성해 보세요. 그리고 붙임딱지를 붙여서 달력을 자유롭게 꾸미고 언제 어떤 일이 있었는지 이야기해 보세요.

예) 4 월

일	월	화	수	목	금	토
			1	2	3	
5		7	8	9	10	
			15		17	
19		21	22	23	24	
26		28	29	30		

- [7]일에서 1주일 후인 [14]일에 도넛을 먹으러 갑니다.
- [2]일에서 2주일 후인 [16]일이 내 생일입니다.
- 내 생일 4일 전인 [12]일에 피아노 콩쿠르가 있습니다.
- 매주 [토]요일은 치킨 먹는 날입니다.
- 매주 [월]요일은 운동을 합니다.
- 내 생일에서 2주일 후는 4월의 마지막 날입니다.

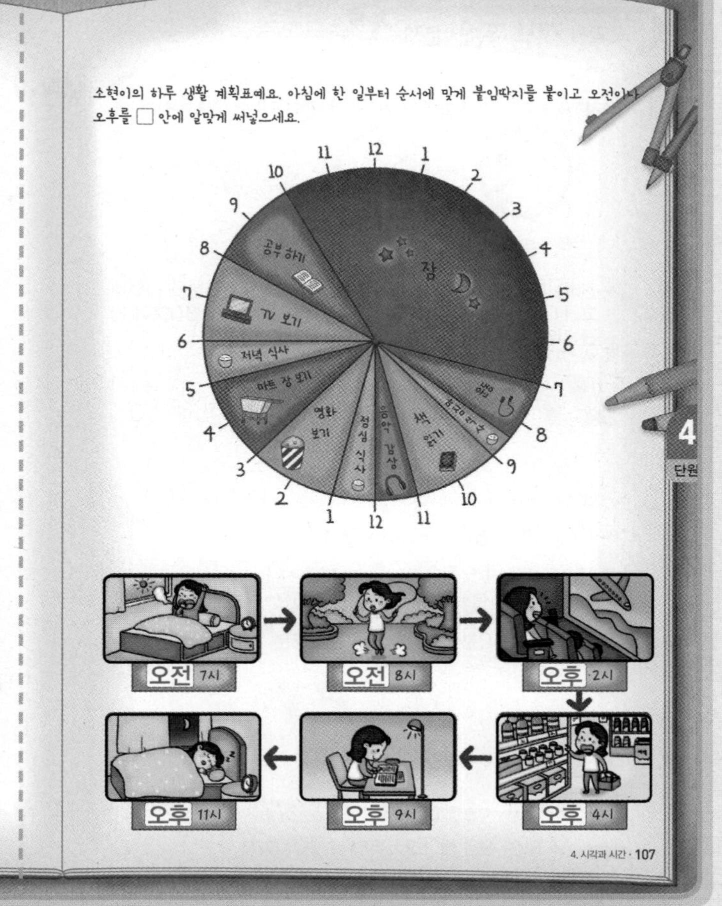

소현이의 하루 생활 계획표예요. 아침에 한 일부터 순서에 맞게 붙임딱지를 붙이고 오전이나 오후를 □ 안에 알맞게 써넣으세요.

오전 7시 → 오전 8시 → 오후 2시 → 오후 4시 → 오후 9시 → 오후 11시

집중! 드릴 문제

정답과 풀이 p.27

[1~12] □ 안에 알맞은 수를 써넣으세요.

1 120분=[2]시간
✤ 60분=1시간
➔ 120분=2시간

2 1시간 30분=[90]분
✤ 1시간 30분
=60분+30분=90분

3 70분=[1]시간 [10]분
✤ 70분=60분+10분
=1시간 10분

4 30시간=[1]일 [6]시간
✤ 30시간=24시간+6시간
=1일 6시간

5 1일 5시간=[29]시간
✤ 1일 5시간=24시간+5시간
=29시간

6 3일=[72]시간
✤ 1일=24시간
➔ 3일=72시간

7 3년=[36]개월
✤ 1년=12개월
➔ 3년=36개월

8 14일=[2]주일
✤ 7일=1주일
➔ 14일=2주일

9 1년 6개월=[18]개월
✤ 1년 6개월=12개월+6개월
=18개월

10 1주일 4일=[11]일
✤ 1주일 4일=7일+4일
=11일

11 20개월=[1]년 [8]개월
✤ 20개월=12개월+8개월
=1년 8개월

12 2주일 3일=[17]일
✤ 2주일 3일=14일+3일
=17일

[13~16] 두 시계를 보고 시간이 얼마나 지났는지 시간 띠에 나타내어 구해 보세요.

13

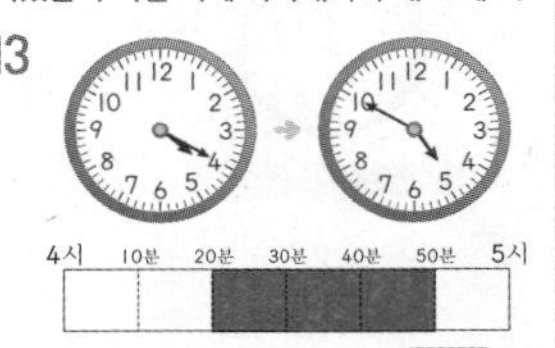

[30]분
✤ 시간 띠에 나타낸 부분이 3칸이고 한 칸이 10분을 나타내므로 30분 지난 것입니다.

14

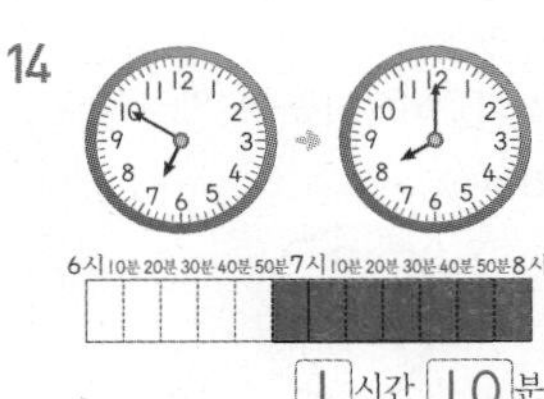

[1]시간 [10]분
✤ 시간 띠에 나타낸 부분이 7칸이고 한 칸이 10분을 나타내므로 70분=1시간 10분 지난 것입니다.

15

[1]시간 [30]분
✤ 시간 띠에 나타낸 부분이 9칸이고 한 칸이 10분을 나타내므로 90분=1시간 30분 지난 것입니다.

16 오전 → 오후

[9]시간
✤ 시간 띠에 나타낸 부분은 9칸이고 한 칸이 1시간을 나타내므로 9시간 지난 것입니다.

110쪽 ~ 111쪽

교과서 개념 확인 문제

정답과 풀이 p.28

1 두 시계를 보고 시간이 얼마나 지났는지 시간 띠에 나타내어 구해 보세요.

30분

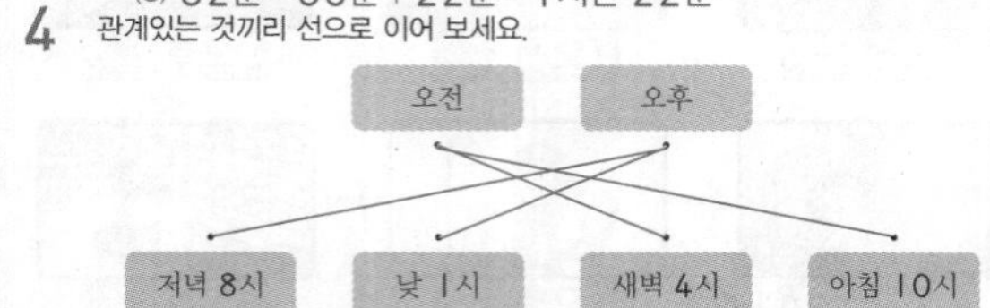

✤ 긴바늘이 4에서 10으로 움직였습니다. 4는 20분을 나타내고 10은 50분을 나타내므로 시간 띠에 색칠하면 30분이 지난 것입니다.

2 각 달은 며칠인지 빈칸에 알맞은 수를 써넣으세요.

월	1	2	3	4	5	6
날수(일)	31	28(29)	31	30	31	30

3 □ 안에 알맞은 수를 써넣으세요.

(1) 1시간 15분=60분+15분=75분

(2) 150분=2시간 30분 (3) 82분=1시간 22분

✤ (1) 1시간 15분=60분+15분=75분
(2) 150분=120분+30분=2시간 30분
(3) 82분=60분+22분=1시간 22분

4 관계있는 것끼리 선으로 이어 보세요.

오전 오후

저녁 8시 낮 1시 새벽 4시 아침 10시

✤ 오전: 전날 밤 12시부터 낮 12시까지
오후: 낮 12시부터 밤 12시까지

[5~8] 어느 해의 9월 달력입니다. 달력을 보고 물음에 답하세요.

9월

일	월	화	수	목	금	토
		1	2	3	4	5
6	7	8	9	10	11	12
13	14	15	16	17	18	19
20	21	22	23	24	25	26
27	28	29	30			

5 위의 달력을 완성해 보세요.

✤ 9월은 30일까지 있습니다.

6 이 달의 토요일의 날짜를 모두 써 보세요.

(5일, 12일, 19일, 26일)

7 11일에서 1주일 후는 며칠이고, 무슨 요일일까요?

(18일), (금요일)

✤ 1주일은 7일이므로 11일에서 1주일 후는 18일이고 11일과 같은 요일인 금요일입니다.

8 24일에서 2주일 전은 무슨 요일일까요?

(목요일)

✤ 1주일은 같은 요일이 돌아오는 데 걸리는 기간이므로 2주일 전도 24일과 같은 목요일입니다.

112쪽 ~ 113쪽

교과서 개념 확인 문제

정답과 풀이 p.28

9 □ 안에 알맞은 수를 써넣으세요.

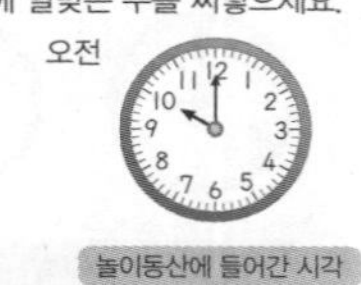

놀이동산에 들어간 시각

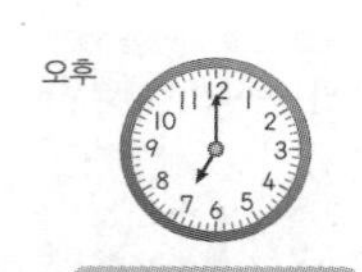

놀이동산에서 나온 시각

➔ 놀이동산에 있었던 시간은 9시간입니다.

✤ 오전 10시 —2시간 후→ 낮 12시 —7시간 후→ 오후 7시
놀이동산에 있었던 시간은 2+7=9(시간)입니다.

10 날수가 같은 달끼리 짝 지은 것에 ○표 하세요.

3월, 9월 ( ) 7월, 8월 (○) 2월, 10월 ( )

✤ • 3월은 31일까지 있고, 9월은 30일까지 있습니다.
• 7월과 8월은 모두 31일까지 있습니다.
• 2월은 28일 또는 29일까지 있고 10월은 31일까지 있습니다.

11 민준이가 민속촌에 있었던 시간은 몇 시간일까요?

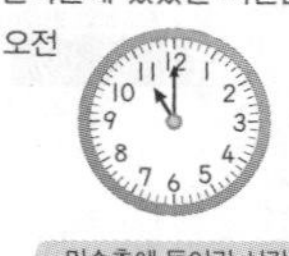

민속촌에 들어간 시각

민속촌에서 나온 시각

(6시간)

✤ 오전 11시 —1시간 후→ 낮 12시 —5시간 후→ 오후 5시
오전 11시에 들어가서 오후 5시에 나왔으므로 6시간 있었습니다.

12 □ 안에 알맞은 수를 써넣으세요.

(1) 2일=48시간 (2) 3주일=21일

(3) 27시간=1일 3시간 (4) 1년 5개월=17개월

(5) 20개월=1년 8개월

✤ (1) 2일=1일+1일=24시간+24시간=48시간
(2) 1주일은 7일이므로 3주일은 21일입니다.
(3) 27시간=24시간+3시간=1일 3시간
(4) 1년 5개월=12개월+5개월=17개월
(5) 20개월=12개월+8개월=1년 8개월

13 더 긴 시간의 기호를 써 보세요.

㉠ 1시간 20분 ㉡ 90분

(㉡)

✤ ㉠ 1시간 20분=1시간+20분=60분+20분=80분
➔ 80분<90분이므로 더 긴 시간은 ㉡입니다.

14 준호는 6시에 학원에 가서 1시간 20분 후 집에 돌아왔습니다. 준호가 집에 온 시각은 몇 시 몇 분일까요?

(7시 20분)

✤ 6시 —1시간 후→ 7시 —20분 후→ 7시 20분

15 2교시 수업이 끝나고 나서 10분 후 3교시 수업이 시작합니다. 3교시 수업이 시작하는 시각은 몇 시 몇 분일까요?

수업 시간표
1교시: 9:00 ~ 9:40 (40분)
2교시: 9:50 ~ (40분)
3교시:

10시 40분

✤ 2교시 수업이 끝나는 시각: 9시 50분에서 40분 후이므로
9시 50분 —10분 후→ 10시 —30분 후→ 10시 30분
3교시 수업이 시작하는 시각은 2교시가 끝난 10시 30분에서 10분 후이므로 10시 40분입니다.

개념 확인평가 4. 시각과 시간

맞은 개수

정답과 풀이 p.29

1 시계의 긴바늘이 가리키는 숫자가 몇 분을 나타내는지 써넣으세요.

숫자	1	2	3	4	5	6	7	8	9	10	11	12
분	5	10	15	20	25	30	35	40	45	50	55	0

✤ 긴바늘이 가리키는 숫자가 1이면 5분, 2이면 10분, 3이면 15분……을 나타냅니다.

2 □ 안에 알맞은 수를 써넣으세요.

(1) 60분=1시간 (2) 1일=24시간

(3) 1주일=7일 (4) 1년=12개월

3 시각을 써 보세요.

(1) 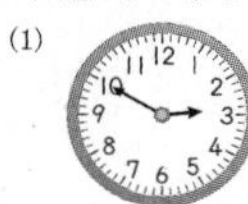

3시 10분 전

(2)

1시 47분

✤ (1) 2시 50분은 3시가 되기 10분 전의 시각과 같으므로 3시 10분 전입니다.
(2) 짧은바늘은 1과 2 사이를 가리키고, 긴바늘은 9에서 작은 눈금으로 2칸 더 간 곳을 가리키므로 1시 47분입니다.

4 오전을 나타내는 시각을 모두 고르세요. ……………… (①, ③)

① 아침 6시 ② 저녁 7시 ③ 새벽 1시

④ 낮 3시 ⑤ 밤 10시

✤ 전날 밤 12시부터 낮 12시까지의 시각을 모두 고르면 ① 아침 6시, ③ 새벽 1시입니다.

5 시각에 맞게 긴바늘을 그려 넣으세요.

(1) 9시 5분 (2) 11시 17분 (3) 3시 41분

✤ (1) 긴바늘이 숫자 1을 가리키게 그립니다.
(2) 긴바늘이 숫자 3에서 작은 눈금으로 2칸 더 간 곳을 가리키게 그립니다.
(3) 긴바늘이 숫자 8에서 작은 눈금으로 1칸 더 간 곳을 가리키게 그립니다.

6 지유가 영화를 보는 데 걸린 시간을 시간 띠에 나타내어 구해 보세요.

시작한 시각 끝난 시각

11시 10분 20분 30분 40분 50분 12시 10분 20분 30분 40분 50분 1시

90분=1시간 30분

✤ 한 칸이 10분을 나타내므로 색칠한 9칸은 90분이고 90분=1시간 30분입니다.

7 □ 안에 알맞은 수나 말을 써넣어 5시 35분을 설명해 보세요.

시계의 짧은바늘이 5와 6 사이에 있고, 긴바늘이 7을 가리키면 5시 35분입니다.

✤ 짧은바늘이 5와 6 사이를 가리키면 5시 몇 분을 나타냅니다.
긴바늘이 7을 가리키면 35분을 나타냅니다.
➔ 5시 35분

개념 확인평가 4. 시각과 시간

정답과 풀이 p.29

8 축제 시간표를 보고 전통 놀이 체험을 하는 데 몇 시간 몇 분이 걸리는지 구해 보세요.

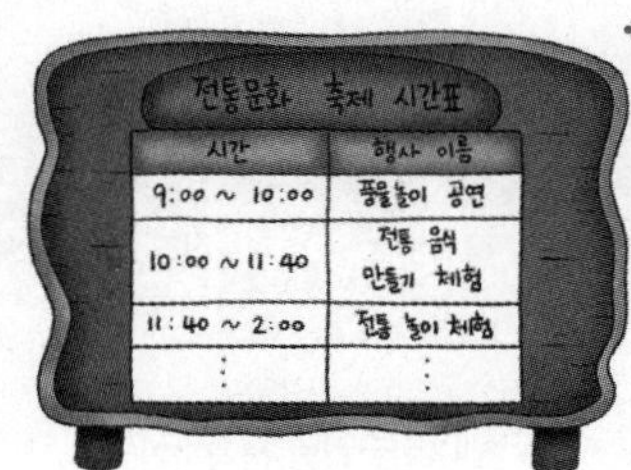

✤ 전통 놀이 체험은 11시 40분부터 2시까지입니다.
11시 40분부터 12시까지: 20분
12시부터 2시까지: 2시간
➔ 2시간 20분이 걸립니다.

(2시간 20분)

[9~10] 어느 해의 10월 달력을 보고 물음에 답하세요.

9 연아는 매주 월요일과 목요일에 태권도 학원에 갑니다. 10월에 태권도 학원에 가는 날은 모두 며칠일까요?

(8일)

✤ 위 달력에 표시한 날 태권도 학원에 가므로 모두 8일입니다.

10 연아의 생일은 10월 셋째 토요일이고 민수는 연아보다 14일 늦게 태어났습니다. 민수의 생일은 몇 월 며칠일까요?

(10월 30일)

✤ 첫째 토요일이 2일, 둘째 토요일이 9일이고, 셋째 토요일은 16일이므로 연아의 생일은 10월 16일이고 이보다 14일 늦은 민수 생일은 2주 후인 10월 30일입니다.

[GO! 매쓰]
여기까지 4단원 내용입니다.
다음부터는 5단원 내용이 시작합니다.

118쪽 ~ 119쪽

교과서 개념 잡기

정답과 풀이 p.30

개념 1 자료를 보고 표로 나타내어 보기

• 상혁이네 모둠 학생들이 좋아하는 운동을 조사한 자료

상혁이네 모둠 학생들이 좋아하는 운동

축구	야구	달리기	배구	달리기	축구
상혁	민재	초아	연경	영아	은호
달리기	축구	야구	달리기	축구	달리기
인성	영애	원석	태희	정표	남경

〈자료로 나타내면 편리한 점〉
누가 어떤 운동을 좋아하는지 알 수 있습니다.

• 조사한 자료를 보고 표로 나타내기

상혁이네 모둠 학생들이 좋아하는 운동별 학생 수

운동	축구	야구	달리기	배구	합계
학생 수(명)	4	2	5	1	12

〈표로 나타내면 편리한 점〉
좋아하는 운동별로 학생 수와 전체 학생 수를 쉽게 알 수 있습니다.

개념 Check

위의 상혁이네 모둠 학생들이 좋아하는 운동별 학생 수를 나타낸 표에서 달리기를 좋아하는 학생 수에 ○표 하세요.

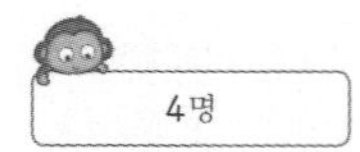
4명

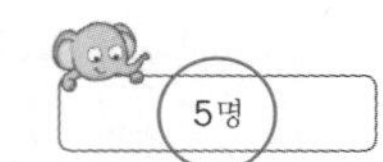
(5명) ○

[1~4] 가은이네 모둠 학생들이 배우고 싶은 악기를 조사한 자료입니다. 물음에 답하세요.

가은이네 모둠 학생들이 배우고 싶은 악기

바이올린	거문고	장구	기타	바이올린
가은	영민	재인	세영	안나
기타	바이올린	기타	바이올린	장구
은호	지현	진기	민혁	호동

1 가은이가 배우고 싶은 악기는 무엇일까요?

(바이올린)

❖ 가은이가 배우고 싶은 악기는 바이올린입니다.

2 거문고를 배우고 싶은 학생은 누구일까요?

(영민)

❖ 거문고를 배우고 싶은 학생은 영민이입니다.

3 조사한 자료를 보고 표로 나타내어 보세요.

가은이네 모둠 학생들이 배우고 싶은 악기별 학생 수

악기	바이올린	거문고	장구	기타	합계
학생 수(명)	4	1	2	3	10

❖ 합계: 4+1+2+3=10

4 가은이네 모둠 학생은 모두 몇 명일까요?

(10명)

❖ 표에서 합계가 10이므로 가은이네 모둠 학생은 모두 10명입니다.

120쪽 ~ 121쪽

교과서 개념 잡기

정답과 풀이 p.30

개념 2 자료를 조사하여 표로 나타내어 보기

❶ 조사하는 것 정하기

반 학생들이 좋아하는 계절을 조사합니다.

❷ 조사하는 방법 생각하기

선생님이 계절을 말하고 학생들이 손을 듭니다.

❸ 자료를 조사하기

영아네 반 학생들이 좋아하는 계절

계절	손을 든 학생
봄	영아, 근우
여름	초아, 인성, 원석, 상혁, 지연, 현철, 안나, 진호
가을	정표, 경은, 호필, 연경, 승희
겨울	윤호, 혜민, 가은, 종민, 다혜, 채연

❹ 조사한 자료를 표로 나타내기

영아네 반 학생들이 좋아하는 계절별 학생 수

계절	봄	여름	가을	겨울	합계
학생 수(명)	2	8	5	6	21

개념 Check

위의 영아네 반 학생들이 좋아하는 계절을 조사한 자료에서 연경이가 좋아하는 계절에 ○표 하세요.

(가을) ○

겨울

1 자료를 조사하여 표로 나타내는 순서를 기호로 써 보세요.

㉠ → ㉣ → ㉢ → ㉡

❖ 조사하는 것 정하기(㉠) → 조사하는 방법 생각하기(㉣) → 자료를 조사하기(㉢) → 조사한 자료를 표로 나타내기(㉡)

2 현수네 반 학생들이 좋아하는 과일을 조사한 자료입니다. 조사한 자료를 보고 표로 나타내어 보세요.

현수네 반 학생들이 좋아하는 과일

과일	손을 든 학생
사과	현수, 연실, 용명, 유진, 상택, 동건
배	솔비, 진혁, 혜민, 재석, 민형
바나나	지혜, 준수, 소현, 가희
귤	준호, 영진, 병헌, 진희, 동원, 정은, 호진
포도	정혁, 송희

현수네 반 학생들이 좋아하는 과일별 학생 수

과일	사과	배	바나나	귤	포도	합계
학생 수(명)	6	5	4	7	2	24

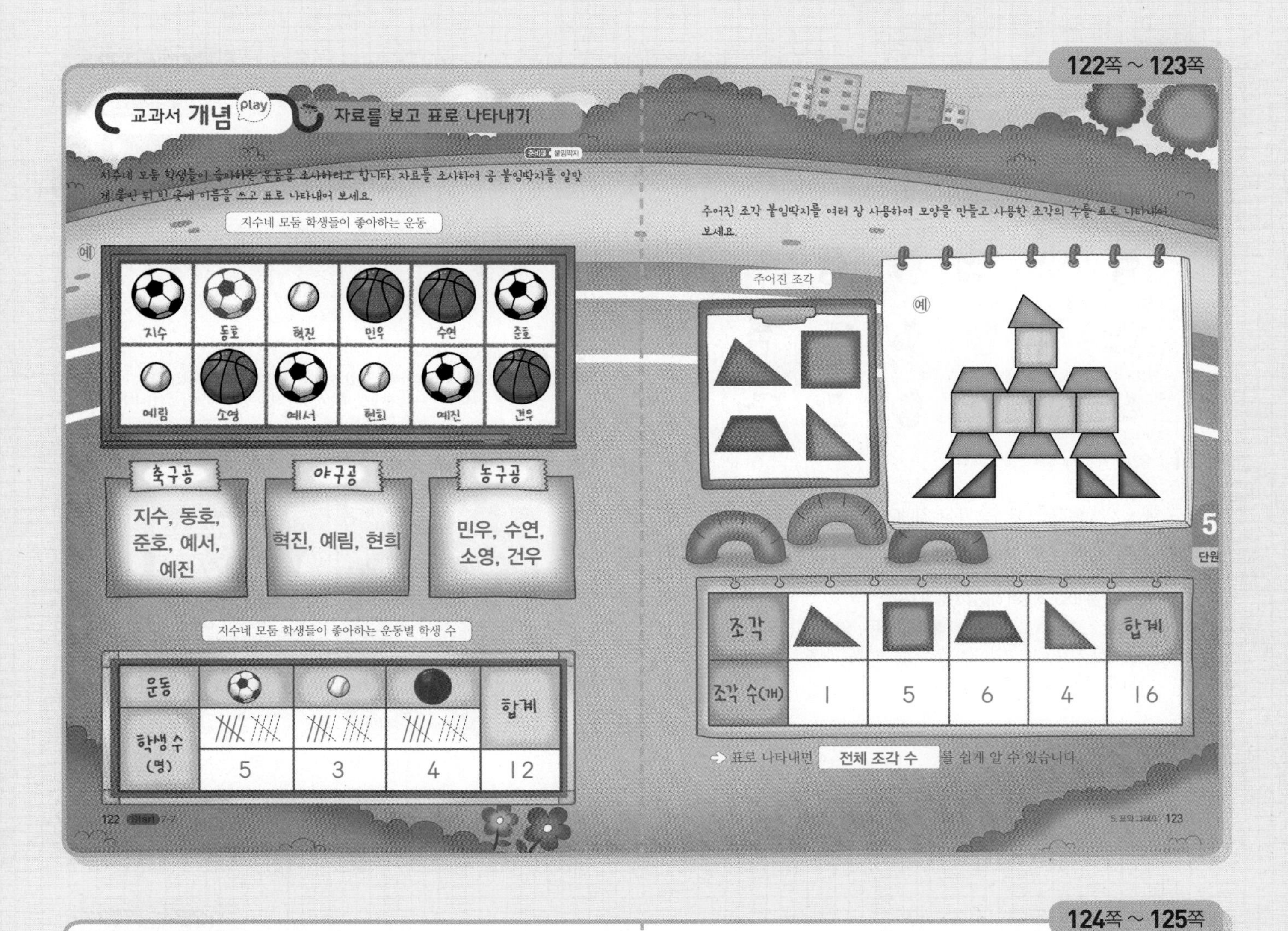
교과서 개념 play　자료를 보고 표로 나타내기

지수네 모둠 학생들이 좋아하는 운동을 조사하려고 합니다. 자료를 조사하여 공 붙임딱지를 알맞게 붙인 뒤 빈 곳에 이름을 쓰고 표로 나타내어 보세요.

지수네 모둠 학생들이 좋아하는 운동

예

지수	동호	혁진	민우	수연	준호
예림	소영	예서	현희	예진	건우

축구공: 지수, 동호, 준호, 예서, 예진

야구공: 혁진, 예림, 현희

농구공: 민우, 수연, 소영, 건우

지수네 모둠 학생들이 좋아하는 운동별 학생 수

운동	축구공	야구공	농구공	합계
학생 수(명)	5	3	4	12

주어진 조각 붙임딱지를 여러 장 사용하여 모양을 만들고 사용한 조각의 수를 표로 나타내어 보세요.

주어진 조각

예

조각	삼각형	사각형	사다리꼴	직각삼각형	합계
조각 수(개)	1	5	6	4	16

→ 표로 나타내면 전체 조각 수를 쉽게 알 수 있습니다.

122 Start 2-2　　5. 표와 그래프 123

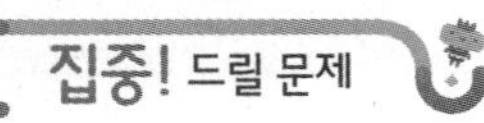

정답과 풀이 p.31

[1~3] 유빈이네 모둠 학생들이 좋아하는 동물을 조사한 자료입니다. 물음에 답하세요.

유빈이네 모둠 학생들이 좋아하는 동물

사자	코끼리	기린	코끼리
유빈	현근	초희	영준
코끼리	사자	코끼리	사자
다빈	도연	병훈	예림

1 기린을 좋아하는 학생은 누구일까요?
(초희)

2 코끼리를 좋아하는 학생은 몇 명일까요?
(4명)
✤ 현근, 영준, 다빈, 병훈 → 4명

3 조사한 자료를 보고 표로 나타내어 보세요.

유빈이네 모둠 학생들이 좋아하는 동물별 학생 수

동물	사자	코끼리	기린	합계
학생 수(명)	3	4	1	8

[4~6] 민준이네 반 학생들이 좋아하는 색깔을 조사한 자료입니다. 물음에 답하세요.

민준이네 반 학생들이 좋아하는 색깔

민준	종선	진기	은지	민성	지민
현서	혁주	현우	의현	수민	승원
영서	시헌	채윤	지원	미경	태윤

4 시헌이가 좋아하는 색깔은 무엇일까요?
(초록색)

5 민준이네 반 학생은 모두 몇 명일까요?
(18명)

6 조사한 자료를 보고 표로 나타내어 보세요.

민준이네 반 학생들이 좋아하는 색깔별 학생 수

색깔	빨강	파랑	노랑	초록	합계
학생 수(명)	7	5	2	4	18

[7~10] 조사한 자료를 보고 표로 나타내어 보세요.

7

재윤이네 모둠 학생들이 좋아하는 채소

채소	이름
당근	재윤, 준기, 정린
오이	건호, 남경
시금치	세빈, 성민, 정원, 가연

재윤이네 모둠 학생들이 좋아하는 채소별 학생 수

채소	당근	오이	시금치	합계
학생 수(명)	3	2	4	9

8

상현이네 모둠 학생들이 겨울방학에 가 보고 싶은 장소

스키장	썰매장	스케이트장
상현	예진	민희
현주	충민	지호
하진	동민	현태
시윤		

상현이네 모둠 학생들이 겨울방학에 가 보고 싶은 장소별 학생 수

장소	스키장	썰매장	스케이트장	합계
학생 수(명)	4	3	3	10

9

종혁이네 모둠 학생들이 좋아하는 간식

이름	간식	이름	간식
종혁	떡볶이	정훈	치킨
채빈	피자	수빈	떡볶이
도혁	햄버거	은아	피자
상우	치킨	수진	떡볶이
수연	떡볶이	지선	치킨

종혁이네 모둠 학생들이 좋아하는 간식별 학생 수

간식	떡볶이	피자	햄버거	치킨	합계
학생 수(명)	4	2	1	3	10

10

세희네 모둠 학생들의 장래 희망

이름	장래 희망	이름	장래 희망
세희	연예인	형서	유튜버
신수	운동선수	희정	연예인
연아	유튜버	규영	유튜버
준현	선생님	정선	연예인
미애	연예인	현진	운동선수
윤석	유튜버	수정	유튜버

세희네 모둠 학생들의 장래 희망별 학생 수

장래 희망	연예인	운동선수	유튜버	선생님	합계
학생 수(명)	4	2	5	1	12

124 Start 2-2　　5. 표와 그래프 125

교과서 개념 확인 문제

정답과 풀이 p.32

[1~5] 경수네 반 학생들이 좋아하는 동물을 조사하였습니다. 물음에 답하세요.

경수네 반 학생들이 좋아하는 동물

경수 (햄스터)	민수 (개)	세호	예원 (고양이)	슬기	아빈 (토끼)
현지	동진	가은	채민	기연	준서
지헌	여준	보미	영호	나경	동근

1 슬기가 좋아하는 동물은 무엇일까요?

(햄스터)

✤ 슬기가 좋아하는 동물은 햄스터입니다.

2 고양이를 좋아하는 학생의 이름을 모두 써 보세요.

(예원, 가은, 영호, 나경)

✤ 조사한 자료에서 고양이를 좋아하는 학생은 예원, 가은, 영호, 나경이입니다.

3 경수네 반 학생은 모두 몇 명일까요?

(18명)

✤ 자료의 수를 세어 보면 경수네 반 학생은 모두 18명입니다.

4 조사한 자료를 보고 표로 나타내어 보세요.

경수네 반 학생들이 좋아하는 동물별 학생 수

동물	햄스터	개	고양이	토끼	합계
학생 수(명)	4	7	4	3	18

5 알맞은 말에 ○표 하세요.

(1) 누가 어떤 동물을 좋아하는지 알 수 있는 것은 (자료, 표)입니다. [자료에 ○표]

(2) 동물별 좋아하는 학생 수를 한눈에 알아보기 쉬운 것은 (자료, 표)입니다. [표에 ○표]

6 자료를 조사하여 표로 나타내는 순서를 기호로 써 보세요.

㉠ → ㉣ → ㉡ → ㉢

✤ 조사하려고 하는 것 정하기 → 조사 방법 결정하기 → 자료 조사하기 → 조사한 결과를 보고 표로 나타내기

교과서 개념 확인 문제

정답과 풀이 p.32

[7~9] 승기네 모둠 학생들이 겨울 방학에 가 보고 싶은 장소를 종이에 적어 칠판에 붙이는 방법으로 조사하였습니다. 물음에 답하세요.

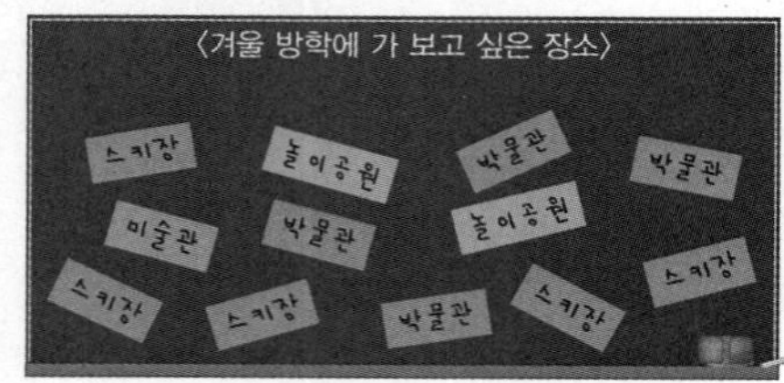

7 조사한 자료를 보고 표로 나타내어 보세요.

승기네 모둠 학생들이 겨울 방학에 가 보고 싶은 장소별 학생 수

장소	스키장	놀이공원	박물관	미술관	합계
학생 수(명)	5	2	4	1	12

8 승기네 모둠 학생은 모두 몇 명일까요?

(12명)

✤ 합계의 수가 12이므로 승기네 모둠 학생은 모두 12명입니다.

9 가장 많은 학생이 가 보고 싶은 장소는 어디일까요?

(스키장)

✤ 스키장이 5명으로 가장 많습니다.

[10~11] 장나라네 모둠 학생들의 이름에 있는 자음자와 모음자의 수를 세어 표로 나타내려고 합니다. 물음에 답하세요.

내 이름 '장나라'에 있는 모음자와 자음자는 ㅈ, ㅏ, ㅇ, ㄴ, ㅏ, ㄹ, ㅏ야. 그럼 모음자와 자음자는 7개야.

10 장나라네 모둠 학생들의 이름에 있는 모음자와 자음자의 수를 세어 표의 빈칸에 써넣으세요.

장나라네 모둠 학생들의 이름에 있는 모음자와 자음자의 수

이름	장나라	박민아	강호동	곽나경	하이안
모음자와 자음자의 수(개)	7	8	8	9	7

✤ • 박민아: ㅂ, ㅏ, ㄱ, ㅁ, ㅣ, ㄴ, ㅇ, ㅏ → 8개
• 강호동: ㄱ, ㅏ, ㅇ, ㅎ, ㅗ, ㄷ, ㅗ, ㅇ → 8개
• 곽나경: ㄱ, ㅗ, ㅏ, ㄱ, ㄴ, ㅏ, ㄱ, ㅕ, ㅇ → 9개
• 하이안: ㅎ, ㅏ, ㅇ, ㅣ, ㅇ, ㅏ, ㄴ → 7개

11 위 10을 보고 표로 나타내어 보세요.

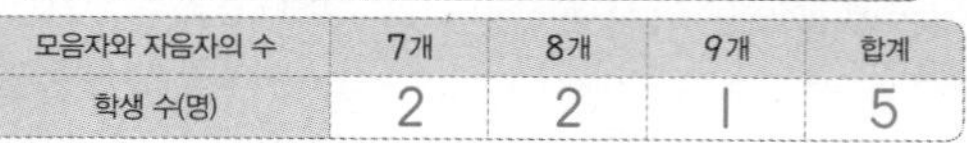

장나라네 모둠 학생들의 이름에 있는 모음자와 자음자의 수별 학생 수

모음자와 자음자의 수	7개	8개	9개	합계
학생 수(명)	2	2	1	5

12 왼쪽 모양을 만드는 데 사용한 조각을 보고 표로 나타내어 보세요.

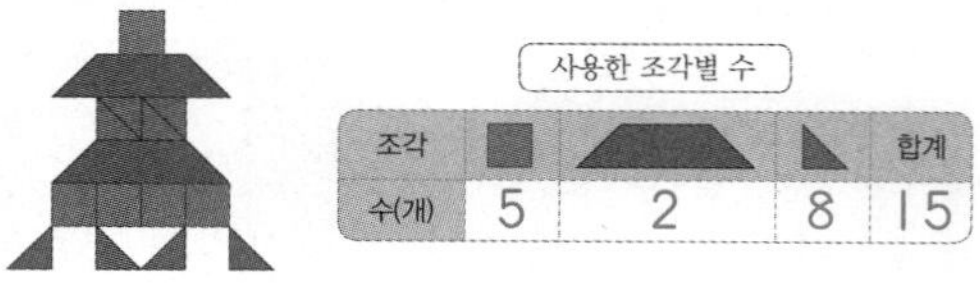

사용한 조각별 수

조각	■	▬ (사다리꼴)	◣	합계
수(개)	5	2	8	15

교과서 개념 잡기

정답과 풀이 p.33

개념 3 그래프로 나타내어 보기

상혁이네 모둠 학생들이 좋아하는 간식

피자	치킨	햄버거	아이스크림	과자	치킨	피자
상혁	민재	초아	연경	영아	은호	가은
아이스크림	피자	치킨	피자	햄버거	아이스크림	피자
인성	영애	원석	태희	정표	남경	근우

상혁이네 모둠 학생들이 좋아하는 간식별 학생 수

5	○				
4	○				
3	○	○		○	
2	○	○	○	○	
1	○	○	○	○	○
학생 수(명) / 간식	피자	치킨	햄버거	아이스크림	과자

⇨ 상혁이네 모둠에서 가장 많은 학생이 좋아하는 간식을 한눈에 알 수 있습니다.

그래프를 그리는 순서

① 가로와 세로에 어떤 내용을 넣을지 정합니다.
② 가로와 세로를 각각 몇 칸으로 할지 정합니다.
③ 항목별 수를 ○, ×, / 중 하나를 선택하여 나타냅니다.
④ 그래프의 제목을 씁니다.

1 예준이네 모둠 학생들이 좋아하는 아이스크림 맛을 조사한 자료입니다. 조사한 자료를 보고 ○를 이용하여 그래프로 나타내어 보세요.

예준이네 모둠 학생들이 좋아하는 아이스크림 맛

녹차 맛	딸기 맛	초콜릿 맛	녹차 맛	딸기 맛	녹차 맛	초콜릿 맛	녹차 맛
예준	주영	초연	태건	아인	찬민	가람	혜영

예준이네 모둠 학생들이 좋아하는 아이스크림 맛별 학생 수

4	○		
3	○		
2	○	○	○
1	○	○	○
학생 수(명) / 아이스크림 맛	녹차 맛	딸기 맛	초콜릿 맛

✤ 녹차 맛 4, 딸기 맛 2, 초콜릿 맛 2이므로 각각의 수만큼 ○를 그립니다.

2 재현이가 한 달 동안 읽은 책을 조사한 자료입니다. 조사한 자료를 보고 ×를 이용하여 그래프로 나타내어 보세요.

재현이가 한 달 동안 읽은 책

위인전	만화책	동화책
만화책	동화책	위인전
동화책	만화책	만화책
만화책	동화책	만화책

재현이가 한 달 동안 읽은 책별 책 수

6		×	
5		×	
4		×	×
3		×	×
2	×	×	×
1	×	×	×
책 수(권) / 책	위인전	만화책	동화책

✤ 위인전, 만화책, 동화책의 수만큼 ×를 그립니다.

교과서 개념 잡기

정답과 풀이 p.33

개념 4 표와 그래프의 내용을 알고 나타내어 보기

• 표의 내용 알아보기

현수네 반 학생들이 존경하는 인물별 학생 수

인물	세종대왕	이순신	신사임당	김구	안중근	윤동주	합계
학생 수(명)	6	4	2	5	3	1	21

① 현수네 반 학생 21명을 조사하였습니다.
② 이순신을 존경하는 학생은 4명입니다.

• 그래프의 내용 알아보기

현수네 반 학생들이 존경하는 인물별 학생 수

6	○					
5	○			○		
4	○	○		○		
3	○	○		○	○	
2	○	○	○	○	○	
1	○	○	○	○	○	○
학생 수(명) / 인물	세종대왕	이순신	신사임당	김구	안중근	윤동주

① 현수네 반에서 가장 많은 학생이 존경하는 인물은 세종대왕입니다.
② 현수네 반에서 가장 적은 학생이 존경하는 인물은 윤동주입니다.

• 표와 그래프로 나타내는 방법

① 어떤 내용을, 누구에게, 어떤 방법으로 조사할지 정합니다.
② 조사한 자료를 표와 그래프로 나타내고, 내용을 정리합니다.

개념 Check

위 표와 그래프 중 가장 많은 학생이 존경하는 인물과 가장 적은 학생이 존경하는 인물을 한눈에 알아보기 편리한 것에 ○표 하세요.

표 / (그래프)

[1~2] 종원이의 필통에 있는 학용품 수를 조사하여 나타낸 표입니다. 물음에 답하세요.

종원이의 필통에 있는 학용품 수

학용품	색연필	지우개	연필	풀	자	합계
학용품 수(개)	6	3	4	1	2	16

1 가장 많이 들어 있는 학용품은 무엇일까요? (색연필)

✤ 가장 많이 들어 있는 학용품은 6개가 들어 있는 색연필입니다.

2 가장 적게 들어 있는 학용품은 무엇일까요? (풀)

✤ 가장 적게 들어 있는 학용품은 1개가 들어 있는 풀입니다.

[3~4] 효진이네 반 학생들이 좋아하는 음식을 조사하여 나타낸 그래프입니다. 물음에 답하세요.

효진이네 반 학생들이 좋아하는 음식별 학생 수

6			○			
5		○	○		○	
4	○	○	○		○	
3	○	○	○	○	○	
2	○	○	○	○	○	
1	○	○	○	○	○	○
학생 수(명) / 음식	자장면	돈가스	라면	볶음밥	치킨	파스타

3 가장 많은 학생이 좋아하는 음식은 무엇일까요? (라면)

✤ 가장 많은 학생이 좋아하는 음식은 라면입니다.

4 가장 적은 학생이 좋아하는 음식은 무엇일까요? (파스타)

✤ 가장 적은 학생이 좋아하는 음식은 파스타입니다.

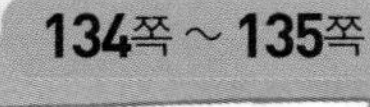

표와 그래프로 나타내기

준비물 붙임딱지

준수네 모둠 학생들이 좋아하는 곤충을 조사하려고 합니다. 자료를 조사하여 곤충 붙임딱지를 알맞게 붙인 뒤 □ 안에 알맞은 수를 써넣고 표와 그래프로 각각 나타내어 보세요.

예
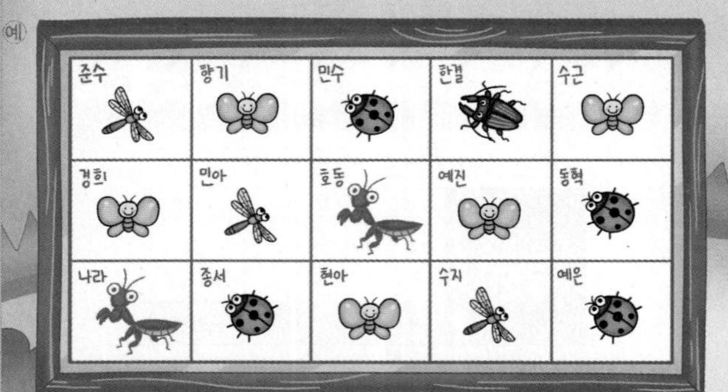

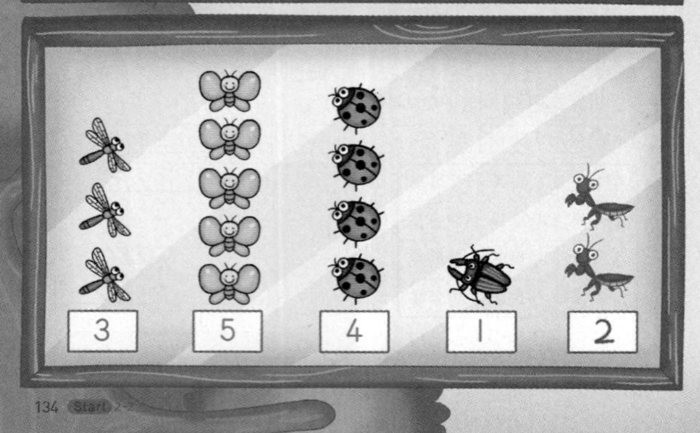

준수네 모둠 학생들이 좋아하는 곤충별 학생 수

곤충	잠자리	나비	무당벌레	사슴벌레	사마귀	합계
학생 수(명)	3	5	4	1	2	15

준수네 모둠 학생들이 좋아하는 곤충별 학생 수

5		○			
4		○	○		
3	○	○	○		
2	○	○	○		○
1	○	○	○	○	○
학생 수(명) / 곤충	잠자리	나비	무당벌레	사슴벌레	사마귀

준수네 모둠 학생들이 좋아하는 곤충별 학생 수

사마귀	×	×			
사슴벌레	×				
무당벌레	×	×	×	×	
나비	×	×	×	×	×
잠자리	×	×	×		
곤충 / 학생 수(명)	1	2	3	4	5

5 단원

136쪽 ~ 137쪽

집중! 드릴 문제

정답과 풀이 p.34

[1~3] 윤지네 모둠 학생들이 좋아하는 과일을 조사하였습니다. 물음에 답하세요.

윤지네 모둠 학생들이 좋아하는 과일

(사과, 귤, 포도, 감)

윤지	찬민	주영	태은	주환
야영	준우	혜빈	한결	소민

1 조사한 자료를 보고 ○를 이용하여 그래프로 나타내어 보세요.

윤지네 모둠 학생들이 좋아하는 과일별 학생 수

4		○		
3		○	○	
2	○	○	○	
1	○	○	○	○
학생 수(명) / 과일	사과	귤	포도	감

2 가장 많은 학생이 좋아하는 과일은 무엇일까요?

(귤)

3 가장 적은 학생이 좋아하는 과일은 무엇일까요?

(감)

[4~6] 태희네 모둠 학생들이 좋아하는 꽃을 조사하였습니다. 물음에 답하세요.

태희네 모둠 학생들이 좋아하는 꽃

장미	백합	무궁화	튤립	장미
튤립	장미	튤립	무궁화	장미
장미	무궁화	백합	장미	튤립

4 조사한 자료를 보고 ×를 이용하여 그래프로 나타내어 보세요.

태희네 모둠 학생들이 좋아하는 꽃별 학생 수

6	×			
5	×			
4	×		×	
3	×		×	×
2	×	×	×	×
1	×	×	×	×
학생 수(명) / 꽃	장미	백합	튤립	무궁화

5 가장 많은 학생이 좋아하는 꽃은 무엇일까요?

(장미)

6 가장 적은 학생이 좋아하는 꽃은 무엇일까요?

(백합)

[7~9] 나연이네 반 학생들이 좋아하는 계절을 조사한 표입니다. 물음에 답하세요.

나연이네 반 학생들이 좋아하는 계절별 학생 수

계절	봄	여름	가을	겨울	합계
학생 수(명)	5	7	3	6	21

7 표를 보고 ○를 이용하여 그래프로 나타내어 보세요.

나연이네 반 학생들이 좋아하는 계절별 학생 수

7		○		
6		○		○
5	○	○		○
4	○	○		○
3	○	○	○	○
2	○	○	○	○
1	○	○	○	○
학생 수(명) / 계절	봄	여름	가을	겨울

8 가장 많은 학생이 좋아하는 계절은 무엇일까요?

(여름)

9 가장 적은 학생이 좋아하는 계절은 무엇일까요?

(가을)

[10~12] 지후네 반 학생들이 좋아하는 반려동물을 조사한 표입니다. 물음에 답하세요.

지후네 반 학생들이 좋아하는 반려동물별 학생 수

반려동물	강아지	고양이	햄스터	앵무새	합계
학생 수(명)	6	4	7	5	22

10 표를 보고 /를 이용하여 그래프로 나타내어 보세요.

지후네 반 학생들이 좋아하는 반려동물별 학생 수

7			/	
6	/		/	
5	/		/	/
4	/	/	/	/
3	/	/	/	/
2	/	/	/	/
1	/	/	/	/
학생 수(명) / 반려동물	강아지	고양이	햄스터	앵무새

11 가장 많은 학생이 좋아하는 반려동물은 무엇일까요?

(햄스터)

12 가장 적은 학생이 좋아하는 반려동물은 무엇일까요?

(고양이)

5 단원

교과서 개념 확인 문제

정답과 풀이 p.35

[1~2] 예은이네 모둠 학생들이 좋아하는 과일을 조사하였습니다. 물음에 답하세요.

예은이네 모둠 학생들이 좋아하는 과일

이름	과일	이름	과일	이름	과일
희원	사과	영진	배	수지	청포도
민호	배	소영	청포도	동진	배
동건	귤	현지	배	원후	사과

1 조사한 자료를 보고 표로 나타내어 보세요.

예은이네 모둠 학생들이 좋아하는 과일별 학생 수

과일	사과	배	귤	청포도	합계
학생 수(명)	2	4	1	2	9

✣ 예은이네 모둠 학생들이 좋아하는 과일별 학생 수를 세어 표에 적습니다.

2 조사한 자료를 보고 ×를 이용하여 그래프로 나타내어 보세요.

예은이네 모둠 학생들이 좋아하는 과일별 학생 수

청포도	×	×			
귤	×				
배	×	×	×	×	
사과	×	×			
과일 / 학생 수(명)	1	2	3	4	5

✣ 과일별로 학생 수만큼 한 칸에 하나씩 왼쪽에서 오른쪽으로 빈칸없이 ×를 그립니다.

[3~5] 나라네 반 학생들이 좋아하는 간식을 조사하여 나타낸 표입니다. 물음에 답하세요.

나라네 반 학생들이 좋아하는 간식별 학생 수

간식	피자	도넛	치킨	떡	합계
학생 수(명)	8	5	4	6	23

3 나라네 반 학생은 모두 몇 명일까요?

✣ 표에서 합계가 23입니다. (23명)

4 가장 적은 학생이 좋아하는 간식은 무엇이고, 몇 명이 좋아하는지 써 보세요.

(치킨), (4명)

✣ 치킨을 좋아하는 학생이 4명으로 가장 적습니다.

5 표를 보고 ○를 이용하여 그래프로 나타내어 보세요.

나라네 반 학생들이 좋아하는 간식별 학생 수

8	○			
7	○			
6	○			○
5	○	○		○
4	○	○	○	○
3	○	○	○	○
2	○	○	○	○
1	○	○	○	○
학생 수(명) / 간식	피자	도넛	치킨	떡

✣ 간식별로 학생 수만큼 한 칸에 하나씩 아래에서 위로 빈칸없이 ○를 그립니다.

교과서 개념 확인 문제

정답과 풀이 p.35

[6~8] 수지네 반 학생들이 태어난 계절을 조사하였습니다. 물음에 답하세요.

수지네 반 학생들이 태어난 계절별 학생 수

계절	봄	여름	가을	겨울	합계
학생 수(명)	5	6	9	4	24

6 여름에 태어난 학생은 몇 명일까요?

(6명)

7 가장 많은 학생이 태어난 계절은 무엇이고, 몇 명일까요?

(가을), (9명)

✣ $9>6>5>4$이므로 가장 많은 학생이 태어난 계절은 가을이고, 9명입니다.

8 표를 보고 /를 이용하여 그래프로 나타내어 보세요.

수지네 반 학생들이 태어난 계절별 학생 수

9			/	
8			/	
7			/	
6		/	/	
5	/	/	/	
4	/	/	/	/
3	/	/	/	/
2	/	/	/	/
1	/	/	/	/
학생 수(명) / 계절	봄	여름	가을	겨울

✣ 태어난 계절별 학생 수만큼 아래부터 한 칸에 하나씩 /으로 표시하여 그래프로 나타냅니다.

[9~11] 주어진 달력을 보고 빨간색으로 표시된 공휴일의 수를 조사하여 표와 그래프로 나타내려고 합니다. 물음에 답하세요.

2월

일	월	화	수	목	금	토
	1	2	3	4	5	6
7	8	9	10	11	12	13
14	15	16	17	18	19	20
21	22	23	24	25	26	27
28						

3월

일	월	화	수	목	금	토
	1	2	3	4	5	6
7	8	9	10	11	12	13
14	15	16	17	18	19	20
21	22	23	24	25	26	27
28	29	30	31			

4월

일	월	화	수	목	금	토
				1	2	3
4	5	6	7	8	9	10
11	12	13	14	15	16	17
18	19	20	21	22	23	24
25	26	27	28	29	30	

9 달력을 보고 월별 공휴일 수를 조사하여 표로 나타내어 보세요.

월별 공휴일 수

월	2	3	4	합계
공휴일 수(일)	7	5	4	16

✣ 월별로 빨간색으로 표시된 날을 'V' 표시를 사용하여 공휴일 수를 셉니다.

10 위 9의 표를 보고 ○를 이용하여 그래프로 나타내어 보세요.

월별 공휴일 수

7	○		
6	○		
5	○	○	
4	○	○	○
3	○	○	○
2	○	○	○
1	○	○	○
공휴일 수(일) / 월	2	3	4

✣ 월별 공휴일 수만큼 한 칸에 하나씩 아래에서 위로 빈칸없이 ○를 그립니다.

11 공휴일이 가장 많은 달은 몇 월이고, 그달의 공휴일 수는 며칠일까요?

(2월), (7일)

✣ 10의 그래프에서 ○가 가장 많은 달은 2월이고, 2월의 공휴일 수는 7일입니다.

개념 확인평가 5. 표와 그래프

맞은 개수

정답과 풀이 p.36

[1~4] 동석이네 모둠 학생들이 좋아하는 음료수를 조사한 자료입니다. 물음에 답하세요.

동석이네 모둠 학생들이 좋아하는 음료수

콜라	사이다	주스	우유	주스	우유
동석	진희	정민	유리	상훈	세훈
우유	콜라	사이다	콜라	우유	주스
은주	명선	소영	승원	가은	선주

1 동석이와 가은이가 좋아하는 음료수는 각각 무엇일까요?

동석 (콜라), 가은 (우유)

❖ 동석이가 좋아하는 음료수는 콜라이고 가은이가 좋아하는 음료수는 우유입니다.

2 사이다를 좋아하는 학생의 이름을 모두 써 보세요.

(진희, 소영)

❖ 사이다를 좋아하는 학생은 진희, 소영이입니다.

3 조사한 자료를 보고 표로 나타내어 보세요.

동석이네 모둠 학생들이 좋아하는 음료수별 학생 수

음료수	콜라	사이다	주스	우유	합계
학생 수(명)	卌	卌	卌	卌	
	3	2	3	4	12

4 동석이네 모둠 학생은 모두 몇 명일까요?

❖ 동석이네 모둠 학생은 모두 12명입니다. (12명)

[5~7] 슬기네 반 학생들이 가 보고 싶은 나라를 조사한 자료입니다. 물음에 답하세요.

슬기네 반 학생들이 가 보고 싶은 나라

미국	일본	베트남	호주	스위스	프랑스	미국	베트남
베트남	미국	스위스	베트남	프랑스	미국	베트남	스위스
스위스	베트남	호주	프랑스	미국	베트남	스위스	미국

5 조사한 자료를 보고 표로 나타내어 보세요.

슬기네 반 학생들이 가 보고 싶은 나라별 학생 수

나라	미국	일본	베트남	호주	스위스	프랑스	합계
학생 수(명)	6	1	7	2	5	3	24

6 조사한 자료를 보고 ○를 이용하여 그래프로 나타내어 보세요.

슬기네 반 학생들이 가 보고 싶은 나라별 학생 수

7			○			
6	○		○			
5	○		○		○	
4	○		○		○	
3	○		○		○	○
2	○		○	○	○	○
1	○	○	○	○	○	○
학생 수(명) / 나라	미국	일본	베트남	호주	스위스	프랑스

7 가장 많은 것과 가장 적은 것을 한눈에 알아보기 편리한 것은 표와 그래프 중 무엇일까요?

(그래프)

❖ 가장 많은 것과 가장 적은 것을 한눈에 알아보기 편리한 것은 그래프입니다.

5 단원

개념 확인평가 5. 표와 그래프

정답과 풀이 p.36

8 어느 해 7월부터 12월까지 공휴일은 달력에 빨간색으로 표시된 날입니다. 공휴일의 수를 조사하여 표로 나타낸 뒤 표를 보고 ○를 이용하여 그래프로 나타내어 보세요.

7월

일	월	화	수	목	금	토
			1	2	3	4
5	6	7	8	9	10	11
12	13	14	15	16	17	18
19	20	21	22	23	24	25
26	27	28	29	30	31	

8월

일	월	화	수	목	금	토
						1
2	3	4	5	6	7	8
9	10	11	12	13	14	15
16	17	18	19	20	21	22
23	24	25	26	27	28	29
30	31					

9월

일	월	화	수	목	금	토
		1	2	3	4	5
6	7	8	9	10	11	12
13	14	15	16	17	18	19
20	21	22	23	24	25	26
27	28	29	30			

10월

일	월	화	수	목	금	토
				1	2	3
4	5	6	7	8	9	10
11	12	13	14	15	16	17
18	19	20	21	22	23	24
25	26	27	28	29	30	31

11월

일	월	화	수	목	금	토
1	2	3	4	5	6	7
8	9	10	11	12	13	14
15	16	17	18	19	20	21
22	23	24	25	26	27	28
29	30					

12월

일	월	화	수	목	금	토
		1	2	3	4	5
6	7	8	9	10	11	12
13	14	15	16	17	18	19
20	21	22	23	24	25	26
27	28	29	30	31		

월별 공휴일 수

월	7	8	9	10	11	12	합계
공휴일 수(일)	4	6	5	8	5	5	33

월별 공휴일 수

9						
8				○		
7				○		
6		○		○		
5		○	○	○	○	○
4	○	○	○	○	○	○
3	○	○	○	○	○	○
2	○	○	○	○	○	○
1	○	○	○	○	○	○
공휴일 수(일) / 월	7	8	9	10	11	12

[GO! 매쓰]
여기까지 5단원 내용입니다.
다음부터는 6단원 내용이 시작합니다.

교과서 개념 잡기

정답과 풀이 p.37

개념 ① 덧셈표에서 규칙 찾기

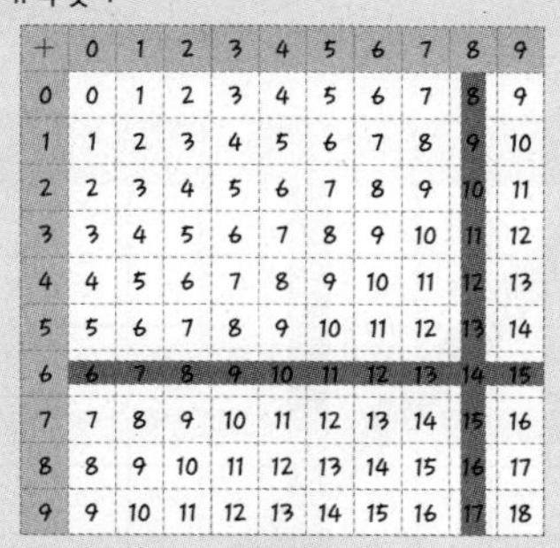

+	0	1	2	3	4	5	6	7	8	9
0	0	1	2	3	4	5	6	7	8	9
1	1	2	3	4	5	6	7	8	9	10
2	2	3	4	5	6	7	8	9	10	11
3	3	4	5	6	7	8	9	10	11	12
4	4	5	6	7	8	9	10	11	12	13
5	5	6	7	8	9	10	11	12	13	14
6	6	7	8	9	10	11	12	13	14	15
7	7	8	9	10	11	12	13	14	15	16
8	8	9	10	11	12	13	14	15	16	17
9	9	10	11	12	13	14	15	16	17	18

① ■으로 칠해진 수에는 아래쪽으로 내려갈수록 1씩 커지는 규칙이 있습니다.

② ■으로 칠해진 수에는 오른쪽으로 갈수록 1씩 커지는 규칙이 있습니다.

③ ↘ 방향으로 갈수록 2씩 커지는 규칙이 있습니다.

④ 어떤 줄이든 홀수, 짝수 (또는 짝수, 홀수)가 반복됩니다.

같은 줄에서 왼쪽으로 갈수록 1씩 작아지는 규칙도 있고,

같은 줄에서 위쪽으로 올라갈수록 1씩 작아지는 규칙도 있어요.

개념 Check

위 덧셈표에서 찾은 규칙을 바르게 말한 것에 ○표 하세요.

같은 줄에서 아래쪽으로 내려갈수록 1씩 커집니다. (○)

같은 줄에서 오른쪽으로 갈수록 1씩 작아집니다.

[1~4] 덧셈표를 보고 물음에 답하세요.

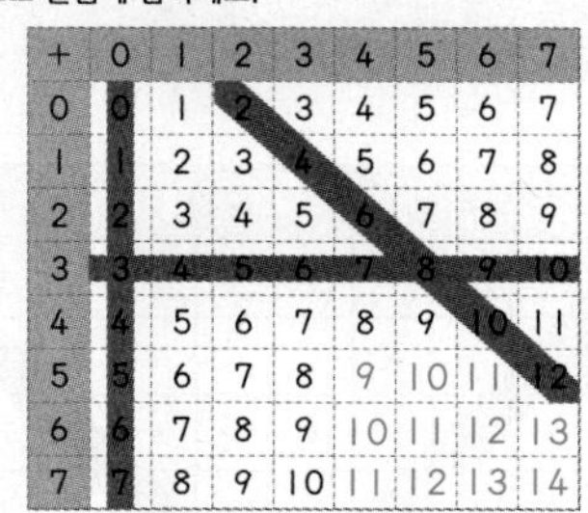

+	0	1	2	3	4	5	6	7
0	0	1	2	3	4	5	6	7
1	1	2	3	4	5	6	7	8
2	2	3	4	5	6	7	8	9
3	3	4	5	6	7	8	9	10
4	4	5	6	7	8	9	10	11
5	5	6	7	8	9	10	11	12
6	6	7	8	9	10	11	12	13
7	7	8	9	10	11	12	13	14

1 위 빈칸에 알맞은 수를 써넣으세요.

✣ 두 수의 합을 이용하여 빈칸에 알맞은 수를 써넣습니다.

2 ■으로 칠해진 수의 규칙을 찾아 완성해 보세요.

규칙 오른쪽으로 갈수록 1씩 (커지는, 작아지는) 규칙이 있습니다. — 커지는

✣ 3, 4, 5, 6, 7, 8, 9, 10으로 1씩 커지는 규칙이 있습니다.

3 ■으로 칠해진 수의 규칙을 찾아 완성해 보세요.

규칙 아래쪽으로 내려갈수록 1씩 (커지는, 작아지는) 규칙이 있습니다. — 커지는

✣ 0, 1, 2, 3, 4, 5, 6, 7로 1씩 커지는 규칙이 있습니다.

4 ■으로 칠해진 수의 규칙을 찾아 완성해 보세요.

규칙 ↘ 방향으로 갈수록 2씩 (커지는, 작아지는) 규칙이 있습니다. — 커지는

✣ 2, 4, 6, 8, 10, 12로 2씩 커지는 규칙이 있습니다.

6 단원

교과서 개념 잡기

정답과 풀이 p.37

개념 ② 곱셈표에서 규칙 찾기

×	1	2	3	4	5	6	7	8	9
1	1	2	3	4	5	6	7	8	9
2	2	4	6	8	10	12	14	16	18
3	3	6	9	12	15	18	21	24	27
4	4	8	12	16	20	24	28	32	36
5	5	10	15	20	25	30	35	40	45
6	6	12	18	24	30	36	42	48	54
7	7	14	21	28	35	42	49	56	63
8	8	16	24	32	40	48	56	64	72
9	9	18	27	36	45	54	63	72	81

① ■으로 칠해진 수에는 2씩 커지는 규칙이 있습니다.

② ■으로 칠해진 수에는 9씩 커지는 규칙이 있습니다.

③ 2단, 4단, 6단, 8단 곱셈구구에 있는 수는 모두 짝수입니다.

각 단의 수는 아래쪽으로 내려갈수록 단의 수만큼 커지는 규칙이 있어요.

각 단의 수는 오른쪽으로 갈수록 단의 수만큼 커지는 규칙이 있어요.

개념 Check

위 곱셈표에서 ■으로 칠해진 수에서 찾은 규칙으로 바른 것에 ○표 하세요.

위쪽으로 올라갈수록 8씩 커집니다.

아래쪽으로 내려갈수록 8씩 커집니다. (○)

[1~3] 곱셈표를 보고 물음에 답하세요.

×	1	2	3	4	5
1	1	2	3	4	5
2	2	4	6	8	10
3	3	6	9	12	15
4	4	8	12	16	20
5	5	10	15	20	25

1 위 빈칸에 알맞은 수를 써넣으세요.

✣ 두 수의 곱을 이용하여 빈칸에 알맞은 수를 써넣습니다.

2 ■으로 칠해진 곳과 규칙이 같은 곳을 찾아 색칠해 보세요.

✣ 빨간색으로 칠해진 곳은 3단 곱셈구구로 3씩 커집니다. 세로 줄에서 3단 곱셈구구를 찾아 색칠합니다.

3 ■으로 칠해진 수의 규칙을 찾아 완성해 보세요.

규칙 아래쪽으로 내려갈수록 4씩 커지는 규칙이 있습니다.

✣ 4, 8, 12, 16, 20으로 4씩 커지는 규칙이 있습니다.

6 단원

4 규칙을 찾아 왼쪽 빈칸에 알맞은 수를 써넣고, 규칙을 완성해 보세요.

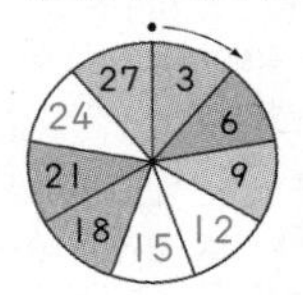

규칙 3씩 커지는 규칙이 있습니다.

✣ 위에 있는 점에서부터 화살표 방향으로 3씩 커지는 규칙이 있습니다.

150쪽 ~ 151쪽

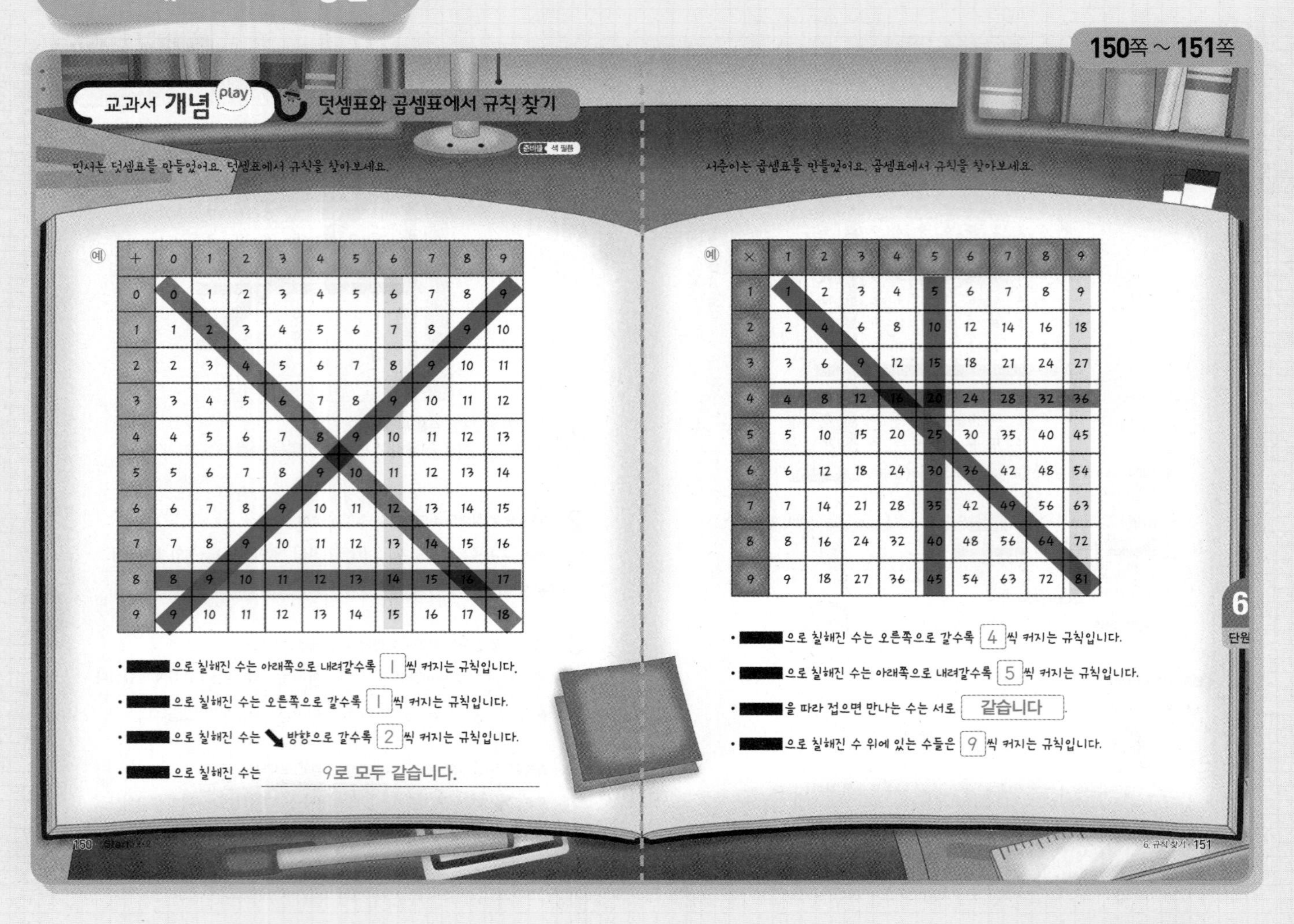

교과서 개념 play 덧셈표와 곱셈표에서 규칙 찾기

민서는 덧셈표를 만들었어요. 덧셈표에서 규칙을 찾아보세요.

예

+	0	1	2	3	4	5	6	7	8	9
0	0	1	2	3	4	5	6	7	8	9
1	1	2	3	4	5	6	7	8	9	10
2	2	3	4	5	6	7	8	9	10	11
3	3	4	5	6	7	8	9	10	11	12
4	4	5	6	7	8	9	10	11	12	13
5	5	6	7	8	9	10	11	12	13	14
6	6	7	8	9	10	11	12	13	14	15
7	7	8	9	10	11	12	13	14	15	16
8	8	9	10	11	12	13	14	15	16	17
9	9	10	11	12	13	14	15	16	17	18

- ▬으로 칠해진 수는 아래쪽으로 내려갈수록 1 씩 커지는 규칙입니다.
- ▬으로 칠해진 수는 오른쪽으로 갈수록 1 씩 커지는 규칙입니다.
- ▬으로 칠해진 수는 ↘ 방향으로 갈수록 2 씩 커지는 규칙입니다.
- ▬으로 칠해진 수는 9로 모두 같습니다.

서준이는 곱셈표를 만들었어요. 곱셈표에서 규칙을 찾아보세요.

예

×	1	2	3	4	5	6	7	8	9
1	1	2	3	4	5	6	7	8	9
2	2	4	6	8	10	12	14	16	18
3	3	6	9	12	15	18	21	24	27
4	4	8	12	16	20	24	28	32	36
5	5	10	15	20	25	30	35	40	45
6	6	12	18	24	30	36	42	48	54
7	7	14	21	28	35	42	49	56	63
8	8	16	24	32	40	48	56	64	72
9	9	18	27	36	45	54	63	72	81

- ▬으로 칠해진 수는 오른쪽으로 갈수록 4 씩 커지는 규칙입니다.
- ▬으로 칠해진 수는 아래쪽으로 내려갈수록 5 씩 커지는 규칙입니다.
- ▬을 따라 접으면 만나는 수는 서로 같습니다.
- ▬으로 칠해진 수 위에 있는 수들은 9 씩 커지는 규칙입니다.

150 Start 2-2 · 6. 규칙 찾기 151

152쪽 ~ 153쪽

집중! 드릴 문제

정답과 풀이 p.38

[1~4] 덧셈표를 보고 물음에 답하세요.

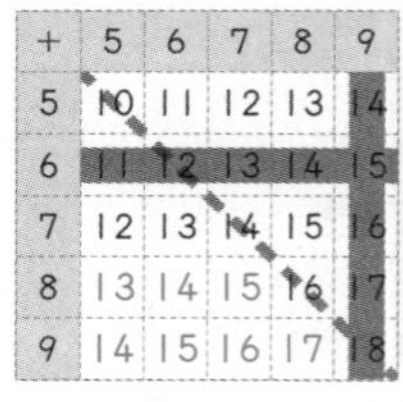

+	5	6	7	8	9
5	10	11	12	13	14
6	11	12	13	14	15
7	12	13	14	15	16
8	13	14	15	16	17
9	14	15	16	17	18

1 위 빈칸에 알맞은 수를 써넣으세요.
✤ 두 수의 합을 이용하여 빈칸에 알맞은 수를 써넣습니다.

2 ▬으로 칠해진 수의 규칙을 찾아 써 보세요.
규칙 예 아래로 내려갈수록 1씩 커지는 규칙이 있습니다.
✤ 14, 15, 16, 17, 18로 1씩 커지는 규칙이 있습니다.

3 ▬으로 칠해진 수의 규칙을 찾아 써 보세요.
규칙 예 오른쪽으로 갈수록 1씩 커지는 규칙이 있습니다.
✤ 11, 12, 13, 14, 15로 1씩 커지는 규칙이 있습니다.

4 덧셈표를 초록색 점선을 따라 접었을 때 만나는 수는 서로 어떤 관계일까요?
(예 만나는 수들은 서로 같습니다.)

[5~8] 덧셈표를 보고 물음에 답하세요.

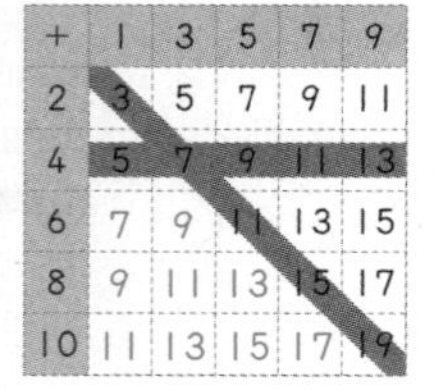

+	1	3	5	7	9
2	3	5	7	9	11
4	5	7	9	11	13
6	7	9	11	13	15
8	9	11	13	15	17
10	11	13	15	17	19

5 위 빈칸에 알맞은 수를 써넣으세요.
✤ 두 수의 합을 이용하여 빈칸에 알맞은 수를 써넣습니다.

6 알맞은 말에 ○표 하세요.
덧셈표에 있는 수들은 모두 ((홀수), 짝수)입니다.

7 ▬으로 칠해진 수의 규칙을 찾아 써 보세요.
규칙 예 오른쪽으로 갈수록 2씩 커지는 규칙이 있습니다.
✤ 5, 7, 9, 11, 13으로 2씩 커지는 규칙이 있습니다.

8 ▬으로 칠해진 수의 규칙을 찾아 완성해 보세요.
규칙 (↘, ↖) 방향으로 갈수록 4 씩 커지는 규칙이 있습니다.
✤ ↘ 방향으로 가면 수가 점점 커지고 ↖ 방향으로 가면 수가 점점 작아집니다. ↘ 방향으로 가면 3, 7, 11, 15, 19로 4씩 커지는 규칙이 있습니다.

[9~12] 곱셈표를 보고 물음에 답하세요.

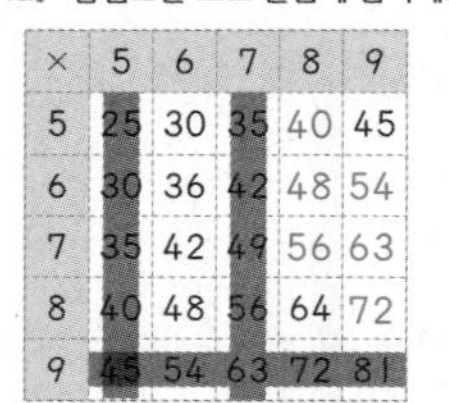

×	5	6	7	8	9
5	25	30	35	40	45
6	30	36	42	48	54
7	35	42	49	56	63
8	40	48	56	64	72
9	45	54	63	72	81

9 위 빈칸에 알맞은 수를 써넣으세요.
✤ 두 수의 곱을 이용하여 빈칸에 알맞은 수를 써넣습니다.

10 ▬으로 칠해진 수의 규칙을 찾아 써 보세요.
규칙 예 7씩 커지는 규칙이 있습니다.
✤ 7단 곱셈구구입니다.

11 ▬으로 칠해진 수의 규칙을 찾아 써 보세요.
규칙 예 9씩 커지는 규칙이 있습니다.
✤ 9단 곱셈구구입니다.

12 □ 안에 알맞은 수를 써넣으세요.
▬으로 칠해진 수는 일의 자리 숫자가 5 와 0 이 반복됩니다.
✤ 5단 곱셈구구는 일의 자리 숫자가 5와 0이 반복됩니다.

[13~16] 곱셈표를 보고 물음에 답하세요.

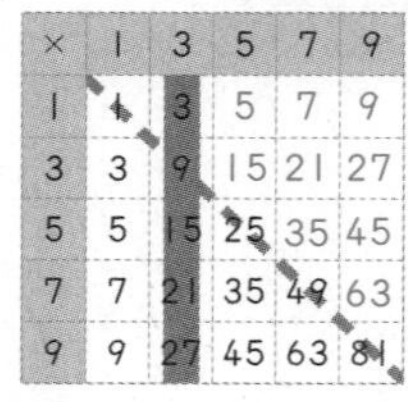

×	1	3	5	7	9
1	1	3	5	7	9
3	3	9	15	21	27
5	5	15	25	35	45
7	7	21	35	49	63
9	9	27	45	63	81

13 위 빈칸에 알맞은 수를 써넣으세요.
✤ 두 수의 곱을 이용하여 빈칸에 알맞은 수를 써넣습니다.

14 알맞은 말에 ○표 하세요.
곱셈표에 있는 수들은 모두 ((홀수), 짝수)입니다.

15 ▬으로 칠해진 수의 규칙을 찾아 써 보세요.
규칙 예 6씩 커지는 규칙이 있습니다.
✤ 3, 9, 15, 21, 27로 6씩 커지는 규칙이 있습니다.

16 곱셈표를 초록색 점선을 따라 접었을 때 만나는 수는 서로 어떤 관계일까요?
(예 만나는 수들은 서로 같습니다.)

교과서 개념 확인 문제

정답과 풀이 p.39

[1~4] 덧셈표를 보고 물음에 답하세요.

+	2	4	6	8	10
2	4	6	8	10	12
4	6	8	10	12	14
6	8	10	12	14	16
8	10	12	14	16	18
10	12	14	16	18	20

1 위 빈칸에 알맞은 수를 써넣으세요.

2 ▬으로 칠해진 수는 오른쪽으로 갈수록 몇씩 커지는 규칙이 있을까요? (2씩)

✤ 파란색으로 칠해진 수는 8, 10, 12, 14, 16이므로 오른쪽으로 갈수록 2씩 커지는 규칙이 있습니다.

3 ▬으로 칠해진 수는 ↘ 방향으로 갈수록 몇씩 커지는 규칙이 있을까요? (4씩)

✤ 빨간색으로 칠해진 수는 6, 10, 14, 18이므로 ↘ 방향으로 갈수록 4씩 커지는 규칙이 있습니다.

4 위 덧셈표에서 찾은 규칙으로 옳은 것에 ○표, 틀린 것에 ×표 하세요.

(1) 모두 짝수입니다. (○)

(2) 같은 줄에서 아래쪽으로 내려갈수록 1씩 커집니다. (×)

(3) ↙ 방향으로 같은 수들이 있습니다. (○)

✤ (2) 같은 줄에서 아래쪽으로 내려갈수록 2씩 커집니다.

[5~7] 곱셈표를 보고 물음에 답하세요.

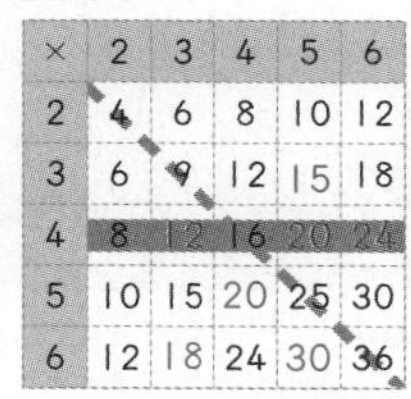

×	2	3	4	5	6
2	4	6	8	10	12
3	6	9	12	15	18
4	8	12	16	20	24
5	10	15	20	25	30
6	12	18	24	30	36

5 위 빈칸에 알맞은 수를 써넣으세요.

✤ 두 수의 곱을 이용하여 빈칸에 알맞은 수를 써넣습니다.

6 알맞은 말에 ○표 하세요.

곱셈표를 초록색 점선을 따라 접었을 때 만나는 수는 서로 (같습니다, 다릅니다). — 정답: 같습니다

7 ▬으로 칠해진 수는 몇씩 커지는 규칙이 있을까요? (4씩)

✤ 8, 12, 16, 20, 24로 4씩 커지는 규칙이 있습니다.

8 규칙을 찾아 빈칸에 알맞은 수를 써넣으세요.

(1)

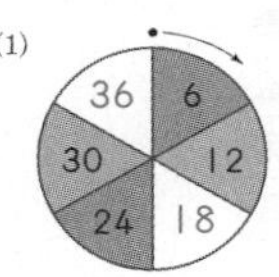

(2)

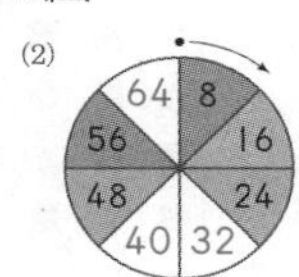

✤ (1) 위에 있는 점에서부터 화살표 방향으로 6씩 커지는 규칙입니다.
(2) 위에 있는 점에서부터 화살표 방향으로 8씩 커지는 규칙입니다.

교과서 개념 확인 문제

정답과 풀이 p.39

[9~10] 덧셈표의 빈칸에 알맞은 수를 써넣고, 찾을 수 있는 규칙에 ○표 하세요.

9

+	1	3	5	7	9
1	2	4	6	8	10
3	4	6	8	10	12
5	6	8	10	12	14
7	8	10	12	14	16
9	10	12	14	16	18

↓ 방향에 있는 수들은 반드시 → 방향에도 똑같이 있습니다. (○)

어떤 줄이든 홀수, 짝수가 반복됩니다. ( )

✤ 덧셈표에 있는 수들은 모두 짝수입니다.

10

+	0	2	4	6	8
3	3	5	7	9	11
5	5	7	9	11	13
7	7	9	11	13	15
9	9	11	13	15	17
11	11	13	15	17	19

↘ 방향으로 2씩 커지는 규칙이 있습니다. ( )

3에서 19까지 곧은 선을 그은 후 접으면 만나는 수는 서로 같습니다. (○)

✤ ↘ 방향으로 4씩 커지는 규칙이 있습니다.

11 덧셈표에서 규칙을 찾아 빈칸에 알맞은 수를 써넣으세요.

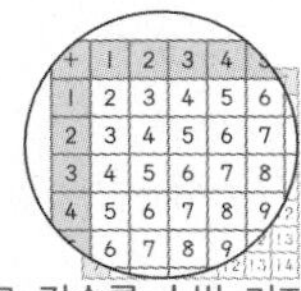

15	16	17
	17	18
		19

✤ 오른쪽으로 갈수록 1씩 커지고, 아래쪽으로 내려갈수록 1씩 커지는 규칙입니다.

[12~13] 곱셈표를 완성하고 규칙을 찾아보세요.

×	3	4	5	6	7
3	9	12	15	18	21
4	12	16	20	24	28
5	15	20	25	30	35
6	18	24	30	36	42
7	21	28	35	42	49

12 위 빈칸에 알맞은 수를 써넣으세요.

13 곱셈표에서 규칙을 찾아 써 보세요.

규칙 예 9에서 49까지 ↘ 방향으로 접으면 만나는 수들은 서로 같습니다.

✤ 각 단의 수는 아래쪽으로 내려갈수록, 오른쪽으로 갈수록 단의 수만큼 커지는 규칙이 있습니다.
같은 줄에서 아래쪽으로 내려갈수록, 오른쪽으로 갈수록 일정한 수만큼 커지는 규칙이 있습니다.

14 곱셈표에서 규칙을 찾아 빈칸에 알맞은 수를 써넣으세요.

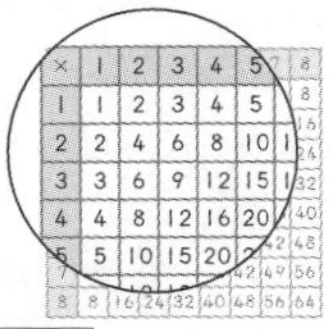

12	15	18
	20	24	28
	25	30	

✤ 12 15 ㉠ → 3씩 커집니다. ㉠은 15보다 3만큼 더 큰 18입니다.
20 24 28 → 4씩 커집니다.
25 ㉡ → 5씩 커집니다. ㉡은 25보다 5만큼 더 큰 30입니다.

158쪽 ~ 159쪽

교과서 개념 잡기

개념 3 무늬에서 규칙 찾기 (1)

① 노란색, 주황색, 초록색이 반복되는 규칙입니다.
② ↙ 방향으로 똑같은 색이 반복되고 있습니다.

개념 4 무늬에서 규칙 찾기 (2)

1	2	3	2	1	2	3
2	1	2	3	2	1	2
3	2	1	2	3	2	1
2	3	2	1	2	3	2

① 왼쪽 무늬에 있는 ✿은 1, ★은 2, ☽은 3으로 바꾸어 오른쪽에 나타내었습니다.
② ✿, ★, ☽, ★이 반복됩니다. → 오른쪽 표에서 1, 2, 3, 2가 반복됩니다.
③ ↙ 방향으로 보면 ★이 같은 줄에 있는 규칙이 있습니다.

개념 Play (준비물 붙임딱지)

규칙을 찾아 붙임딱지를 붙여서 무늬를 완성해 보세요.

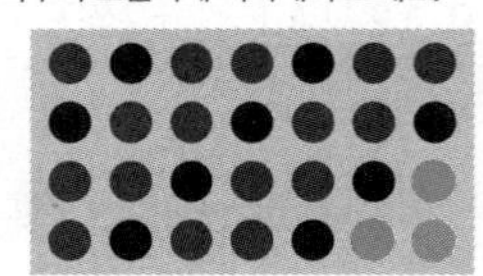

1 규칙을 찾아 빈칸에 알맞은 모양을 그리고 색칠해 보세요.

규칙 ◆, ♥, ▼가 반복되는 규칙입니다.

✤ ◆, ♥, ▼가 반복되므로 빈칸에는 ◆ 다음인 ♥부터 순서대로 반복해서 그립니다.

2 그림에서 규칙을 찾아 ○ 안에 알맞게 색칠하고, ●는 1, ●는 2, ●는 3으로 바꾸어 오른쪽에 나타내어 보세요.

1	2	3	1	2	3	1
2	3	1	2	3	1	2
3	1	2	3	1	2	3
1	2	3	1	2	3	1

✤ 갈색, 주황색, 초록색이 반복되는 규칙입니다.
1, 2, 3이 반복되므로 빈칸에는 2 다음인 3부터 순서대로 반복해서 써넣습니다.

3 규칙을 찾아 ▢ 안에 알맞은 모양을 그려 넣고 색칠해 보세요.

(1)

(2)

160쪽 ~ 161쪽

교과서 개념 잡기

개념 5 쌓은 모양에서 규칙 찾기

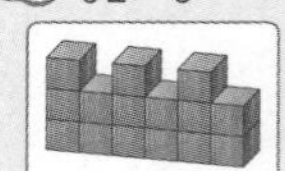

① 쌓기나무가 3개, 2개가 반복되는 규칙입니다.
② 1층과 2층은 쌓기나무를 맞닿게 쌓은 규칙이고 3층은 한 칸씩 건너 뛰고 쌓기나무를 쌓은 규칙입니다.

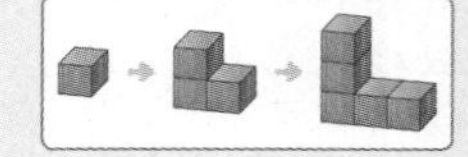

① 쌓기나무가 오른쪽에 1개, 위쪽에 1개씩 늘어나는 규칙입니다.
② 다음에 쌓을 모양은  입니다.

개념 6 생활에서 규칙 찾기

→ 한 의자에 한 글자 숫자가 함께 쓰여 있습니다.

① 앞줄에서부터 가, 나, 다, 라……와 같이 한글이 순서대로 적혀 있는 규칙이 있습니다.
② 각 열에서도 왼쪽부터 1, 2, 3, 4……와 같이 수가 순서대로 적혀 있는 규칙이 있습니다.

개념 Check

쌓기나무가 2개, 1개가 반복되는 규칙으로 쌓은 것에 ○표 하세요.

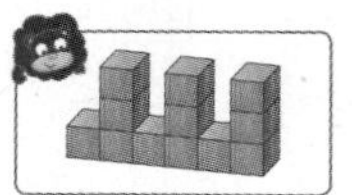

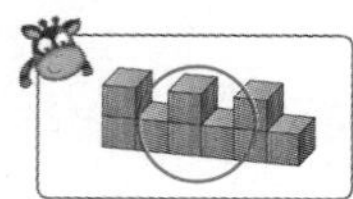

1 다음과 같은 모양으로 쌓기나무를 쌓았습니다. 쌓은 규칙을 써 보세요.

규칙 쌓기나무를 3층, 1층이 반복되게 쌓았습니다.

✤ 1층은 쌓기나무를 맞닿게 쌓은 규칙이고 2층과 3층은 한 칸씩 건너 뛰고 쌓기나무를 쌓은 규칙입니다.

2 규칙에 따라 쌓기나무를 쌓았습니다. 물음에 답하세요.

(1) 쌓기나무가 늘어나는 규칙을 찾아 써 보세요.

규칙 쌓기나무가 오른쪽에 1개씩 늘어나는 규칙입니다.

(2) 다음에 이어질 모양에 쌓을 쌓기나무는 모두 몇 개일까요?
(6개)

✤ (2) 세 번째 모양은 쌓기나무가 5개이고 다음에 이어질 모양은 오른쪽에 1개 늘어나므로 6개입니다.

3 달력을 보고 물음에 답하세요.

(1) 화요일은 며칠마다 반복될까요?
(7일)

(2) 달력에서 찾을 수 있는 규칙을 2가지 완성해 보세요.

규칙 1 일요일의 날짜는 7단 곱셈구구와 같습니다.

규칙 2 가로로 1씩 커지는 규칙이 있습니다.

✤ (1) 화요일의 날짜는 2, 9, 16, 23, 30일이므로 7일마다 반복됩니다.
(2) 일요일의 날짜는 7, 14, 21, 28일이므로 7단 곱셈구구와 같습니다.

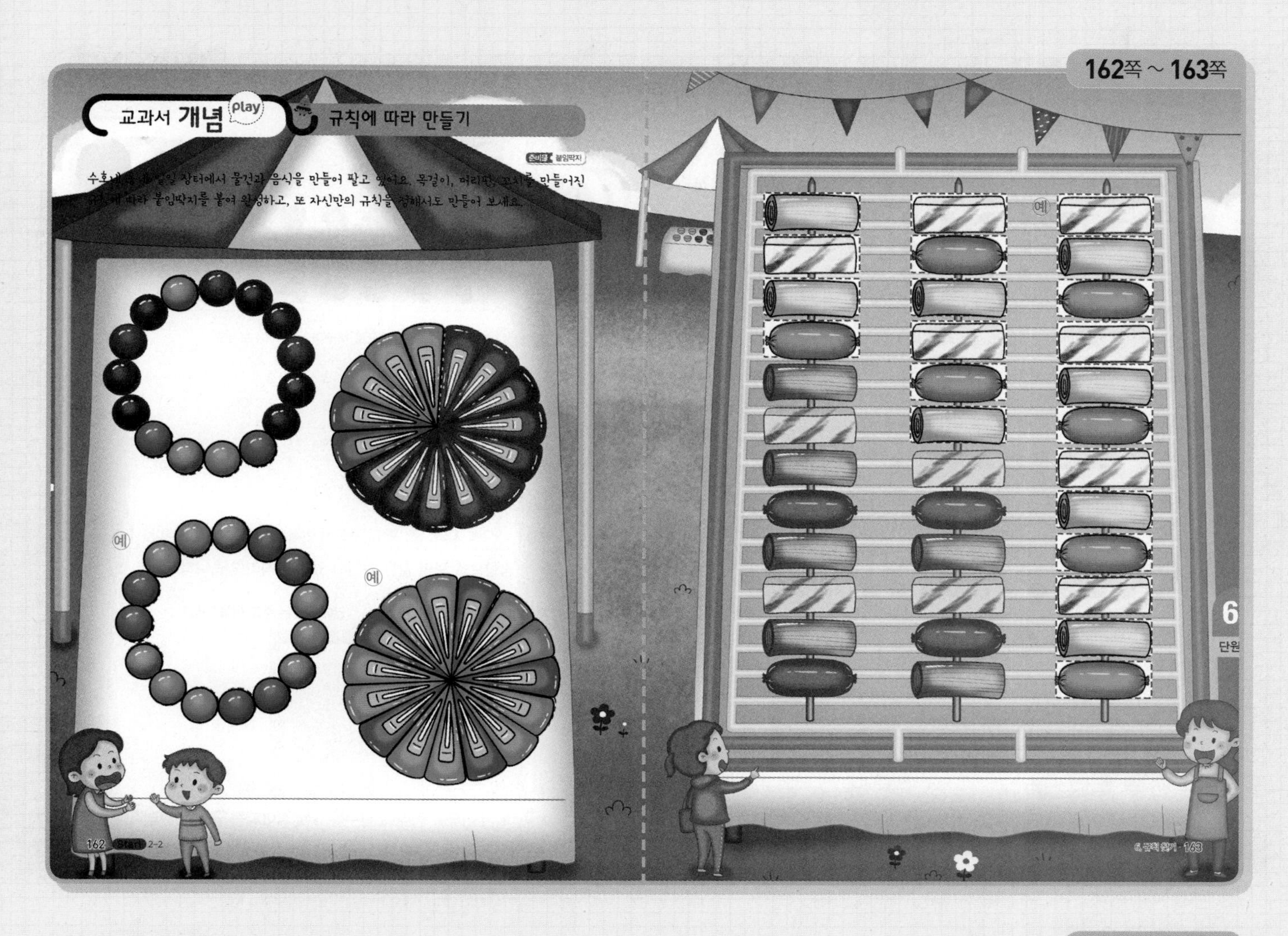

집중! 드릴 문제

정답과 풀이 p.41

[1~4] 규칙을 찾아 무늬를 완성해 보세요.

1 

✣ 보라색, 주황색이 반복되는 규칙입니다.

2

✣ 갈색, 초록색, 초록색, 갈색이 반복되는 규칙입니다.

3

✣ ★, ♥가 반복되는 규칙입니다.

4

✣ ◆, ●, ▲, ●가 반복되는 규칙입니다.

[5~6] 규칙을 찾아 알맞게 색칠해 보세요.

5 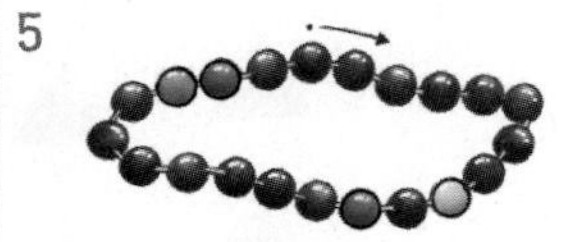

✣ 점에서부터 화살표 방향으로 빨간색, 파란색, 노란색이 반복되는 규칙입니다.

6

✣ 파란색 구슬은 1개, 2개, 3개, 4개로 커지고, 커질 때마다 빨간색 구슬을 1개씩 끼웠습니다.

7 규칙을 찾아 써 보세요.

규칙 예 ♥, ▲, ▲가 반복되는 규칙이 있습니다.

[8~10] 다음과 같은 모양으로 쌓기나무를 쌓았습니다. 쌓은 규칙을 찾아 완성해 보세요.

8 

규칙 쌓기나무가 3개, 1개가 반복되는 규칙이 있습니다.

✣ 'ㅏ'자 모양이 반복되는 규칙이 있습니다.

9 

규칙 1층과 2층의 쌓기나무가 각각 1개씩 늘어나는 규칙입니다.

✣ 1층과 2층의 쌓기나무가 각각 1개씩 늘어나는 규칙입니다.

10 

규칙 1층씩 높아지고 쌓기나무는 2개, 3개, 4개……가 늘어나는 규칙입니다.

[11~14] 달력을 보고 물음에 답하세요.

11 금요일에 있는 수의 규칙을 찾아 완성해 보세요.

규칙 7씩 커지는 규칙이 있습니다.

✣ 금요일의 날짜는 3, 10, 17, 24일이므로 7씩 커집니다.

12 세로로 몇씩 커지는 규칙이 있을까요?

(7씩)

✣ 일주일은 7일이므로 세로로 7씩 커집니다.

13 오른쪽 위에서 왼쪽 아래로(↙) 보면 수는 몇씩 커질까요?

(6씩)

✣ 4일부터 ↙ 방향으로 보면 4, 10, 16, 22, 28이므로 6씩 커집니다.

14 날짜가 7단 곱셈구구와 같은 요일은 무슨 요일일까요?

(화요일)

✣ 날짜가 7, 14, 21, 28일인 요일은 화요일입니다.

교과서 개념 확인 문제

정답과 풀이 p.42

1 규칙을 찾아 무늬를 완성해 보세요.

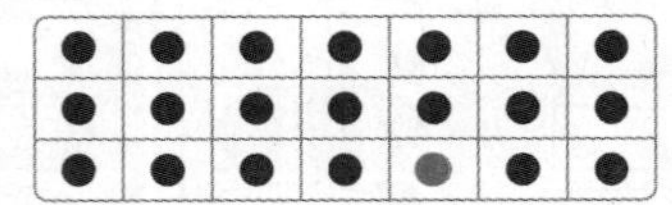

(1) 빨간색, 파란색, 노란색 이 반복되는 규칙입니다.

(2) 규칙을 찾아 빈칸에 알맞은 색을 칠해 보세요.

✤ 빨간색, 파란색, 노란색이 반복되므로 노란색 다음에는 빨간색을 칠해야 합니다.

2 규칙을 찾아 □ 안에 알맞은 모양을 그리고 색칠해 보세요.

✤ ■, ▲, ♥가 반복되는 규칙이므로 ■ 다음에는 ▲를 그려 넣습니다.

3 규칙을 찾아 □ 안에 알맞은 모양을 그려 넣고 규칙을 완성해 보세요.

규칙 ○, △, ○가 반복되는 규칙이 있습니다.

4 다음과 같은 모양으로 쌓기나무를 쌓았습니다. 쌓은 규칙을 써 보세요.

규칙 예 쌓기나무를 3층, 2층, 1층이 반복되게 쌓았습니다.

[5~6] 과일을 보고 물음에 답하세요.

5 사과는 1, 귤은 2, 포도는 3으로 바꾸어 나타내어 보세요.

1	2	3	3	1	2	3
3	1	2	3	3	1	2
3	3	1	2	3	3	1

6 찾을 수 있는 규칙을 써 보세요.

규칙 예 사과, 귤, 포도, 포도가 반복되는 규칙이 있습니다.

✤ ↘ 방향으로 보면 같은 과일이 있는 규칙이 있습니다.

7 계산기에 있는 수의 규칙을 찾아 □ 안에 알맞은 수를 써넣으세요.

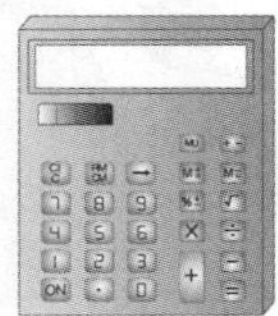

→ 아래로 갈수록 3 씩 작아지는 규칙이 있습니다.

✤ 7, 4, 1이므로 아래로 갈수록 3씩 작아지는 규칙이 있습니다.

6 단원

교과서 개념 확인 문제

정답과 풀이 p.42

8 학교 사물함을 보고 사물함 번호에서 찾을 수 있는 규칙을 찾아보세요.

(1) 위 빈칸에 알맞은 번호를 써넣으세요.

(2) 사물함의 번호는 같은 줄에서 오른쪽으로 갈수록 1 씩 커지고, 아래로 내려갈수록 8 씩 커지는 규칙이 있습니다.

✤ (2) 가장 왼쪽 세로줄을 보면 1, 9, 17로 8씩 커집니다.

9 규칙에 따라 쌓기나무를 쌓아 갈 때 □ 안에 놓을 쌓기나무는 몇 개일까요?

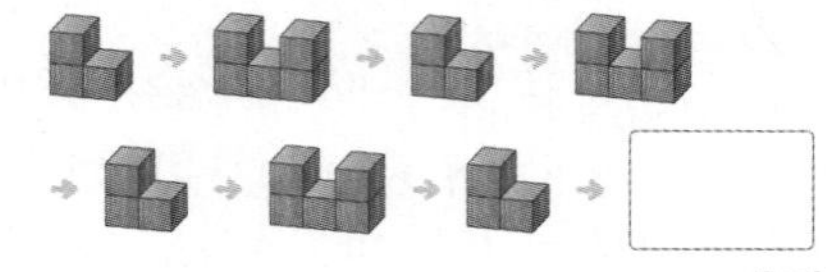

(5개)

✤ 쌓기나무가 3개, 5개가 반복되는 규칙입니다. 따라서 □ 안에 놓을 쌓기나무는 5개입니다.

10 규칙을 찾아 시곗바늘을 알맞게 그려 보세요.

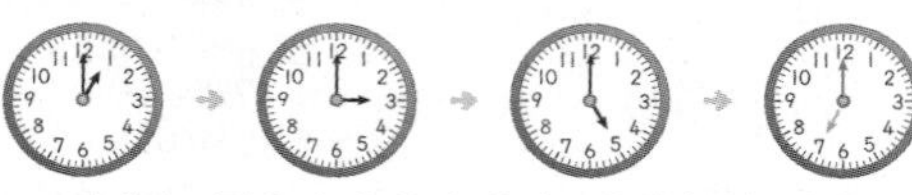

✤ 시계의 시각은 1시, 3시, 5시로 2시간씩 늘어나는 규칙이 있습니다. 따라서 5시에서 2시간 후인 7시의 시각을 그립니다.

11 규칙을 찾아 삼각형 안에 ●을 알맞게 그려 보세요.

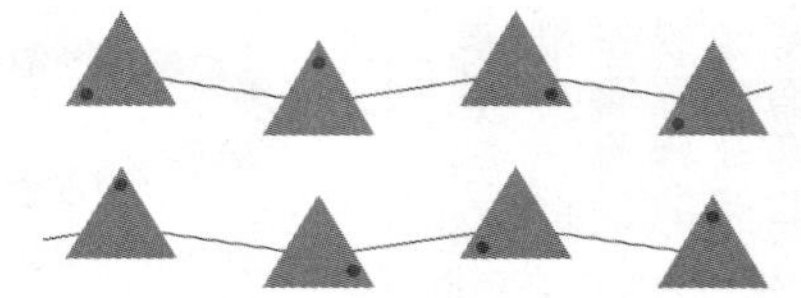

✤ 삼각형 안에 ●을 시계 방향으로 돌려 가며 그린 규칙입니다.

12 규칙에 따라 쌓기나무를 쌓았습니다. 쌓기나무를 5층으로 쌓으려면 쌓기나무는 모두 몇 개 필요할까요?

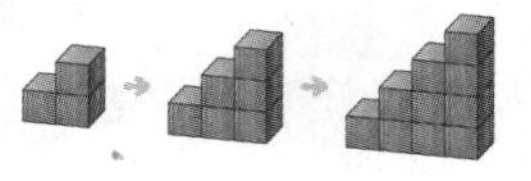

(15개)

✤ 아래쪽으로 내려갈수록 쌓기나무는 1개씩 늘어납니다. 5층으로 쌓으려면 쌓기나무는 모두 $1+2+3+4+5=15$(개) 필요합니다.

13 달력의 일부분이 찢어져 있습니다. 10월 셋째 금요일은 며칠일까요?

10월

일	월	화	수	목	금	토
		1	2	3	4	5
6	7	8	9	10	11	12
13						

(18일)

✤ 같은 요일은 7일마다 반복됩니다. 셋째 금요일은 둘째 금요일인 11일에서 7일 후인 18일입니다.

6 단원

개념 확인평가 6. 규칙 찾기

맞은 개수

[1~3] 덧셈표를 보고 물음에 답하세요.

+	3	4	5	6	7
3	6	7	8	9	10
4	7	8	9	10	11
5	8	9	10	11	12
6	9	10	11	12	13
7	10	11	12	13	14

1 ■으로 칠해진 수의 규칙을 찾아 써 보세요.

규칙 아래 쪽으로 내려갈수록 1 씩 커지는 규칙이 있습니다.

✤ 8, 9, 10, 11, 12로 1씩 커지는 규칙이 있습니다.

2 ■으로 칠해진 수의 규칙을 찾아 써 보세요.

규칙 오른 쪽으로 갈수록 1 씩 커지는 규칙이 있습니다.

✤ 9, 10, 11, 12, 13으로 1씩 커지는 규칙이 있습니다.

3 덧셈표에서 규칙을 한 가지 더 찾아 써 보세요.

규칙 ↙ 방향으로 같은 수들이 있는 규칙이 있습니다.

4 규칙을 찾아 빈칸에 알맞은 수를 써넣으세요.

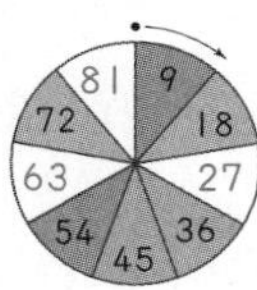

✤ 시작점에서부터 9씩 커지는 규칙이 있습니다.

5 규칙에 따라 쌓기나무를 쌓았습니다. 다음에 이어질 모양에 쌓을 쌓기나무는 모두 몇 개일까요?

(8개)

✤ 1층의 가운데 쌓기나무가 1개씩 늘어나는 규칙이 있습니다. 다음에 이어질 모양은 [모양] 이므로 8개입니다.

[6~7] 숫자 무늬 타일을 규칙에 따라 놓았습니다. 물음에 답하세요.

6 규칙에 맞게 위 빈칸을 완성해 보세요.

✤ 1, 1, 9가 반복되는 규칙입니다.
㉠ 1, 1 다음에는 9가 옵니다.
㉡, ㉢ 1 다음에는 1이 옵니다.

7 타일을 놓은 규칙을 찾아 써 보세요.

규칙 예 1, 1, 9가 반복되고 흰색과 초록색이 반복되는 규칙이 있습니다.

8 모양이 쌓여 있는 그림을 보고 규칙을 찾아 빈 곳에 알맞은 모양을 그리고 색칠해 보세요.

✤ ◆ 모양이 오른쪽으로 2개씩 늘어나는 규칙입니다.

6 단원

개념 확인평가 6. 규칙 찾기

9 규칙을 찾아 시곗바늘을 알맞게 그려 보세요.

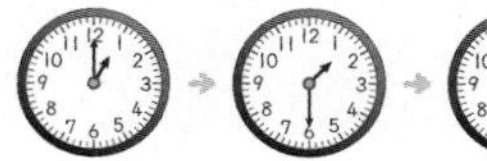

✤ 1시, 1시 30분, 2시, 2시 30분으로 시간이 30분씩 지나는 규칙입니다. 2시 30분에서 30분 지난 3시를 나타내는 시곗바늘을 그립니다.

10 곱셈표를 완성하고 규칙을 찾아 써 보세요.

×	3	4	5	6
3	9	12	15	18
4	12	16	20	24
5	15	20	25	30
6	18	24	30	36

규칙 예 초록색 점선을 따라 접었을 때 만나는 수들은 서로 같습니다.

✤ 각 단의 수는 아래쪽으로 내려가거나 오른쪽으로 갈수록 단의 수만큼 커지는 규칙이 있습니다.

11 규칙에 따라 벽돌을 쌓았습니다. 벽돌을 4층으로 쌓으려면 벽돌은 모두 몇 개 필요할까요?

(10개)

✤ 1층에 3개, 2층에 2개, 3층에 1개를 쌓는 규칙으로 쌓고 있으므로 4층을 쌓기 위해서는 4+3+2+1=10(개)의 벽돌이 필요합니다.

[GO! 매쓰]
수고하셨습니다. 앞으로 Run 교재와
Jump 교재로 교과+사고력을
잡아 보세요.

Memo

수학 2-2

정답과 풀이

유형 사고력

교과서 사고력

교과서 개념